D 8

4 50

S0-AKI-078

DISCOURS DE LA MÉTHODE

RENÉ DESCARTES

DISCOURS DE LA MÉTHODE

suivi d'extraits

de la DIOPTRIQUE, des MÉTÉORES,
de la VIE DE DESCARTES par Baillet,
du MONDE, de l'HOMME

et

de LETTRES

Chronologie et préface

par

Geneviève Rodis-Lewis
professeur à la Faculté des Lettres
et Sciences humaines de Lyon

GARNIER-FLAMMARION

© 1966, GARNIER-FLAMMARION, Paris.

CHRONOLOGIE

1596 (31 mars) : Naissance de René Descartes à La
Haye en Touraine (La Haye-Descartes depuis 1802).
Son père, Joachim, Conseiller au Parlement de Bretagne, était fils d'un médecin de Châtellerault.
(3 avril) : Baptême à Saint-Georges de La Haye.

1597 (13 mai) : Mort de sa mère, Jeanne, née Brochard,
lors de la naissance d'un cinquième enfant, qui mou-
rut le 16 mai. Un autre enfant de Joachim Descartes
et de Jeanne Brochard n'ayant pas vécu, René avait
un frère et une sœur aînés, Pierre et Jeanne. Il croyait
que sa mère était morte « peu de jours » après sa propre
naissance. Il fut élevé par une nourrice, et par sa
grand-mère maternelle, Jeanne Brochard, née Sain,
qui devait mourir en 1610.

Vers **1600**, remariage de Joachim Descartes avec Anne
Morin, dont il eut plusieurs enfants : seuls vécurent
Joachim et Anne. Les frères de Descartes furent par-
lementaires comme leur père.

1604 : Fondation par Henri IV du Collège des Jésuites
à La Flèche. Baillet situe à Pâques l'entrée de René.
On sait seulement qu'il y resta huit ou neuf ans, sous
la direction de son parent, le Père Charlet (recteur
depuis 1606). On tend à retarder cette entrée de un
à trois ans, ce qui repousse la sortie de 1612 (date de
Baillet) à 1613 ou 1614, voire 1615 (plus discutable).

1610 (4 juin) : Cérémonie du transfert du cœur de
Henri IV au collège de La Flèche.

1611 (6 juin) : Lors des cérémonies d'anniversaire du
transfert du cœur de Henri IV, lecture d'un poème
célébrant les découvertes astronomiques de Galilée :

*Sur la mort du Roi Henri et sur la découverte de quelques
nouvelles planètes ou étoiles errantes autour de Jupiter,
faite l'année d'icelle par Galilée, célèbre mathématicien
du grand-duc de Florence.*

1616 (9 et 10 novembre) : Baccalauréat et licence en droit
à Poitiers.

1618 : Descartes s'engage à l'école de guerre de Maurice
de Nassau en Hollande. Il se fait appeler M. du Perron, du nom d'un petit fief qu'il avait en Poitou.

(10 novembre) : A Bréda, rencontre d'Isaac Beeckman, alors âgé de 30 ans. Ils travaillent à unir physique
et mathématique. Le 31 décembre, Descartes lui offre
pour ses étrennes son premier écrit, un *Abrégé de
Musique* (en latin).

1619 (29 avril) : Il s'embarque pour le Danemark, afin
de passer en Allemagne (c'est peut-être alors que
survient son aventure avec les mariniers, datée par
Baillet de 1621).

(Juillet-septembre) : Fêtes du couronnement de l'Empereur Ferdinand II à Francfort. Descartes projetait
de s'engager dans les armées du duc de Bavière; mais
à l'approche de l'hiver, il se trouve « seul », dans le
duché de Neubourg au bord du Danube. Dans la nuit
du 10 au 11 novembre « plein d'enthousiasme », alors
qu'il découvrait les fondements de la (ou d'une ?)
science admirable, il a trois songes qu'il relate dans les
Olympica.

1620 : Avant la fin de février, il note le vœu d'aller en
pèlerinage à Lorette avant la fin de novembre, et de
terminer son traité (?) avant Pâques. Il est peu probable que Descartes (s'il s'était engagé ?) ait, comme
le croit Baillet, participé à la bataille de la Montagne
Blanche en novembre, pour n'abandonner l'armée que
durant l'été 1621.

(11 novembre) : Il note une nouvelle « découverte
admirable ».

Durant ces années mal connues, il résout diverses
questions de mathématique et d'optique, et groupe
ses notes personnelles, ou projette plusieurs traités,
sous des titres souvent emphatiques : *Parnassus, The-
saurus mathematicus, Experimenta, Studium bonae men-*

tis ; ce dernier (vers 1623 ?) comportait un ample fragment selon Baillet.

1622-1623 : Après divers voyages, séjour en France. L'été 1623, Descartes vend sa terre du Perron.

(Septembre 1623-mai 1625) : Voyage en Italie. On suppose qu'il fit alors le pèlerinage de Lorette.

1625-1627 : A Paris, il fréquente des beaux esprits (Guez de Balzac), des savants (Mersenne, Mydorge) et des théologiens (le P. Gibieuf de l'Oratoire).

(Novembre 1627 — Baillet retarde cette séance d'un an) : Lors d'une conférence de Chandoux chez le Nonce du Pape, Descartes reçoit les encouragements du cardinal de Bérulle.

1627-1628 : Retiré à la campagne (le 22 janvier, il est parrain d'un neveu en Bretagne), Descartes rédige les *Regulae ad directionem ingenii (Règles pour la direction de l'esprit)*, qui resteront inachevées. Il aspire à une plus parfaite solitude pour édifier sa métaphysique, qu'il avait annoncée au P. Gibieuf.

1628 (8 octobre) : Il retrouve Beeckman à Dordrecht, puis s'installe à Franeker au nord de la Frise.

1629 (26 avril) : Inscription sur les registres de l'Université de Franeker : René des Cartes, Français, Philosophe. Pendant neuf mois (novembre-juillet ?), il se consacre à un commencement de métaphysique, mais songe cependant, pour sa détente, à faire venir de France l'artisan Ferrier, qui taillerait des verres optiques. Recevant la description des parhélies ou faux soleils, observés à Rome au printemps, il se tourne vers l'étude des météores. A l'automne il est installé à Amsterdam, habite la Kalverstraat (rue des Veaux). Descartes fait alors la connaissance du médecin Plempius, avec lequel il opérera des dissections l'hiver suivant (1630-1631 ou 1631-1632).

1630 (27 juin) : Inscription sur les registres de l'Université de Leyde : R. Descartes, Poitevin, mathématicien. Il se lie avec le mathématicien Golius, qui le mettra en rapport avec Constantin Huygens (père du grand physicien). Brouille avec Beeckman qui se vantait d'avoir tout appris à Descartes : ils se réconcilieront l'année suivante, à l'occasion d'une maladie de Beeckman (qui mourra en 1637).

1631 (?) : L'ingénieur Villebressieu construit avec Descartes diverses machineries, puis ils partent pour la Basse Allemagne et le Danemark, mais Descartes, malade, interrompt son voyage (Baillet date tout cela de l'été 1634). Villebressieu séjournera encore auprès de Descartes en 1643-1644.

(Hiver 1631-1632) : Descartes trouve la solution générale du problème de Pappus (proposé par Golius), en inventant la géométrie analytique.

(Juin 1632-fin 1633) : Séjour à Deventer, avec Reneri. Descartes poursuit la rédaction du *Monde* et de *l'Homme*.

(Novembre **1633**) : Apprenant la condamnation de Galilée par le Saint-Office, il ajourne la publication du *Monde* et de *l'Homme*.

(Décembre 1633-printemps 1635) : Résidence à Amsterdam (février 1635, observation des cristaux de neige). La maison de Descartes existe encore au Westermarkt, 6. C'est là que fut conçue Francine (le 15 octobre 1634 selon une note de son père), née le 19 juillet 1635 à Deventer, baptisée le 7 août suivant à l'église réformée, comme fille légitimée de René, fils de Joachim, et d'Hélène, une servante. L'été 1635, Descartes est à Utrecht, où Reneri enseignait la philosophie.

1636 : Au printemps Descartes s'installe à Leyde pour faire imprimer le *Discours de la Méthode* et les *Essais*, c'est-à-dire : *la Dioptrique, les Météores, la Géométrie*, écrits avant le *Discours*. Schooten le fils, peintre et mathématicien, en trace les figures. Le contrat est passé le 2 décembre avec Jan Maire, libraire à Leyde.

1637 : Tandis que Descartes s'impatiente, Mersenne s'occupe à Paris de faire obtenir un privilège pour la France. (Le privilège pour la Hollande avait été obtenu le 20 décembre de l'année précédente.) Le privilège français est daté du 4 mai; Descartes fait enlever son nom et des éloges jugés excessifs. L'achevé d'imprimer de l'ouvrage, anonyme, est du 8 juin. (Eté 1637-avril 1640) : Séjour à Santpoort près de Haarlem : Descartes y fait venir Francine et Hélène (lettre du 30 août 1637).

1637-1638 : Correspondance en liaison avec les *Essais;* discussions mathématiques avec Fermat, Roberval, Desargues, Debeaune, physiologiques avec Plempius.

Petit traité de mécanique envoyé à Huygens le 5 octobre 1637, repris en 1638 pour Mersenne, qui en insérera une partie dans ses *Cogitata physico-mathematica* (1644).

1639 : Après la mort de Reneri (18 mars), Descartes devient ami de Regius, professeur de médecine à Utrecht.

(Novembre 1639-mars 1640) : Rédaction des *Méditations métaphysiques* en latin.

1640 : Séjour à Leyde. Descartes soutient Waessenaer dans un défi mathématique contre Stampioen.

(7 septembre) : Mort de Francine à Amersfoort. (17 octobre) : Mort du père de Descartes (sa sœur Jeanne meurt aussi en 1640). Il renonce au voyage qu'il projetait alors en France.

(Novembre 1640-juillet 1641) : Le manuscrit des *Méditations*, envoyé à Mersenne le 18 novembre, est communiqué successivement à divers théologiens et savants. Descartes recueille six séries d'objections et rédige ses Réponses. Le tout paraît à Paris, chez Michel Soly (achevé d'imprimer le 28 août 1641) sous le titre suivant : *Renati Descartes Meditationes de prima philosophia in qua Dei existentia et animae immortalitas demonstratur*.

(Fin de mars 1641-fin d'avril 1643) : Descartes est installé, près de Leyde, au château d'Endegeest, qui existe encore.

(Hiver 1641-1642) : Descartes soutient Regius contre le recteur de l'Université d'Utrecht, Voëtius ; la nouvelle philosophie est condamnée le 15 mars par les Magistrats d'Utrecht.

1642 (mai) : 2e édition des *Meditationes* chez Elzevier à Amsterdam : titre modifié (l'annonce d'une preuve de l'immortalité fait place à celle de la distinction de l'âme et du corps : *Renati Descartes Meditationes de prima philosophia in quibus Dei existentia et animae humanae a corpore distinctio demonstrantur*), addition des septièmes objections et réponses, et d'une Epître au P. Dinet, S.J., relatant la polémique avec Voëtius.

(Mai 1643-mai 1644) : Séjour à Egmond op den Hœf près d'Alkmaar. En mai 1643 Descartes publie en latin une longue Epître polémique contre Voëtius, puis, en juillet, une lettre publique aux Magistrats d'Utrecht. En mai 1643 commence la correspondance avec la princesse palatine Elisabeth.

1644 : Premier retour en France depuis 1628; arrivée à Paris mi-juin, puis voyage en Bretagne (il est parrain d'un neveu le 9 septembre).

(10 juillet) : Parution à Amsterdam, chez Elzevier, des *Principia philosophiae*, avec une dédicace à la princesse Elisabeth, et de la traduction latine du *Discours* et des deux premiers *Essais* par E. de Courcelles : R. Des-Cartes *Specimina Philosophiae, seu Dissertatio de Methodo..., Dioptrice et Meteora* (revu et corrigé par l'auteur).

A Paris, l'abbé Picot va traduire les *Principes*. Descartes prend aussi connaissance de la traduction des *Méditations* par le duc de Luynes, et de celle des objections et réponses par Clerselier : il se lie d'amitié avec ce dernier et son beau-frère Chanut. Descartes reverra toutes ces traductions les années suivantes.

1645-1646 (novembre 1644-été 1649) : Revenu en Hollande, il vit près d'Alkmaar, à Egmond-Binnen. Importante correspondance sur la morale avec la princesse Elisabeth. Descartes rédige pour elle le premier état de son *Traité des Passions*. Brouille avec Regius, qui publie en 1646, contre l'avis de Descartes, ses *Fundamenta physices*.

1647 : Parution à Paris (veuve Camusat et Le Petit) de la traduction des *Méditations métaphysiques* (sans les septièmes objections et réponses). Attaques de Revius et Triglandius à l'Université de Leyde. Par l'intermédiaire de Chanut, résident du Roi de France en Suède, Descartes commence à correspondre avec Christine de Suède.

(Juin) : Voyage en France : Paris, puis Bretagne, Touraine, Poitou. Descartes surveille l'impression de la traduction des *Principes de Philosophie*, qui paraissent à Paris à la fin de l'été, chez H. Le Gras, avec une importante Lettre-Préface au Traducteur, l'abbé Picot. Celui-ci va accompagner Descartes à son retour aux Pays-Bas en octobre.

(6 septembre) : Brevet de pension du Roi (Descartes paya l'année suivante les droits d'enregistrement, mais ne toucha jamais rien).

(23-24 septembre) : Entretiens avec Pascal sur le vide : Descartes, qui niait le vide, lui suggère, si on l'en croit, les expériences comparées en plaine et montagne.

(Décembre) : Regius fait placarder l'*Explicatio mentis humanae*, où il critique vivement Descartes, qui réplique par ses *Notae in Programma...*

1648 (janvier) : Descartes étudie la formation du fœtus (traité inachevé, joint à l'*Homme* par Clerselier, en 1664).

(21 février) : *Lettre apologétique* (en français et flamand) aux Magistrats d'Utrecht (dont un édit du 12 juin 1645 avait interdit de rien publier pour ou contre Descartes).

(16 avril) : Entretien avec Burman, fils d'un ministre protestant de Leyde.

(Mai) : Nouveau voyage en France; le 27 août, aux premiers troubles de la Fronde, Descartes repart immédiatement.

(1er septembre) : Mort de Mersenne qui était alité depuis la fin de juillet.

1649 (27 février) : Invité en Suède par la reine Christine, Descartes est réticent; en avril, il refuse de prendre le vaisseau qui venait le chercher. Il s'embarquera pourtant le 1er septembre. Avant son départ, son ami Blomaert, prêtre à Haarlem, fait faire son portrait (par Frans Hals?).

Parution à Leyde, chez J. Maire, de la traduction latine par Schooten de la *Geometria*, avec des notes de Fl. de Beaune.

(Fin novembre) : Parution à Paris des *Passions de l'âme*.

Arrivé à Stockholm depuis octobre, en l'absence de Chanut, Descartes commence une comédie pastorale qui est perdue et dont les personnages Alixan et Parthénie symbolisaient, selon Baillet, l'amour de la Sagesse et la recherche de la vérité. Pour des fêtes destinées à célébrer l'anniversaire de la reine (18 décembre) et la paix de Westphalie, il écrit les vers d'un ballet, *la Naissance de la Paix*, qui fut dansé le 19 décembre et qui a été retrouvé en 1920. Il est possible que le dialogue inachevé *la Recherche de la vérité* qui expose la métaphysique de Descartes date de cette période.

(23 décembre) : Retour de Chanut avec le titre d'ambassadeur.

1650 (janvier) : La Reine le fait venir le matin à cinq heures. Le 1er février il lui remet les statuts d'une Académie des Sciences. Le 2, il s'alite avec une pneumonie et meurt le 11. D'abord enterré à Stock-holm, le corps de Descartes fut transféré à Paris en 1667, à Sainte-Geneviève du Mont. En 1793, la Convention vota son transport au Panthéon; mais il resta jusqu'en 1819 au Jardin Elysée des Monuments français où il avait été déposé dès 1792. Le 26 février 1818, il fut transporté en l'église Saint-Germain-des-Prés.

PRÉFACE

« Qu'est-ce donc que je lis dans le *Discours de la Méthode?*
Ce qui attire mon regard, à partir de la charmante narra-
tion de sa vie et des circonstances initiales de sa recherche,
c'est la présence de lui-même dans ce prélude d'une philosophie. C'est, si l'on veut, l'emploi du *Je* et du *Moi*
dans un ouvrage de cette espèce, et le son de la voix
humaine ; et c'est cela, peut-être, qui s'oppose le plus
nettement à l'architecture scolastique. Le *Je* et le *Moi*
devant nous introduire à des manières de pensée d'une
entière généralité, voilà mon Descartes » disait P. Valéry[1].
Car si le « bon sens est la chose du monde la mieux partagée », la justification que Descartes en donne n'est pas
exempte d'ironie, et s'inspire d'une sentence à la mode [2].
Son propos s'inscrit, de prime abord, dans un genre littéraire d'époque : un « Essai », en français, relatant
comment l'auteur a dépassé les incertitudes inhérentes
aux diverses opinions des philosophes, pour étudier dans
le grand livre du monde, puis en soi-même (*Discours*,
1re partie), tout en faisant provision de maximes, où
l'acceptation des coutumes dans leur relativité s'associe
à la fermeté et à la soumission néo-stoïciennes (3e partie) :
le jeune Descartes a beaucoup lu Montaigne... Sans
« conseiller à personne de l'imiter » (2e partie), il présente

---

1. Discours d'ouverture du Congrès Descartes, Paris, 1937.
2. Montaigne, *Essais*, II, 17 : « On dit communément que le plus
juste partage que Nature nous ait fait de ses grâces, c'est celui du sens
(*variante :* du jugement), car il n'est aucun qui ne se contente de ce
qu'elle lui en a distribué » ; Mathurin Régnier *(Satire à Rapin) ;* le
P. Garasse *(Doctrine curieuse des beaux esprits de ce temps)*, attribue
la maxime à Platon et en accentue l'aspect ironique : « Il n'y a si
pauvre idiot qui ne s'en contente ». Dans l'*Entretien avec Burman*,
Descartes évoque à ce propos le proverbe : autant de têtes, autant
d'avis.

aussi cette « Histoire de son esprit [3] » comme une aventure exemplaire. « Nous avons tous été enfants avant que
d'être hommes, et... gouvernés par nos appétits et nos
précepteurs. » (*Ib.*) Ici l'universalité de la raison, en
dépit des réserves du début sur l'inégalité des esprits,
prend toute sa portée, sérieuse, profonde : la méthode
cartésienne vise à restituer « l'usage entier de notre
raison » (*ib.*), ou puissance de bien juger, en dissipant
les préjugés qui l'entravent. Et leur dénonciation engage
toute une philosophie. La projection spontanée, dès
l'enfance, des apparences sensibles sur les objets perçus,
a été corroborée par l'autorité d'Aristote et de sa physique
qualitative. En cette première moitié du XVIIᵉ siècle,
la tradition scolastique est vivement ébranlée par les
nombreux savants qui lui substituent une physique
mécaniste. Mais seul Descartes fonde l'unification du
corps des sciences sur l'examen critique de ce que permet
l'esprit correctement dirigé, en ajustant la connaissance
« au niveau de la raison » (*ib.*). Voilà pourquoi la posté-
rité a célébré l'importance du *Discours de la Méthode*
avec une ampleur exceptionnelle [4].

L'abandon du latin marque ainsi qu' « un honnête
homme n'est pas obligé... d'avoir appris soigneusement
tout ce qui s'enseigne dans les écoles », selon le propos
initial de *la recherche de la vérité par la lumière naturelle*,
un autre nom de la raison. Ce dialogue inachevé précise
encore le but de Descartes : « Mettre en évidence les
véritables richesses de nos âmes, ouvrant à un chacun
le moyen de trouver en soi-même, et sans rien emprunter
d'autrui, toute la science qui lui est nécessaire à la
conduite de sa vie, et d'acquérir par après par son étude
toutes les plus curieuses connaissances que la raison
des hommes est capable de posséder. » A l'accumulation
des « gros volumes » érudits, qu'une vie ne suffirait pas
à absorber, le philosophe préfère donc le « style... de ces
conversations honnêtes, où chacun découvre familière-
ment à ses amis ce qu'il a de meilleur en sa pensée »
(*ib.*). C'est aussi ce qui fait le charme de ce premier

3. C'est en ces termes que Descartes l'avait promise à ses amis
parisiens : lettre de Guez de Balzac à Descartes, 30-3-1628.
4. En 1937 son tricentenaire, qui réunit à Paris un Congrès inter-
national de philosophie, fut marqué par de nombreux articles dans les
journaux, tandis que des numéros spéciaux étaient consacrés à Descartes dans les grandes revues en France et à l'étranger, de Milan à
Buenos Aires, de La Haye, voire Berlin, à Bucarest.

ouvrage imprimé, intitulé « Discours » et non « Traité de la Méthode »[5].

La place très restreinte que tient l'exposé des quatre préceptes de la méthode dans la seconde partie du *Discours* a étonné les premiers lecteurs de Descartes. Après sa mort, ses disciples ont cherché quelques compléments dans ses papiers inédits. Dès ses *Pensées* personnelles de jeunesse apparaît la recherche de règles peu nombreuses et caractérisées par leur *généralité*. Les *Regulae ad directionem ingenii* (Règles pour la direction de l'esprit) se proposaient de plus amples développements; mais leur rédaction a été interrompue, quand Descartes s'est retiré aux Pays-Bas, pour examiner « une fois en sa vie » (comme il le répète à ce propos) ce que peut vraiment la connaissance humaine. A cet égard, la métaphysique peut apparaître comme un « échantillon » de la méthode, étendue aux premiers principes (fin de la 2e partie), au même titre que l'exemple de physiologie exposé dans la cinquième partie (à Mersenne, mars 1637). Cependant cette entreprise critique était nécessaire pour enraciner dans l'être la « règle générale » de l'évidence.

Mais l'aperception de la clarté et distinction, qui définissent l'évidence, reste fonction de notre attention (*Principes*, I, a. 45). Elaborée par opposition au formalisme des syllogismes ou du Grand Art de Lulle, la méthode cartésienne n'est pas une technique infaillible, et c'est bien ce que lui reprochera Leibniz. Sa généralité même l'empêche de se distribuer en recettes précises. En distinguant les questions dont tous les éléments sont déterminables de celles qui sont imparfaitement comprises, les *Règles pour la direction de l'esprit* s'embarrassaient de considérations annexes. Et Descartes, après les avoir abandonnées avant de parvenir aux problèmes les plus complexes, en a dégagé l'essentiel dans les quatre préceptes du *Discours*. Leur justification se trouve dans les *Essais* dont celui-ci n'est que la « Préface » (à Mersenne,

---

5. A Mersenne, mars 1637. Cette « saveur » du *Discours* fut très goûtée de Huygens : « Vous vous expliquez avec le plus de clarté, force, grâce et vivacité qui soit imaginable » (à Descartes, 24-3-1637). Cependant l'ouvrage se vendit mal (à Mersenne, 9-1-1639), et la plupart des remarques portèrent sur les *Essais* scientifiques, ou l'échantillon de physiologie de la 5e partie, et furent le fait de spécialistes; aussi Descartes songea-t-il bientôt à une édition latine augmentée. Mais, s'étant tourné vers les *Méditations*, puis les *Principes*, il revit seulement la traduction du *Discours* et des deux premiers « essais » (1644).

mars 1637); car la méthode se juge à ses fruits. La variété des questions abordées manifeste la souplesse de l'esprit dans sa mise en œuvre des règles. Aussi avons-nous donné une place de choix aux larges extraits de la *Dioptrique* et des *Météores* [6].

Certes les préceptes méthodologiques sont issus de la pratique des mathématiques, dont Descartes avait apprécié l'évidence dès le collège. Leur clarté devient le modèle de toute connaissance certaine; ainsi chacun voit par intuition que le triangle est défini par trois lignes seulement (*Règles pour la direction de l'esprit*, III). La division des difficultés correspond à la détermination des éléments connus et inconnus dans les questions, « pour les mieux résoudre ». C'est ce qu'effectue le troisième précepte : « Sans considérer aucune différence entre ces lignes connues et inconnues, on doit parcourir la difficulté selon l'ordre qui montre le plus naturellement de tous en quelle sorte elles dépendent mutuellement les unes des autres, jusqu'à ce qu'on ait trouvé moyen d'exprimer une même quantité en deux façons; ce qui se nomme une Equation » (*Géométrie*, livre II). Et l'énumération, comme le précise une addition dans la traduction latine, sert à la fois « à dénombrer exactement toutes les circonstances de ce qu'on cherche » (*Géométrie*, livre II) et à « parcourir la difficulté » sans omettre aucun chaînon. En ce qu'elle a de plus neuf, la *Géométrie* cartésienne, associant les courbes aux équations, permet de « les distinguer par ordre en certains genres » (*ib.*) et de progresser « par degrés » dans leur résolution. Cependant ce dernier *Essai* ne s'adressait qu'aux spécialistes, et encore, pour leur donner de l'exercice, Descartes avait-il omis souvent de dire comment il était parvenu à ses conclusions [7].

---

6. En les situant à la suite du *Discours*, et en distribuant au bas des pages la table détaillée qui figure à la fin de l'édition originale, pour rappeler aux lecteurs les questions traitées, mais aussi, selon l'*Avertissement* de Descartes, pour « leur faire prendre garde à celles qu'ils auront peut-être passées sans les remarquer ».

Les autres extraits qui éclairent les divers aspects du *Discours* sont groupés à la fin. Pour une présentation chronologique des textes qui précèdent, préparent et accompagnent le *Discours*, cf. l'édition Alquié, t. I des *Œuvres philosophiques* de Descartes. On y trouvera en particulier, en complément de nos extraits, les discours 2 et 7 des *Météores*, et toutes les lettres relatives à la publication de l'ouvrage et à l'obtention du privilège.

7. Fl. de Beaune fit des Notes explicatives, qui furent jointes à l'édition latine de la *Géométrie* en 1649 (la traduction de 1644 ne joignant au *Discours* que les deux premiers *Essais*).

Pour le plus large public, Descartes recommande comme meilleur exemple de sa méthode, dans les deux premiers *Essais*, le discours de l'arc-en-ciel (au P. Vatier, 22-2-1638) : on y distinguera aisément la détermination de l'inconnue, l'expérience idéale d'une « grande fiole toute ronde » qui sert de grossissement, et permet, après énumération des diverses circonstances, d'éliminer celles qui n'interviennent pas, puis la découverte du rôle de la réfraction sur les gouttes d'eau en suspens dans l'atmosphère, et le calcul des indices (grâce à la loi donnée dans la *Dioptrique*), pour expliquer avec précision les conditions d'apparition de l'arc-en-ciel et ses différents aspects, enfin quelques perspectives appliquées confirmant la parfaite maîtrise du phénomène. Cette étude avait donné à Descartes, de son propre aveu, « plus de peine que tout le reste » des *Météores* (à Mersenne, 8-10-1629). Elle fait converger en outre les deux premiers *Essais* dans le problème de « la lumière ». C'est là aussi le sous-titre et le centre de perspective du *Monde*, auquel ces *Essais*, en grande partie rédigés avant le traité interrompu, furent substitués, après la condamnation de Galilée [8].

Car les lois de la lumière, analogues à celles du mécanisme, transforment radicalement l'ancienne conception de la vision : au lieu de recevoir de petites « images » qualitatives émanées des objets, l'âme, par l'entremise de l'organe sensoriel, réagit à un choc, ou à une impression de nature matérielle. De plus, la découverte de la formule de la réfraction, objet propre de la *Dioptrique*, fait passer la construction des lunettes du tâtonnement empirique à la connaissance théorique, condition d'une pratique assurée. Enfin le souci cartésien d'être utile au public (*Discours*, 6ᵉ partie) n'exclut pas la fantaisie dans « l'invention d'une infinité d'artifices » (*ib.*), où l'optique a encore un rôle de premier plan.

Ces recherches ont débuté très tôt : si l'on hésite à référer à ce domaine l' « admirable invention » de novembre 1620, on sait que dans ses années parisiennes, Descartes travaillait avec le mathématicien Mydorge, l'ingénieur Villebressieu, l'artisan Ferrier, afin de cal-

---

8. Cf. 5ᵉ et 6ᵉ Parties, et les lettres de 1633-1634 : Descartes revenait ainsi à son premier projet : publier d'abord quelque étude particulière « comme un échantillon de ma philosophie » (à Mersenne, 8-10-1629). Le texte primitif du *Monde*, résumé dans la 5ᵉ partie du *Discours*, ne coïncide pas avec celui qui a été retrouvé dans les papiers de Descartes et publié par Clerselier en 1664.

culer et faire tailler les verres grossissants selon la courbe
la plus favorable, parabole ou hyperbole. Peut-être est-
ce en cherchant à quelles conditions le rayon réfracté
passe par un des foyers de ces courbes que Descartes
aura remarqué la constance du rapport des sinus [9]. Il
avoue que le second discours de la *Dioptrique* ne suit
pas son ordre d'invention ; et sa démonstration a paru
si compliquée que Leibniz l'a plus tard accusé d'avoir
emprunté la loi à Snellius qui, à peu près en même
temps, en avait trouvé, à partir de l'expérience, une
formulation équivalente [10]. Le « modèle » physique de
l'exposé cartésien déconcerte, puisque la balle lancée
possède une vitesse finie, et que la lumière, selon Descartes, est transmise instantanément. Mais, abstraction
faite des circonstances spécifiant les deux phénomènes,
une analogie essentielle se dégage, entre la direction
rectiligne des rayons lumineux, qu'un incident réfléchit
sans repos intermédiaire, et le principe d'inertie qui va
régler toute la mécanique [11].

Or ces découvertes spéculatives, qui unissent très
étroitement physique et mathématique, conformément
aux premières recherches entreprises avec Beeckman,
se complètent par une nouvelle théorie de la perception,
qui rend inutile le combat contre « les géants de l'Ecole » [12].
C'est « l'âme qui sent », « d'autant qu'elle est unie à
notre corps » (*Dioptrique*, discours 4-6). Cela en explique
les limites : la « géométrie naturelle » enveloppée dans
la constitution de nos sens s'arrête à ce qui nous concerne, à ce qui nous est utile pour la conservation de la
vie.

Mais l'art prolonge la nature. Descartes dès 1611 avait

---

9. Il correspond au rapport du grand axe à la distance de ces
foyers (cf. G. Milhaud, *Nouvelles Études sur l'histoire de la pensée
scientifique*, Paris, 1911 : Descartes et la loi des sinus).

10. Peu avant sa mort en 1626, mais elle ne fut publiée qu'en 1632
et Descartes était déjà en possession de la loi lors de son retour aux
Pays-Bas.

11. L'analogie est déjà indiquée dans la *Règle pour la direction de
l'esprit*, VIII, et dans plusieurs lettres de 1629. Cf. la formulation
des « lois de la Nature » dans *le Monde*, c. 7. Ainsi disparaît le privilège
du mouvement circulaire pour les Anciens, qui pensaient que le
mouvement rectiligne a besoin de mystérieuses qualités (pesanteur)
et du soutien de l'air pour se poursuivre.

12. Selon ce qu'attendait Guez de Balzac dans sa lettre à Descartes du 30-3-1628. Cf. au contraire *Dioptrique*, disc. 1, et *Météores*,
disc. 1, fin : il n'est même plus besoin de critiquer les « espèces »
scolastiques.

entendu célébrer la puissance du télescope, ouvrant à l'homme des perspectives littéralement immenses [13]. L'univers est indéfini dans la physique cartésienne, cependant que l'on commence à soupçonner les merveilles de l'infiniment petit : le philosophe annonce « la principale utilité des lunettes à puce » (*Dioptrique*, discours 10); et si ses schémas physiologiques se bornent à transposer ceux de nos mécaniques, filaments tendus et tuyaux où la circulation est orientée par de petits volets, c'est que le microscope n'a été mis au point que dans la deuxième moitié du XVIIe siècle.

Ainsi la maîtrise technique de la nature, issue de la science véritable, l'aide encore à progresser en lui procurant de nouveaux instruments. Elle ne méprise pas cependant les applications directement utiles à l'homme : la sixième partie du *Discours de la Méthode*, comme plus tard la préface à la traduction des *Principes*, met au plus haut rang des fruits de la science, la mécanique qui soulage la peine des hommes, et la médecine, qui les rendra plus sages [14]. Ce souci de transformer le monde, dans la mesure de notre savoir, complète l'acceptation stoïque de la nécessité : déjà la quatrième maxime de la morale commandait le progrès vers « l'acquisition de toutes les connaissances dont je suis capable » (*Discours*, 3e partie).

L'ingéniosité de l'invention cartésienne nous surprend lorsqu'elle s'attache à produire des effets prodigieux, pour le seul amusement du spectacle, semble-t-il. Le but en est pourtant d'abord pédagogique. Car l'exercice entier du bon sens passe par la réforme de l'admiration : stupéfaction passive, elle ôte « l'usage de la raison », mais « nous dispose à l'acquisition des sciences » lorsqu'on recherche les causes des phénomènes « qui peuvent sembler les plus rares et les plus étranges » [15].

13. C'est parce que le Florentin Galilée avait fait hommage aux Médicis des nouvelles planètes (les quatre satellites) aperçues autour de Jupiter, que cette découverte fut évoquée à l'occasion du premier anniversaire du transfert à La Flèche du cœur de Henri IV, sa veuve Catherine de Médicis étant alors régente.

14. Mais dans la préface des *Principes*, la morale est dissociée de la médecine, et constitue la troisième des « principales » sciences issues de la physique. Sur la collaboration de Descartes et de Ville-bressieu dans la mise au point de mécaniques utiles, cf. la relation de Baillet ci-dessous (inventions d'un bateau pliant, d'un chariot-chaise pour transporter les blessés, etc.).

15. *Passions*, a. 76 : au XVIIe siècle « admiration » a un sens plus fort, plus proche de celui qu'a pris étonnement, également affaibli, et qui évoquait l'effet du tonnerre.

Cette conversion est l'objet premier des *Météores* (discours 1). A cet égard les cinq soleils observés près de Rome le 20 mars 1629, et qui ont été le point de départ de cette étude cartésienne, n'ont rien de plus mystérieux que « l'une des plus rares merveilles de la nature » (*ib.*), ces fleurs de neige que Descartes décrit avec tant d'attentive minutie (discours 6) : elles lui avaient fait une telle impression que, plus de dix ans après, il rappelle encore cette expérience, qui lui était, pour ainsi dire, tombée « des nues » (à Chanut, 6-3-1646). A ses observations personnelles, comme les avalanches vues au retour d'Italie par le mont Cenis en mai 1625 (discours 7), ou les couronnes autour d'une chandelle, fortuitement aperçues en 1635 [16], Descartes joint celles d'autrui, et interroge, par exemple, les marins de passage à Amsterdam sur la soudaine formation des tornades « un peu au delà du cap de Bonne-Espérance » (discours 7). Malgré l'audace constructive des déductions cartésiennes, il vise toujours à ce que « la raison s'accorde... parfaitement avec l'expérience » (discours 8).

Aussi le succès de celle-ci confirme-t-il la solidité du raisonnement. Les chatoiements irisés des fontaines éclairent le phénomène de l'arc-en-ciel, et Descartes souhaiterait, en leur donnant diverses figures et un très grand élan, « faire paraître des signes dans le ciel, qui pourraient causer grande admiration à ceux qui en ignoreraient les raisons » (*ib.*). Car son entreprise de démystification des prodiges n'empêche pas le philosophe de se complaire à n'en pas découvrir aussitôt « l'artifice » (*ib.*). Il rêve d'une « science des miracles » qu'il veut édifier sur les « mathématiques », et qui « enseigne à se servir si à propos de l'air et de la lumière qu'on peut faire voir par son moyen toutes les illusions » attribuées à la magie (à ***, sept. 1629 ?). Dès le collège, Descartes s'était intéressé à ces sciences dites « curieuses ». Dans la *Magie naturelle* de J. B. della Porta, il avait pu trouver, à côté de la description scientifique de la chambre noire, d'étranges croyances en la « sympathie », ou des recettes pour faire paraître une muraille verte ou jaune par des combinaisons de lampes et d'huiles diverses [17]. Retrou-

---

16. A Golius, 19 mai 1635 : « Cette expérience m'a tellement plu, ajoute Descartes, que je ne la veux pas oublier en mes *Météores* »; elle y est expliquée au discours 9.

17. Celle-ci figurait dans les *Pensées* de jeunesse de Descartes (notes prises par Leibniz), avec d'autres effets optiques, comme « faire

vant Beeckman en 1628, il discute avec lui de la possibi-
lité de projeter des inscriptions sur la lune. Et durant
un séjour de Villebressieu, Descartes l'étonne, en lui
faisant « passer devant les yeux une compagnie de soldats au travers de sa chambre en apparence » [18] : après
l'écran géant, les images en mouvement...

Ce triomphe, cher à l'époque baroque, des machineries et de l'illusion optique, n'a-t-il pas son écho jusque
dans la radicale remise en question de notre adhésion
spontanée au monde qui nous entoure ? L'étude de l'arc-
en-ciel encore montre qu'il n'y a pas de vraies et de
fausses couleurs, « toute leur vraie nature n'étant que
de paraître ». Mais que signifie la vérité de la science ?
Ce nouveau *Monde* que le mécanisme substitue à l'apparence sensible, n'est-il pas présenté comme une
« fable » ? Parce qu'il en a remonté les rouages, jusqu'à
rendre compte du comportement de ces automates
complexes que sont les animaux (*Discours*, 5e partie),
Descartes tend à considérer leur auteur comme un très
subtil ingénieur. Qui nous assure dès lors que nous ne
sommes pas aussi le jouet de ses fantasmagories ?
« Rêvé-je, ou si je dors ? N'avez-vous jamais ouï ce mot
dedans les comédies ? » demande Descartes, dans *La
Recherche de la Vérité*. Or ce thème, alors si répandu,
que la vie est un songe, est souvent l'effet des fallacieuses
roueries d'une puissance supérieure. 1637 est aussi l'année des *Visionnaires* de Desmarets de Saint-Sorlin, ou
de l'ouverture à Venise du premier théâtre public
d'opéra...
Cependant le « malin génie », qui ébranlera si profondément toute certitude dans les *Méditations métaphysiques*, n'apparaît pas dans le *Discours de la Méthode*.
Il est certes impossible de déterminer exactement ce
que Descartes a atténué, par rapport à son « commencement de métaphysique » de huit ans antérieur, afin

paraître, dans une chambre, des langues de feu, des chariots de feu,
et autres figures en l'air ; le tout par de certains miroirs... » Dans son
Abrégé de musique de 1618, il empruntait à Porta la croyance qu'un
tambourin en peau de loup empêche, par antipathie, la résonance
d'un autre en peau de mouton. La *Magie naturelle* est un curieux
mélange d'analogies confuses et d'expériences optiques ; la description de la chambre noire n'apparaît que dans la 2e édition (1589).

18. Relation de Baillet, ci-dessous. Appendice I, 5.

de ne pas troubler les « esprits faibles » (à Mersenne, 27-2-1637 ?). Notons seulement que cette question : « songe ou vision ? », et même l'intervention d'un « mauvais génie », *malus spiritus*, qui l'empêchait de se tenir ferme sur ses pieds, Descartes les avait d'abord vécues [19]; puis « il décida en dormant que... c'était un songe » (*Olympiques*). L'essai par excellence, la pierre de touche de la vérité, c'est l'épreuve que Descartes a faite de son moi, dans son pouvoir de libre décision, capable de s'opposer à quelque trompeur que ce soit (*Principes*, I, art. 6). Comme devant les mariniers, selon l'*Expérience* de ses années d'apprentissage, au terme peut-être de sa vie [20] il prône la même hardiesse devant les « fantômes et vaines images » du doute : « Si vous les fuyez, votre crainte vous suivra; mais si vous approchez comme pour les toucher, vous découvrirez que ce n'est rien que de l'air et de l'ombre. » Or l'ombre se dissipe sous la lumière.

« Je pense, donc je suis », voilà, au cœur du *Discours*, le « premier principe », dans son indubitable clarté. Mais le mouvement propre du cartésianisme va plus loin, et remonte jusqu'à Dieu. « Car... cela même que j'ai tantôt pris pour une règle, précise encore le *Discours*, à savoir que les choses que nous concevons très clairement et très distinctement sont toutes vraies, n'est assuré qu'à cause que Dieu est ou existe, et qu'il est un être parfait, et que tout ce qui est en nous vient de lui. » (4e partie.) Cela seul garantit absolument que les vérités, découvertes par notre lumière naturelle, sont aussi celles qui structurent la Nature. Parce qu'il a osé remettre en question la raison même, Descartes n'est pas seulement un des plus grands savants du XVIIe siècle, mais le philosophe qui, dès 1630, faisant dépendre de Dieu toute vérité, avait trouvé dans la métaphysique « les fondements de la physique » (à Mersenne, 15-4-1630).

Geneviève RODIS-LEWIS.

19. Appendice I, 2, ci-dessous, p. 207 et 210 : c'est en se réveillant après le premier gong que Descartes interprète le vent impétueux comme la poussée d'un « mauvais génie » *(a malo Spiritu)* ; mais il commence l'interprétation du troisième, en dormant encore.

20. Si le dialogue inachevé, *la Recherche de la Vérité*, a été commencé à Stockholm; on y a parfois vu une œuvre de jeunesse. Mais on y trouve l'essentiel de la métaphysique, jusqu'au « Je pense... » Sans que le malin génie soit invoqué, l'argument du rêve et de l'illusion généralisée s'y appuie sur notre dépendance d'un tout-puissant.

SOMMAIRE BIBLIOGRAPHIQUE

La grande édition du *Discours de la Méthode*, par E. Gilson, avec un commentaire très développé (Vrin, 498 p.) est un incomparable instrument de travail. Le tome VI de l'édition Adam-Tannery des *Œuvres complètes* de Descartes (*Discours* et *Essais*) vient d'être réédité (Vrin-C.N.R.S.) avec additions de précieuses notes scientifiques (par P. Costabel et B. Rochot).

Le tome I de l'édition des *Œuvres philosophiques* de Descartes par F. Alquié (Classiques Garnier, 1963) comprend les *Préambules*, les *Observations*, les *Olympiques*, les *Règles pour la direction de l'esprit*, le *Traité de l'Homme*, le *Discours de la Méthode*, des extraits de l'*Abrégé de la Musique*, du *Parnassus*, du *Monde*, de la *Dioptrique*, des *Météores*, et de la *Correspondance* de la période 1618-1637. L'ouvrage contient une ample annotation explicative. La traduction des *Règles pour la direction de l'esprit*, où Descartes avait commencé à développer sa méthode, est nouvelle.

Comme introduction à l'ensemble de l'œuvre : G. Rodis-Lewis, *Descartes*, *Initiation à sa philosophie*, Vrin 1964 (avec bibliographie des principales études sur Descartes) ; F. Alquié, *Descartes*, Hatier-Boivin, 1956 (bibliographie) ; P. Mesnard, *Descartes*, Seghers, 1966 (avec bonne présentation des « Essais » et choix de textes de la *Géométrie*, etc.). Série d'études centrées autour du *Discours de la Méthode* : H. Gouhier, *Descartes*, *Essais*, Vrin, 2e éd. 1949. Sur les rapports entre la morale par provision de la 3e partie et les autres écrits de Descartes sur la morale, G. Rodis-Lewis, *la Morale de Descartes*, P.U.F., 2e éd., 1962.

DISCOURS DE LA MÉTHODE

DISCOURS DE LA MÉTHODE

POUR BIEN CONDUIRE SA RAISON
ET CHERCHER LA VÉRITÉ
DANS LES SCIENCES

Si ce discours semble trop long pour être tout lu en une fois, on le pourra distinguer en six parties. Et, en la première, on trouvera diverses considérations touchant les sciences. En la seconde, les principales règles de la méthode que l'auteur a cherchée. En la 3, quelques-unes de celles de la morale qu'il a tirée de cette méthode. En la 4, les raisons par lesquelles il prouve l'existence de Dieu et de l'âme humaine, qui sont les fondements de sa métaphysique. En la 5, l'ordre des questions de physique qu'il a cherchées, et particulièrement l'explication du mouvement du cœur et de quelques autres difficultés qui appartiennent à la médecine, puis aussi la différence qui est entre notre âme et celle des bêtes. Et en la dernière, quelles choses il croit être requises pour aller plus avant en la recherche de la nature qu'il n'a été, et quelles raisons l'ont fait écrire.

PREMIÈRE PARTIE

Le bon sens est la chose du monde la mieux partagée : car chacun pense en être si bien pourvu, que ceux même qui sont les plus difficiles à contenter en toute autre chose, n'ont point coutume d'en désirer plus qu'ils en ont. En quoi il n'est pas vraisemblable que tous se trompent ; mais plutôt cela témoigne que la puissance de bien juger, et distinguer le vrai d'avec le faux, qui est proprement ce qu'on nomme le bon sens ou la raison, est naturellement égale en tous les hommes ; et ainsi que la diversité de nos opinions ne vient pas de ce que les uns sont plus raisonnables que les autres, mais seulement de ce que nous conduisons nos pensées par diverses voies, et ne considérons pas les mêmes choses. Car ce n'est pas assez d'avoir l'esprit bon, mais le principal est de l'appliquer bien. Les plus grandes âmes sont capables des plus grands vices, aussi bien que des plus grandes vertus ; et ceux qui ne marchent que fort lentement peuvent avancer beaucoup davantage, s'ils suivent toujours le droit chemin, que ne font ceux qui courent, et qui s'en éloignent.

Pour moi, je n'ai jamais présumé que mon esprit fût en rien plus parfait que ceux du commun ; même j'ai souvent souhaité d'avoir la pensée aussi prompte, ou l'imagination aussi nette et distincte, ou la mémoire aussi ample, ou aussi présente, que quelques autres. Et je ne sache point de qualités que celles-ci, qui servent à la perfection de l'esprit : car pour la raison, ou le sens, d'autant qu'elle est la seule chose qui nous rend hommes, et nous distingue des bêtes, je veux croire qu'elle est tout entière en un chacun, et suivre en ceci l'opinion commune des philosophes [1], qui disent qu'il n'y a du plus et du moins qu'entre les *accidents*, et non point entre les *formes*, ou natures, des *individus* d'une même *espèce*.

Mais je ne craindrai pas de dire que je pense avoir eu beaucoup d'heur, de m'être rencontré dès ma jeunesse en certains chemins, qui m'ont conduit à des considérations et des maximes, dont j'ai formé une méthode, par laquelle il me semble que j'ai moyen d'augmenter par degrés ma connaissance, et de l'élever peu à peu au plus haut point, auquel la médiocrité de mon esprit et la courte durée de ma vie lui pourront permettre d'atteindre. Car j'en ai déjà recueilli de tels fruits, qu'encore qu'aux jugements que je fais de moi-même, je tâche toujours de pencher vers le côté de la défiance, plutôt que vers celui de la présomption; et que, regardant d'un œil de philosophe les diverses actions et entreprises de tous les hommes, il n'y en ait quasi aucune qui ne me semble vaine et inutile; je ne laisse pas de recevoir une extrême satisfaction du progrès que je pense avoir déjà fait en la recherche de la vérité, et de concevoir de telles espérances pour l'avenir, que si, entre les occupations des hommes purement hommes, il y en a quelqu'une qui soit solidement bonne et importante, j'ose croire que c'est celle que j'ai choisie.

Toutefois il se peut faire que je me trompe, et ce n'est peut-être qu'un peu de cuivre et de verre que je prends pour de l'or et des diamants. Je sais combien nous sommes sujets à nous méprendre en ce qui nous touche, et combien aussi les jugements de nos amis nous doivent être suspects, lorsqu'ils sont en notre faveur. Mais je serai bien aise de faire voir, en ce discours, quels sont les

---

1. Les scolastiques. L'*espèce* (homme) se définit par le genre (animal), dont elle est une partie, plus la différence spécifique (raison). La définition explicite, sur le plan logique, la *nature* d'un être; sur le plan métaphysique, l'essence ou nature « entière » (*natura integra*, selon Suarez) se fonde sur la *forme* (substantielle), jointe à la matière, pour constituer la substance concrète (ici l'âme raisonnable jointe au corps organisé). Donc la raison, essentielle à l'espèce humaine, est « naturellement » (par nature) égale en tous les *individus* : ceux-ci se distinguent numériquement les uns des autres par des *accidents*, c'est-à-dire des caractéristiques surajoutées à l'essence et n'entrant pas dans la définition. Le scolastique du XVIIe siècle, Eustache de Saint-Paul, souvent utilisé par Descartes, illustre ainsi cette discussion : il serait absurde que Pierre eût plus de « nature humaine » que Paul, mais l'un peut être « plus spirituel » (*ingeniosior*) que l'autre (ici, variations dans la promptitude de la pensée, la netteté de l'imagination).

chemins que j'ai suivis, et d'y représenter ma vie comme en un tableau, afin que chacun en puisse juger, et qu'apprenant du bruit commun les opinions qu'on en aura, ce soit un nouveau moyen de m'instruire, que j'ajouterai à ceux dont j'ai coutume de me servir.

Ainsi mon dessein n'est pas d'enseigner ici la méthode que chacun doit suivre pour bien conduire sa raison, mais seulement de faire voir en quelle sorte j'ai tâché de conduire la mienne. Ceux qui se mêlent de donner des préceptes, se doivent estimer plus habiles que ceux auxquels ils les donnent; et s'ils manquent en la moindre chose, ils en sont blâmables. Mais, ne proposant cet écrit que comme une histoire, ou, si vous l'aimez mieux, que comme une fable, en laquelle, parmi quelques exemples qu'on peut imiter, on en trouvera peut-être aussi plusieurs autres qu'on aura raison de ne pas suivre, j'espère qu'il sera utile à quelques-uns, sans être nuisible à personne, et que tous me sauront gré de ma franchise.

J'ai été nourri aux lettres dès mon enfance, et parce qu'on me persuadait que, par leur moyen, on pouvait acquérir une connaissance claire et assurée de tout ce qui est utile à la vie, j'avais un extrême désir de les apprendre. Mais, sitôt que j'eus achevé tout ce cours d'études, au bout duquel on a coutume d'être reçu au rang des doctes, je changeai entièrement d'opinion. Car je me trouvais embarrassé de tant de doutes et d'erreurs, qu'il me semblait n'avoir fait autre profit, en tâchant de m'instruire, sinon que j'avais découvert de plus en plus mon ignorance. Et néanmoins j'étais en l'une des plus célèbres écoles de l'Europe, où je pensais qu'il devait y avoir de savants hommes, s'il y en avait en aucun endroit de la terre. J'y avais appris tout ce que les autres y apprenaient; et même, ne m'étant pas contenté des sciences qu'on nous enseignait, j'avais parcouru tous les livres, traitant de celles qu'on estime les plus curieuses et les plus rares, qui avaient pu tomber entre mes mains. Avec cela, je savais les jugements que les autres faisaient de moi; et je ne voyais point qu'on m'estimât inférieur à mes condisciples, bien qu'il y en eût déjà entre eux quelques-uns, qu'on destinait à remplir les places de nos maîtres. Et enfin notre siècle me semblait aussi fleurissant, et aussi fertile en bons esprits, qu'ait été aucun des précédents. Ce qui me faisait prendre la liberté de juger par moi de tous les autres, et de penser qu'il n'y avait

aucune doctrine dans le monde qui fût telle qu'on
m'avait auparavant fait espérer.

Je ne laissais pas toutefois d'estimer les exercices, auxquels on s'occupe dans les écoles. Je savais que les
langues, qu'on y apprend, sont nécessaires pour l'intelligence des livres anciens; que la gentillesse des fables
réveille l'esprit; que les actions mémorables des histoires le relèvent, et qu'étant lues avec discrétion, elles
aident à former le jugement; que la lecture de tous les
bons livres est comme une conversation avec les plus
honnêtes gens des siècles passés, qui en ont été les auteurs,
et même une conversation étudiée, en laquelle ils ne
nous découvrent que les meilleures de leurs pensées; que
l'éloquence a des forces et des beautés incomparables;
que la poésie a des délicatesses et des douceurs très ravis-
santes; que les mathématiques ont des inventions très
subtiles et qui peuvent beaucoup servir, tant à contenter
les curieux, qu'à faciliter tous les arts [1] et diminuer le
travail des hommes; que les écrits qui traitent des mœurs
contiennent plusieurs enseignements et plusieurs exhortations à la vertu qui sont fort utiles; que la théologie
enseigne à gagner le ciel; que la philosophie donne moyen
de parler vraisemblablement de toutes choses, et se faire
admirer des moins savants; que la jurisprudence, la
médecine et les autres sciences apportent des honneurs
et des richesses à ceux qui les cultivent; et enfin, qu'il est
bon de les avoir toutes examinées, même les plus supers-
titieuses et les plus fausses, afin de connaître leur juste
valeur et se garder d'en être trompé.

Mais je croyais avoir déjà donné assez de temps aux
langues, et même aussi à la lecture des livres anciens,
et à leurs histoires, et à leurs fables. Car c'est quasi le
même de converser avec ceux des autres siècles, que de
voyager. Il est bon de savoir quelque chose des mœurs
de divers peuples, afin de juger des nôtres plus sainement,
et que nous ne pensions pas que tout ce qui est contre
nos modes soit ridicule, et contre raison, ainsi qu'ont
coutume de faire ceux qui n'ont rien vu. Mais lorsqu'on
emploie trop de temps à voyager, on devient enfin étranger en son pays; et lorsqu'on est trop curieux des choses
qui se pratiquaient aux siècles passés, on demeure ordi-

---

1. Cf. ci-dessous : « elles ne servaient qu'aux *arts mécaniques* :
L'enseignement des Jésuites était orienté vers les applications pratiques des mathématiques : art des fortifications, arpentage, carto-
graphie, hydrographie.

nairement fort ignorant de celles qui se pratiquent en celui-ci. Outre que les fables font imaginer plusieurs événements comme possibles qui ne le sont point; et que même les histoires les plus fidèles, si elles ne changent ni n'augmentent la valeur des choses, pour les rendre plus dignes d'être lues, au moins en omettent-elles presque toujours les plus basses et moins illustres circonstances : d'où vient que le reste ne paraît pas tel qu'il est, et que ceux qui règlent leurs mœurs par les exemples qu'ils en tirent, sont sujets à tomber dans les extravagances des paladins de nos romans, et à concevoir des desseins qui passent leurs forces.

J'estimais fort l'éloquence, et j'étais amoureux de la poésie; mais je pensais que l'une et l'autre étaient des dons de l'esprit, plutôt que des fruits de l'étude. Ceux qui ont le raisonnement le plus fort, et qui digèrent [1] le mieux leurs pensées, afin de les rendre claires et intelligibles, peuvent toujours le mieux persuader ce qu'ils proposent, encore qu'ils ne parlassent que bas breton, et qu'ils n'eussent jamais appris de rhétorique. Et ceux qui ont les inventions les plus agréables, et qui les savent exprimer avec le plus d'ornement et de douceur, ne laisseraient pas d'être les meilleurs poètes, encore que l'art poétique leur fût inconnu.

Je me plaisais surtout aux mathématiques, à cause de la certitude et de l'évidence de leurs raisons; mais je ne remarquais point encore leur vrai usage, et, pensant qu'elles ne servaient qu'aux arts mécaniques, je m'étonnais de ce que, leurs fondements étant si fermes et si solides, on n'avait rien bâti dessus de plus relevé. Comme, au contraire, je comparais les écrits des anciens païens, qui traitent des mœurs, à des palais fort superbes et fort magnifiques, qui n'étaient bâtis que sur du sable et sur de la boue. Ils élèvent fort haut les vertus, et les font paraître estimables par-dessus toutes les choses qui sont au monde; mais ils n'enseignent pas assez à les connaître, et souvent ce qu'ils appellent d'un si beau nom n'est qu'une insensibilité, ou un orgueil, ou un désespoir, ou un parricide.

Je révérais notre théologie, et prétendais, autant qu'aucun autre, à gagner le ciel; mais ayant appris, comme chose très assurée, que le chemin n'en est pas moins ouvert aux plus ignorants qu'aux plus doctes, et que les

1. Au sens premier de Littré : mettre en ordre.

vérités révélées, qui y conduisent, sont au-dessus de notre intelligence, je n'eusse osé les soumettre à la faiblesse de mes raisonnements, et je pensais que, pour entreprendre de les examiner et y réussir, il était besoin d'avoir quelque extraordinaire assistance du ciel, et d'être plus qu'homme.

Je ne dirai rien de la philosophie, sinon que, voyant qu'elle a été cultivée par les plus excellents esprits qui aient vécu depuis plusieurs siècles, et que néanmoins il ne s'y trouve encore aucune chose dont on ne dispute, et par conséquent qui ne soit douteuse, je n'avais point assez de présomption pour espérer d'y rencontrer [1] mieux que les autres; et que, considérant combien il peut y avoir de diverses opinions, touchant une même matière, qui soient soutenues par des gens doctes, sans qu'il y en puisse avoir jamais plus d'une seule qui soit vraie, je réputais presque pour faux tout ce qui n'était que vraisemblable.

Puis, pour les autres sciences, d'autant qu'elles empruntent leurs principes de la philosophie, je jugeais qu'on ne pouvait avoir rien bâti, qui fût solide, sur des fondements si peu fermes. Et ni l'honneur, ni le gain qu'elles promettent, n'étaient suffisants pour me convier à les apprendre; car je ne me sentais point, grâces à Dieu, de condition qui m'obligeât à faire un métier de la science, pour le soulagement de ma fortune; et quoique je ne fisse pas profession de mépriser la gloire en cynique, je faisais néanmoins fort peu d'état de celle que je n'espérais point pouvoir acquérir qu'à faux titres. Et enfin, pour les mauvaises doctrines, je pensais déjà connaître assez ce qu'elles valaient, pour n'être plus sujet à être trompé, ni par les promesses d'un alchimiste, ni par les prédictions d'un astrologue, ni par les impostures d'un magicien, ni par les artifices ou la vanterie d'aucun de ceux qui font profession de savoir plus qu'ils ne savent.

C'est pourquoi, sitôt que l'âge me permit de sortir de la sujétion de mes précepteurs, je quittai entièrement l'étude des lettres. Et me résolvant de ne chercher plus d'autre science, que celle qui se pourrait trouver en moi-même, ou bien dans le grand livre du monde, j'employai le reste de ma jeunesse à voyager, à voir des cours et des armées, à fréquenter des gens de diverses humeurs et conditions, à recueillir diverses expériences, à m'éprouver moi-même dans les rencontres que la fortune me pro-

1. Y réussir.

posait [1], et partout à faire telle réflexion sur les choses qui se présentaient, que j'en pusse tirer quelque profit. Car il me semblait que je pourrais rencontrer beaucoup plus de vérité, dans les raisonnements que chacun fait touchant les affaires qui lui importent, et dont l'événement le doit punir bientôt après, s'il a mal jugé, que dans ceux que fait un homme de lettres dans son cabinet, touchant des spéculations qui ne produisent aucun effet, et qui ne lui sont d'autre conséquence, sinon que peut-être il en tirera d'autant plus de vanité qu'elles seront plus éloignées du sens commun, à cause qu'il aura dû employer d'autant plus d'esprit et d'artifice à tâcher de les rendre vraisemblables. Et j'avais toujours un extrême désir d'apprendre à distinguer le vrai d'avec le faux, pour voir clair en mes actions, et marcher avec assurance en cette vie.

Il est vrai que, pendant que je ne faisais que considérer les mœurs des autres hommes, je n'y trouvais guère de quoi m'assurer, et que j'y remarquais quasi autant de diversité que j'avais fait auparavant entre les opinions des philosophes. En sorte que le plus grand profit que j'en retirais était que, voyant plusieurs choses qui, bien qu'elles nous semblent fort extravagantes et ridicules, ne laissent pas d'être communément reçues et approuvées par d'autres grands peuples, j'apprenais à ne rien croire trop fermement de ce qui ne m'avait été persuadé que par l'exemple et par la coutume, et ainsi je me délivrais peu à peu de beaucoup d'erreurs, qui peuvent offusquer notre lumière naturelle [2], et nous rendre moins capables d'entendre raison. Mais après que j'eus employé quelques années à étudier ainsi dans le livre du monde et à tâcher d'acquérir quelque expérience, je pris un jour résolution d'étudier aussi en moi-même, et d'employer toutes les forces de mon esprit à choisir les chemins que je devais suivre. Ce qui me réussit beaucoup mieux, ce me semble, que si je ne me fusse jamais éloigné, ni de mon pays, ni de mes livres.

1. Cf. ci-dessous (Appendice, I, 3) le récit d'une « rencontre », tiré d'un recueil de jeunesse intitulé *Experimenta* (Expériences), avec des remarques sur la condition des mariniers, et l'épreuve « de l'impression que peut faire la hardiesse d'un homme sur une âme basse ».
2. Cf. ci-dessous, 3ᵉ partie, pp. 54-55 : « Dieu nous ayant donné à chacun quelque lumière pour discerner le vrai d'avec le faux », c'est-à-dire (début de la 1ʳᵉ partie) « le bon sens ou la raison », constitutive de la « nature » humaine. La métaphore entraîne le verbe *offusquer : obscurcir.*

SECONDE PARTIE

J'étais alors en Allemagne, où l'occasion des guerres qui n'y sont pas encore finies m'avait appelé; et comme je retournais du couronnement de l'empereur [1] vers l'armée, le commencement de l'hiver m'arrêta en un quartier où, ne trouvant aucune conversation qui me divertît, et n'ayant d'ailleurs, par bonheur, aucuns soins ni passions qui me troublassent, je demeurais tout le jour enfermé seul dans un poêle, où j'avais tout loisir de m'entretenir de mes pensées. Entre lesquelles, l'une des premières fut que je m'avisai de considérer que souvent il n'y a pas tant de perfection dans les ouvrages composés de plusieurs pièces, et faits de la main de divers maîtres, qu'en ceux auxquels un seul a travaillé. Ainsi voit-on que les bâtiments qu'un seul architecte a entrepris et achevés ont coutume d'être plus beaux et mieux ordonnés que ceux que plusieurs ont tâché de raccommoder, en faisant servir de vieilles murailles qui avaient été bâties à d'autres fins. Ainsi ces anciennes cités, qui, n'ayant été au commencement que des bourgades, sont devenues, par succession de temps, de grandes villes, sont ordinairement

1. Ferdinand II, roi de Bohême et de Hongrie, couronné empereur à Francfort en 1619 : les fêtes durèrent du 20 juillet au 9 septembre. Sa rivalité avec l'électeur palatin Frédéric V avait suscité les premiers troubles de la guerre dite de Trente Ans (1618-1648). Le 23 avril 1619, annonçant à Beeckman son départ des Pays-Bas, Descartes pensait que peut-être ces mouvements de guerre l'appelleraient vers l'Allemagne. Mais, l'armée prenant alors ses quartiers d'hiver, il s'arrêta dans un village (*quartier* : région à l'écart), jouissant d'une chambre chauffée à l'allemande par un poêle : le *Commentaire* de Gilson (p. 157) l'oppose aux « cheminées fumeuses » habituelles en France; « c'est sans doute comme dernière circonstance de nature à favoriser ses réflexions qu'il indique ici ce détail ». Sur ces journées, décisives pour la vocation de Descartes, cf. Appendice, I, 2.

si mal compassées [1], au prix de ces places régulières qu'un
ingénieur trace à sa fantaisie dans une plaine, qu'encore
que, considérant leurs édifices chacun à part, on y
trouve souvent autant ou plus d'art qu'en ceux des autres;
toutefois, à voir comme ils sont arrangés, ici un grand,
là un petit, et comme ils rendent les rues courbées et
inégales, on dirait que c'est plutôt la fortune, que la
volonté de quelques hommes usant de raison, qui les a
ainsi disposés. Et si on considère qu'il y a eu néanmoins
de tout temps quelques officiers [2], qui ont eu charge de
prendre garde aux bâtiments des particuliers, pour les
faire servir à l'ornement du public, on connaîtra bien
qu'il est malaisé, en ne travaillant que sur les ouvrages
d'autrui, de faire des choses fort accomplies. Ainsi je
m'imaginai que les peuples qui, ayant été autrefois demi-
sauvages, et ne s'étant civilisés que peu à peu, n'ont fait
leurs lois qu'à mesure que l'incommodité des crimes et
des querelles les y a contraints, ne sauraient être si bien
policés que ceux qui, dès le commencement qu'ils se
sont assemblés, ont observé les constitutions de quelque
prudent législateur. Comme il est bien certain que l'état
de la vraie religion, dont Dieu seul a fait les ordonnances,
doit être incomparablement mieux réglé que tous les
autres. Et pour parler des choses humaines, je crois que,
si Sparte a été autrefois très florissante, ce n'a pas été
à cause de la bonté de chacune de ses lois en particulier,
vu que plusieurs étaient fort étranges, et même contraires
aux bonnes mœurs, mais à cause que, n'ayant été inventées que par un seul [3], elles tendaient toutes à même fin.
Et ainsi je pensai que les sciences des livres, au moins
celles dont les raisons ne sont que probables, et qui n'ont
aucunes démonstrations, s'étant composées et grossies
peu à peu des opinions de plusieurs diverses personnes,
ne sont point si approchantes de la vérité que les simples
raisonnements que peut faire naturellement un homme
de bon sens touchant les choses qui se présentent. Et ainsi
encore je pensai que, pour ce que nous avons tous été
enfants avant que d'être hommes, et qu'il nous a fallu
longtemps être gouvernés par nos appétits et nos pré-

1. Mesurées au compas, proportionnées. *Places* veut dire places
fortes.
2. Chargés d'un office public.
3. Lycurgue; parmi ses lois contestables, l'exposition des nouveau-
nés mal conformés, l'encouragement au vol et à la dissimulation pour
forger les caractères.

cepteurs, qui étaient souvent contraires les uns aux autres, et qui, ni les uns ni les autres, ne nous conseillaient peut-être pas toujours le meilleur, il est presque impossible que nos jugements soient si purs, ni si solides qu'ils auraient été, si nous avions eu l'usage entier de notre raison dès le point de notre naissance, et que nous n'eussions jamais été conduits que par elle.

Il est vrai que nous ne voyons point qu'on jette par terre toutes les maisons d'une ville, pour le seul dessein de les refaire d'autre façon, et d'en rendre les rues plus belles; mais on voit bien que plusieurs font abattre les leurs pour les rebâtir, et que même quelquefois ils y sont contraints, quand elles sont en danger de tomber d'elles-mêmes, et que les fondements n'en sont pas bien fermes. A l'exemple de quoi je me persuadai, qu'il n'y aurait véritablement point d'apparence [1] qu'un particulier fît dessein de réformer un Etat, en y changeant tout dès les fondements, et en le renversant pour le redresser; ni même aussi de réformer le corps des sciences, ou l'ordre établi dans les écoles pour les enseigner; mais que, pour toutes les opinions que j'avais reçues jusques alors en ma créance, je ne pouvais mieux faire que d'entreprendre, une bonne fois, de les en ôter, afin d'y en remettre par après, ou d'autres meilleures, ou bien les mêmes, lorsque je les aurais ajustées au niveau de la raison. Et je crus fermement que, par ce moyen, je réussirais à conduire ma vie beaucoup mieux que si je ne bâtissais que sur de vieux fondements, et que je ne m'appuyasse que sur les principes que je m'étais laissé persuader en ma jeunesse, sans avoir jamais examiné s'ils étaient vrais. Car, bien que je remarquasse en ceci diverses difficultés, elles n'étaient point toutefois sans remède, ni comparables à celles qui se trouvent en la réformation des moindres choses qui touchent le public. Ces grands corps [2] sont trop malaisés à relever, étant abattus, ou même à retenir, étant ébranlés, et leurs chutes ne peuvent être que très rudes. Puis, pour leurs imperfections, s'ils en ont, comme la seule diversité qui est entre eux suffit pour assurer que plusieurs en ont, l'usage les a sans doute fort adoucies; et même il en a évité ou corrigé

---

1. « *Apparence* se dit quelquefois de ce qui est raisonnable. » (*Dictionnaire* de Furetière, 1690.)

2. Les Etats, déjà comparés par Montaigne à de «vieux bâtiments... qui pourtant vivent et se soutiennent en leur propre poids » (*Essais*, l. III, c. 9).

insensiblement quantité, auxquelles on ne pourrait si bien pourvoir par prudence. Et enfin, elles sont quasi toujours plus supportables que ne serait leur changement : en même façon que les grands chemins, qui tournoient entre des montagnes, deviennent peu à peu si unis et si commodes, à force d'être fréquentés, qu'il est beaucoup meilleur de les suivre que d'entreprendre d'aller plus droit, en grimpant au-dessus des rochers, et descendant jusques au bas des précipices.

C'est pourquoi je ne saurais aucunement approuver ces humeurs brouillonnes et inquiètes, qui, n'étant appelées, ni par leur naissance, ni par leur fortune, au maniement des affaires publiques, ne laissent pas d'y faire toujours, en idée, quelque nouvelle réformation. Et si je pensais qu'il y eût la moindre chose en cet écrit, par laquelle on me pût soupçonner de cette folie, je serais très marri de souffrir qu'il fût publié. Jamais mon dessein ne s'est étendu plus avant que de tâcher à réformer mes propres pensées, et de bâtir dans un fonds qui est tout à moi. Que si, mon ouvrage m'ayant assez plu, je vous en fais voir ici le modèle, ce n'est pas, pour cela, que je veuille conseiller à personne de l'imiter. Ceux que Dieu a mieux partagés de ses grâces auront peut-être des desseins plus relevés; mais je crains bien que celui-ci ne soit déjà que trop hardi pour plusieurs. La seule résolution de se défaire de toutes les opinions qu'on a reçues auparavant en sa créance n'est pas un exemple que chacun doive suivre; et le monde n'est quasi composé que de deux sortes d'esprits auxquels il ne convient aucunement. A savoir, de ceux qui, se croyant plus habiles qu'ils ne sont, ne se peuvent empêcher de précipiter leurs jugements, ni avoir assez de patience pour conduire par ordre toutes leurs pensées : d'où vient que, s'ils avaient une fois pris la liberté de douter des principes qu'ils ont reçus, et de s'écarter du chemin commun, jamais ils ne pourraient tenir le sentier qu'il faut prendre pour aller plus droit, et demeureraient égarés toute leur vie. Puis, de ceux qui, ayant assez de raison, ou de modestie, pour juger qu'ils sont moins capables de distinguer le vrai d'avec le faux, que quelques autres par lesquels ils peuvent être instruits, doivent bien plutôt se contenter de suivre les opinions de ces autres, qu'en chercher eux-mêmes de meilleures.

Et pour moi, j'aurais été sans doute du nombre de ces derniers, si je n'avais jamais eu qu'un seul maître, ou que je n'eusse point su les différences qui ont été de tout temps entre les opinions des plus doctes. Mais ayant appris, dès le collège, qu'on ne saurait rien imaginer de si étrange et si peu croyable, qu'il n'ait été dit par quelqu'un des philosophes; et depuis, en voyageant, ayant reconnu que tous ceux qui ont des sentiments fort contraires aux nôtres, ne sont pas, pour cela, barbares ni sauvages, mais que plusieurs usent, autant ou plus que nous, de raison; et ayant considéré combien un même homme, avec son même esprit, étant nourri dès son enfance entre des Français ou des Allemands, devient différent de ce qu'il serait, s'il avait toujours vécu entre des Chinois ou des Cannibales[1]; et comment, jusques aux modes de nos habits, la même chose qui nous a plu il $< y >$ a dix ans, et qui nous plaira peut-être encore avant dix ans, nous semble maintenant extravagante et ridicule : en sorte que c'est bien plus la coutume et l'exemple qui nous persuadent, qu'aucune connaissance certaine, et que néanmoins la pluralité des voix n'est pas une preuve qui vaille rien pour les vérités un peu malaisées à découvrir, à cause qu'il est bien plus vraisemblable qu'un homme seul les ait rencontrées que tout un peuple : je ne pouvais choisir personne dont les opinions me semblassent devoir être préférées à celles des autres, et je me trouvai comme contraint d'entreprendre moi-même de me conduire.

Mais, comme un homme qui marche seul et dans les ténèbres, je me résolus d'aller si lentement, et d'user de tant de circonspection en toutes choses, que, si je n'avançais que fort peu, je me garderais bien, au moins, de tomber. Même je ne voulus point commencer à rejeter tout à fait aucune des opinions qui s'étaient pu glisser autrefois en ma créance sans y avoir été introduites par la raison, que je n'eusse auparavant employé assez de temps à faire le projet de l'ouvrage que j'entreprenais, et à chercher la vraie méthode pour parvenir à la connaissance de toutes les choses dont mon esprit serait capable.

J'avais un peu étudié, étant plus jeune, entre les parties de la philosophie, à la logique, et entre les mathématiques, à l'analyse des géomètres et à l'algèbre, trois arts ou sciences qui semblaient devoir contribuer quelque

---

1. Toutes ces réflexions s'inspirent de l'Essai de Montaigne : « Des Cannibales » (l. I, c. 31).

chose à mon dessein. Mais, en les examinant, je pris garde que, pour la logique, ses syllogismes et la plupart de ses autres instructions servent plutôt à expliquer à autrui les choses qu'on sait ou même, comme l'art de Lulle [1], à parler, sans jugement, de celles qu'on ignore, qu'à les apprendre. Et bien qu'elle contienne, en effet, beaucoup de préceptes très vrais et très bons, il y en a toutefois tant d'autres, mêlés parmi, qui sont ou nuisibles ou superflus, qu'il est presque aussi malaisé de les en séparer, que de tirer une Diane ou une Minerve hors d'un bloc de marbre qui n'est point encore ébauché. Puis, pour l'analyse des anciens [2] et l'algèbre des modernes, outre qu'elles ne s'étendent qu'à des matières fort abstraites, et qui ne semblent d'aucun usage, la première est toujours si astreinte à la considération des figures, qu'elle ne peut exercer l'entendement sans fatiguer beaucoup l'imagination; et on s'est tellement assujetti, en la dernière, à certaines règles et à certains chiffres [3], qu'on en a fait un art confus et obscur, qui embarrasse l'esprit, au lieu d'une science qui le cultive. Ce qui fut cause que je pensai qu'il fallait chercher quelque autre méthode, qui, comprenant les avantages de ces trois, fût exempte de leurs défauts. Et comme la multitude des lois fournit souvent des excuses aux vices, en sorte qu'un Etat est bien mieux réglé lorsque, n'en ayant que fort peu, elles y sont fort étroitement observées; ainsi, au lieu de ce grand nombre de préceptes dont la logique est composée, je crus que j'aurais assez des quatre suivants, pourvu que

1. Raymond Lulle (vers 1232-1315) avait cherché par le « Grand Art » (*Ars magna generalis...*, Barcelone, 1501, etc.) une technique pour *découvrir* la vérité, et convertir ainsi les infidèles, alors que la syllogistique aristotélicienne tire les conséquences de prémisses supposées vraies. Dans ses lettres à Beeckman des 26 mars et 29 avril 1619, Descartes s'est enquis de l'*Ars brevis*, ou Abrégé présenté comme une image de l'Art général, souvent réédité, et traduit en 1619 : « *L'Art de R. Lullius... où est enseignée une méthode qui fournit grand nombre de termes universels, d'attributs, de propositions et d'arguments, par le moyen desquels on peut discourir sur tous sujets.* »

2. Méthode géométrique pratiquée par Archimède, Apollonius, etc., remontant d'un problème considéré comme résolu à la découverte de ses fondements. Elle suppose qu'on connaisse toutes les lignes requises par la construction, d'où « la considération des figures » par l'imagination, « astreinte » à tenir compte des cas particuliers, ce qui entrave la généralisation par « l'entendement ».

3. Les caractères dits *cossiques*, désignant les puissances dans « l'algèbre des modernes » et difficiles à déchiffrer, car ils variaient selon les auteurs. Descartes, après les avoir utilisés dans sa jeunesse, inventa la notation par exposants.

je prisse une ferme et constante résolution de ne manquer pas une seule fois à les observer.

Le premier était de ne recevoir jamais aucune chose pour vraie, que je ne la connusse évidemment [1] être telle : c'est-à-dire, d'éviter soigneusement la précipitation et la prévention; et de ne comprendre rien de plus en mes jugements, que ce qui se présenterait si clairement et si distinctement à mon esprit, que je n'eusse aucune occasion de le mettre en doute.

Le second, de diviser chacune des difficultés que j'examinerais, en autant de parcelles qu'il se pourrait, et qu'il serait requis pour les mieux résoudre.

Le troisième, de conduire par ordre mes pensées, en commençant par les objets les plus simples et les plus aisés à connaître, pour monter peu à peu, comme par degrés, jusques à la connaissance des plus composés; et supposant même de l'ordre entre ceux qui ne se précèdent point naturellement les uns les autres.

Et le dernier, de faire partout des dénombrements si entiers, et des revues si générales, que je fusse assuré de ne rien omettre.

Ces longues chaînes de raisons, toutes simples et faciles, dont les géomètres ont coutume de se servir, pour parvenir à leurs plus difficiles démonstrations, m'avaient donné occasion de m'imaginer que toutes les choses, qui peuvent tomber sous la connaissance des hommes, s'entre-suivent en même façon et que, pourvu seulement qu'on s'abstienne d'en recevoir aucune pour vraie qui ne le soit, et qu'on garde toujours l'ordre qu'il faut pour les déduire les unes des autres, il n'y en peut avoir de si éloignées auxquelles enfin on ne parvienne, ni de si cachées qu'on ne découvre. Et je ne fus pas beaucoup en peine de chercher par lesquelles il était besoin de commencer : car je savais déjà que c'était par les plus simples et les plus aisées à connaître; et considérant qu'entre tous ceux qui ont ci-devant recherché la vérité dans les sciences, il n'y a eu que les seuls mathématiciens qui ont pu trouver quelques démonstrations, c'est-à-dire quelques raisons certaines et évidentes, je ne doutais

---

1. Sens fort : avec évidence, celle-ci se définissant par la clarté et la distinction, conditions de l'indubitabilité. D'où les recommandations préalables : le contraire de la *précipitation* est la suspension du jugement devant ce qui reste douteux, tandis que la lutte contre la *prévention* remet systématiquement en question les pré-jugés, ou jugements spontanés, pour examiner leurs fondements.

point que ce ne fût par les mêmes [1] qu'ils ont examinées;
bien que je n'en espérasse aucune autre utilité, sinon
qu'elles accoutumeraient mon esprit à se repaître de
vérités, et ne se contenter point de fausses raisons. Mais
je n'eus pas dessein, pour cela, de tâcher d'apprendre
toutes ces sciences particulières, qu'on nomme communément mathématiques [2], et voyant qu'encore que leurs
objets soient différents, elles ne laissent pas de s'accorder
toutes, en ce qu'elles n'y considèrent autre chose que les
divers rapports ou proportions qui s'y trouvent, je pensai qu'il valait mieux que j'examinasse seulement ces
proportions en général, et sans les supposer que dans les
sujets qui serviraient à m'en rendre la connaissance plus
aisée; même aussi sans les y astreindre aucunement,
afin de les pouvoir d'autant mieux appliquer après à
tous les autres auxquels elles conviendraient. Puis, ayant
pris garde que, pour les connaître, j'aurais quelquefois
besoin de les considérer chacune en particulier, et quelquefois seulement de les retenir, ou de les comprendre
plusieurs ensemble, je pensai que, pour les considérer
mieux en particulier, je les devais supposer en des lignes,
à cause que je ne trouvais rien de plus simple, ni que je
pusse plus distinctement représenter à mon imagination
et à mes sens; mais que, pour les retenir, ou les comprendre plusieurs ensemble, il fallait que je les expli-
quasse par quelques chiffres, les plus courts qu'il serait
possible, et que, par ce moyen, j'emprunterais tout le
meilleur de l'analyse géométrique et de l'algèbre, et corri-
gerais tous les défauts de l'une par l'autre.

Comme, en effet, j'ose dire que l'exacte observation
de ce peu de préceptes que j'avais choisis, me donna
telle facilité à démêler toutes les questions auxquelles ces
deux sciences s'étendent, qu'en deux ou trois mois que
j'employai à les examiner, ayant commencé par les plus
simples et plus générales, et chaque vérité que je trouvais
étant une règle qui me servait après à en trouver d'autres,
non seulement je vins à bout de plusieurs que j'avais
jugées autrefois très difficiles, mais il me sembla aussi,
vers la fin, que je pouvais déterminer, en celles même
que j'ignorais, par quels moyens, et jusques où, il était
possible de les résoudre. En quoi je ne vous paraîtrai

---

1. Depuis le début de l'alinéa, il s'agit toujours des « choses » à
connaître.
2. P. ex. : l'optique, dont fait partie la *Dioptrique;* l'astronomie, la
musique, comme science des rapports harmoniques.

peut-être pas être fort vain, si vous considérez que, n'y ayant qu'une vérité de chaque chose, quiconque la trouve en sait autant qu'on en peut savoir; et que, par exemple, un enfant instruit en l'arithmétique, ayant fait une addition suivant ses règles, se peut assurer d'avoir trouvé, touchant la somme qu'il examinait, tout ce que l'esprit humain saurait trouver. Car enfin la méthode qui enseigne à suivre le vrai ordre, et à dénombrer exactement toutes les circonstances de ce qu'on cherche, contient tout ce qui donne de la certitude aux règles d'arithmétique.

Mais ce qui me contentait le plus de cette méthode était que, par elle, j'étais assuré d'user en tout de ma raison, sinon parfaitement, au moins le mieux qui fût en mon pouvoir; outre que je sentais, en la pratiquant, que mon esprit s'accoutumait peu à peu à concevoir plus nettement et plus distinctement ses objets, et que, ne l'ayant point assujettie à aucune matière particulière, je me promettais de l'appliquer aussi utilement aux difficultés des autres sciences, que j'avais fait à celles de l'algèbre. Non que, pour cela, j'osasse entreprendre d'abord d'examiner toutes celles qui se présentaient; car cela même eût été contraire à l'ordre qu'elle prescrit. Mais, ayant pris garde que leurs principes[1] devaient tous être empruntés de la philosophie, en laquelle je n'en trouvais point encore de certains, je pensai qu'il fallait, avant tout, que je tâchasse d'y en établir; et que, cela étant la chose du monde la plus importante, et où la précipitation et la prévention étaient le plus à craindre, je ne devais point entreprendre d'en venir à bout, que je n'eusse atteint un âge bien plus mûr que celui de vingt-trois ans, que j'avais alors; et que je n'eusse, auparavant, employé beaucoup de temps à m'y préparer, tant en déracinant de mon esprit toutes les mauvaises opinions que j'y avais reçues avant ce temps-là, qu'en faisant amas de plusieurs expériences, pour être après la matière de mes raisonnements, et en m'exerçant toujours en la méthode que je m'étais prescrite, afin de m'y affermir de plus en plus.

---

1. La préface des *Principes de la Philosophie* (1647) précisera qu'on « nomme proprement philosopher » la connaissance à partir des « premières causes (...) c'est-à-dire des principes » : ceux-ci doivent être évidents, et tels « que ce soit d'eux que dépende la connaissance des autres choses, en sorte qu'ils puissent être connus sans elles, mais non pas réciproquement elles sans eux ».

TROISIÈME PARTIE

Et enfin, comme ce n'est pas assez, avant de commencer à rebâtir le logis où on demeure, que de l'abattre, et de faire provision de matériaux et d'architectes, ou s'exercer soi-même à l'architecture, et outre cela d'en avoir soigneusement tracé le dessin; mais qu'il faut aussi s'être pourvu de quelque autre, où on puisse être logé commodément pendant le temps qu'on y travaillera; ainsi, afin que je ne demeurasse point irrésolu en mes actions pendant que la raison m'obligerait de l'être en mes jugements, et que je ne laissasse pas de vivre dès lors le plus heureusement que je pourrais, je me formai une morale par provision [1], qui ne consistait qu'en trois ou quatre maximes, dont je veux bien vous faire part.

La première était d'obéir aux lois et aux coutumes de mon pays, retenant constamment la religion en laquelle Dieu m'a fait la grâce d'être instruit dès mon enfance, et me gouvernant, en toute autre chose, suivant les opinions les plus modérées, et les plus éloignées de l'excès, qui fussent communément reçues en pratique par les mieux sensés de ceux avec lesquels j'aurais à vivre. Car, commençant dès lors à ne compter pour rien les miennes propres, à cause que je les voulais remettre toutes à l'examen, j'étais assuré de ne pouvoir mieux que de suivre celles des mieux sensés. Et encore qu'il y en ait peut-être d'aussi bien sensés, parmi les Perses ou les Chinois, que parmi nous, il me semblait que le plus utile était de me régler selon ceux avec lesquels j'aurais à vivre; et que, pour savoir quelles étaient véritablement leurs opinions,

---

1. « Une morale imparfaite qu'on peut suivre par provision, pendant qu'on n'en sait point encore de meilleure » (préface des *Principes*). *Provision* « signifie aussi : en attendant » (*Dictionnaire* de Furetière).

je devais plutôt prendre garde à ce qu'ils pratiquaient qu'à ce qu'ils disaient; non seulement à cause qu'en la corruption de nos mœurs il y a peu de gens qui veuillent dire tout ce qu'ils croient, mais aussi à cause que plusieurs l'ignorent eux-mêmes, car l'action de la pensée par laquelle on croit une chose, étant différente de celle par laquelle on connaît qu'on la croit, elles sont souvent l'une sans l'autre. Et entre plusieurs opinions également reçues, je ne choisissais que les plus modérées : tant à cause que ce sont toujours les plus commodes pour la pratique, et vraisemblablement les meilleures, tous excès ayant coutume d'être mauvais; comme aussi afin de me détourner moins du vrai chemin, en cas que je faillisse, que si, ayant choisi l'un des extrêmes, c'eût été l'autre qu'il eût fallu suivre. Et, particulièrement, je mettais entre les excès toutes les promesses par lesquelles on retranche quelque chose de sa liberté. Non que je désapprouvasse les lois qui, pour remédier à l'inconstance des esprits faibles, permettent, lorsqu'on a quelque bon dessein, ou même, pour la sûreté du commerce, quelque dessein qui n'est qu'indifférent, qu'on fasse des vœux ou des contrats qui obligent à y persévérer; mais à cause que je ne voyais au monde aucune chose qui demeurât toujours en même état, et que, pour mon particulier, je me promettais de perfectionner de plus en plus mes jugements, et non point de les rendre pires, j'eusse pensé commettre une grande faute contre le bon sens, si, parce que j'approuvais alors quelque chose, je me fusse obligé de la prendre pour bonne encore après, lorsqu'elle aurait peut-être cessé de l'être, ou que j'aurais cessé de l'estimer telle.

Ma seconde maxime était d'être le plus ferme et le plus résolu en mes actions que je pourrais, et de ne suivre pas moins constamment les opinions les plus douteuses, lorsque je m'y serais une fois déterminé, que si elles eussent été très assurées. Imitant en ceci les voyageurs qui, se trouvant égarés en quelque forêt, ne doivent pas errer en tournoyant, tantôt d'un côté, tantôt d'un autre, ni encore moins s'arrêter en une place, mais marcher toujours le plus droit qu'ils peuvent vers un même côté, et ne le changer point pour de faibles raisons, encore que ce n'ait peut-être été au commencement que le hasard seul qui les ait déterminés à le choisir : car, par ce moyen, s'ils ne vont justement où ils désirent, ils arriveront au moins à la fin quelque part, où vraisemblablement ils seront mieux que dans le milieu d'une forêt. Et ainsi, les actions de la vie ne souffrant souvent aucun délai, c'est une vérité très certaine que, lorsqu'il n'est pas en notre pouvoir de discerner les plus vraies opinions, nous devons suivre les plus probables ; et même, qu'encore que nous ne remarquions point davantage de probabilité aux unes qu'aux autres, nous devons néanmoins nous déterminer à quelques-unes, et les considérer après, non plus comme douteuses, en tant qu'elles se rapportent à la pratique, mais comme très vraies et très certaines, à cause que la raison qui nous y a fait déterminer se trouve telle. Et ceci fut capable dès lors de me délivrer de tous les repentirs et les remords, qui ont coutume d'agiter les consciences de ces esprits faibles et chancelants, qui se laissent aller inconstamment à pratiquer, comme bonnes, les choses qu'ils jugent après être mauvaises.

Ma troisième maxime était de tâcher toujours plutôt à me vaincre que la fortune [1], et à changer mes désirs que l'ordre du monde ; et généralement, de m'accoutumer à croire qu'il n'y a rien qui soit entièrement en notre pouvoir, que nos pensées, en sorte qu'après que nous avons fait notre mieux, touchant les choses qui nous sont extérieures, tout ce qui manque de nous réussir est, au regard de nous, absolument impossible. Et ceci seul me semblait être suffisant pour m'empêcher de rien désirer à l'avenir que je n'acquisse, et ainsi pour me rendre content. Car notre volonté ne se portant naturellement [2] à désirer que les choses que notre entendement lui représente en quelque façon comme possibles, il est certain que, si nous considérons tous les biens qui sont hors de nous comme également éloignés de notre pouvoir, nous n'aurons pas plus de regrets de manquer de ceux qui semblent être dus à notre naissance, lorsque nous en serons privés sans notre faute, que nous avons de ne posséder pas les royaumes de la Chine ou du Mexique ;

1. Le Traité des *Passions* (§ 145) opposera la nécessité immuable de la Providence à « la fortune, pour la détruire comme une chimère qui ne vient que de l'erreur de notre entendement ». Ignorant encore s'il y a une Providence, Descartes choisit ici, contre la croyance en une « fortune » aléatoire, le vocabulaire stoïcien de « l'ordre du monde », et reprend la distinction d'Epictète (*Manuel*, I, 1-2, etc.) entre « ce qui dépend de nous » (opinions, désirs) et « ce qui ne dépend pas de nous » (santé, richesses, etc.). *Au regard de nous :* à notre égard.
2. Sens fort : *par nature* la volonté a besoin d'une représentation pour décider.

et que faisant, comme on dit, de nécessité vertu, nous ne
désirerons pas davantage d'être sains, étant malades, ou
d'être libres, étant en prison, que nous faisons maintenant d'avoir des corps d'une matière aussi peu corrup-
tible que les diamants, ou des ailes pour voler comme les
oiseaux. Mais j'avoue qu'il est besoin d'un long exercice, et d'une méditation souvent réitérée, pour s'accoutumer à regarder de ce biais toutes les choses ; et je crois
que c'est principalement en ceci que consistait le secret
de ces philosophes [1], qui ont pu autrefois se soustraire
de l'empire de la fortune et, malgré les douleurs et la
pauvreté, disputer de la félicité avec leurs dieux. Car,
s'occupant sans cesse à considérer les bornes qui leur
étaient prescrites par la nature, ils se persuadaient si
parfaitement que rien n'était en leur pouvoir que leurs
pensées, que cela seul était suffisant pour les empêcher
d'avoir aucune affection pour d'autres choses ; et ils dis-
posaient d'elles si absolument, qu'ils avaient en cela
quelque raison de s'estimer plus riches, et plus puissants,
et plus libres, et plus heureux, qu'aucun des autres
hommes qui, n'ayant point cette philosophie, tant favo-
risés de la nature et de la fortune qu'ils puissent être, ne
disposent jamais ainsi de tout ce qu'ils veulent.

Enfin, pour conclusion de cette morale, je m'avisai
de faire une revue sur les diverses occupations qu'ont les
hommes en cette vie, pour tâcher à faire choix de la
meilleure ; et sans que je veuille rien dire de celles des
autres, je pensai que je ne pouvais mieux que de continuer en celle-là même où je me trouvais, c'est-à-dire,
que d'employer toute ma vie à cultiver ma raison, et
m'avancer, autant que je pourrais, en la connaissance de
la vérité, suivant la méthode que je m'étais prescrite.
J'avais éprouvé de si extrêmes contentements, depuis
que j'avais commencé à me servir de cette méthode, que
je ne croyais pas qu'on en pût recevoir de plus doux, ni
de plus innocents, en cette vie ; et découvrant tous les
jours par son moyen quelques vérités, qui me semblaient
assez importantes, et communément ignorées des autres
hommes, la satisfaction que j'en avais remplissait tellement mon esprit que tout le reste ne me touchait point.
Outre que les trois maximes précédentes n'étaient fondées
que sur le dessein que j'avais de continuer à m'instruire :
car Dieu nous ayant donné à chacun quelque lumière

---

1. Les stoïciens : Descartes rappelle leur description du Sage idéal.

pour discerner le vrai d'avec le faux, je n'eusse pas cru me devoir contenter des opinions d'autrui un seul moment, si je ne me fusse proposé d'employer mon propre jugement à les examiner, lorsqu'il serait temps ; et je n'eusse su m'exempter de scrupule, en les suivant, si je n'eusse espéré de ne perdre pour cela aucune occasion d'en trouver de meilleures, en cas qu'il y en eût. Et enfin, je n'eusse su borner mes désirs, ni être content, si je n'eusse suivi un chemin par lequel, pensant être assuré de l'acquisition de toutes les connaissances dont je serais capable, je le pensais être, par même moyen, de celle de tous les vrais biens qui seraient jamais en mon pouvoir, d'autant que, notre volonté ne se portant à suivre ni à fuir aucune chose, que selon que notre entendement <la> lui représente bonne ou mauvaise, il suffit de bien juger pour bien faire, et de juger le mieux qu'on puisse pour faire aussi tout son mieux, c'est-à-dire pour acquérir toutes les vertus, et ensemble tous les autres biens qu'on puisse acquérir ; et lorsqu'on est certain que cela est, on ne saurait manquer d'être content.

Après m'être ainsi assuré de ces maximes, et les avoir mises à part, avec les vérités de la foi, qui ont toujours été les premières en ma créance, je jugeai que, pour tout le reste de mes opinions, je pouvais librement entreprendre de m'en défaire. Et d'autant que j'espérais en pouvoir mieux venir à bout, en conversant avec les hommes, qu'en demeurant plus longtemps renfermé dans le poêle où j'avais eu toutes ces pensées, l'hiver n'était pas encore bien achevé que je me remis à voyager. Et en toutes les neuf années suivantes, je ne fis autre chose que rouler çà et là dans le monde, tâchant d'y être spectateur plutôt qu'acteur en toutes les comédies qui s'y jouent ; et faisant particulièrement réflexion, en chaque matière, sur ce qui la pouvait rendre suspecte, et nous donner occasion de nous méprendre, je déracinais cependant de mon esprit toutes les erreurs qui s'y étaient pu glisser auparavant. Non que j'imitasse pour cela les sceptiques, qui ne doutent que pour douter, et affectent d'être toujours irrésolus : car, au contraire, tout mon dessein ne tendait qu'à m'assurer, et à rejeter la terre mouvante et le sable, pour trouver le roc ou l'argile. Ce qui me réussissait, ce me semble, assez bien, d'autant que, tâchant à découvrir la fausseté ou l'incertitude des propositions que j'examinais, non par de faibles conjectures, mais par des raisonnements clairs et assurés, je n'en

rencontrais point de si douteuses, que je n'en tirasse
toujours quelque conclusion assez certaine, quand ce
n'eût été que cela même qu'elle ne contenait rien de
certain. Et comme, en abattant un vieux logis, on en
réserve ordinairement les démolitions pour servir à en
bâtir un nouveau, ainsi, en détruisant toutes celles de
mes opinions que je jugeais être mal fondées, je faisais
diverses observations et acquérais plusieurs expériences,
qui m'ont servi depuis à en établir de plus certaines. Et,
de plus, je continuais à m'exercer en la méthode que je
m'étais prescrite; car, outre que j'avais soin de conduire
généralement toutes mes pensées selon ses règles, je me
réservais de temps en temps quelques heures, que j'em-
ployais particulièrement à la pratiquer en des difficultés
de mathématique, ou même aussi en quelques autres
que je pouvais rendre quasi semblables à celles des mathématiques, en les détachant de tous les principes des
autres sciences que je ne trouvais pas assez fermes, comme
vous verrez que j'ai fait en plusieurs qui sont expliquées
en ce volume [1]. Et ainsi, sans vivre d'autre façon, en
apparence, que ceux qui, n'ayant aucun emploi qu'à
passer une vie douce et innocente, s'étudient à séparer
les plaisirs des vices, et qui, pour jouir de leur loisir sans
s'ennuyer, usent de tous les divertissements qui sont
honnêtes, je ne laissais pas de poursuivre en mon dessein,
et de profiter en la connaissance de la vérité, peut-être
plus que si je n'eusse fait que lire des livres, ou fréquenter des gens de lettres.

Toutefois, ces neuf ans s'écoulèrent avant que j'eusse
encore pris aucun parti, touchant les difficultés qui ont
coutume d'être disputées entre les doctes, ni commencé
à chercher les fondements d'aucune philosophie plus
certaine que la vulgaire [2]. Et l'exemple de plusieurs
excellents esprits, qui, en ayant eu ci-devant le dessein,
me semblaient n'y avoir pas réussi, m'y faisait imaginer
tant de difficulté, que je n'eusse peut-être pas encore
sitôt osé l'entreprendre, si je n'eusse vu que quelques-uns
faisaient déjà courre le bruit que j'en étais venu à bout.
Je ne saurais pas dire sur quoi ils fondaient cette opinion;
et si j'y ai contribué quelque chose par mes discours, ce
doit avoir été en confessant plus ingénument ce que

---

1. La *Dioptrique* et les *Météores*, où Descartes néglige les « principes » qualitatifs de la physique scolastique.
2. La plus répandue : la scolastique.

j'ignorais, que n'ont coutume de faire ceux qui ont un peu étudié, et peut-être aussi en faisant voir les raisons que j'avais de douter de beaucoup de choses que les autres estiment certaines, plutôt qu'en me vantant d'aucune doctrine [1]. Mais ayant le cœur assez bon pour ne vouloir point qu'on me prît pour autre que je n'étais, je pensai qu'il fallait que je tâchasse, par tous moyens, à me rendre digne de la réputation qu'on me donnait; et il y a justement huit ans, que ce désir me fit résoudre à m'éloigner de tous les lieux où je pouvais avoir des connaissances, et à me retirer ici, en un pays où la longue durée de la guerre a fait établir de tels ordres, que les armées qu'on y entretient ne semblent servir qu'à faire qu'on y jouisse des fruits de la paix avec d'autant plus de sûreté, et où parmi la foule d'un grand peuple fort actif, et plus soigneux de ses propres affaires que curieux de celles d'autrui, sans manquer d'aucune des commodités qui sont dans les villes les plus fréquentées, j'ai pu vivre aussi solitaire et retiré que dans les déserts les plus écartés.

1. Cf. ci-dessous, Appendice, I, 4.

QUATRIÈME PARTIE

Je ne sais si je dois vous entretenir des premières méditations que j'y ai faites; car elles sont si métaphysiques [1] et si peu communes, qu'elles ne seront peut-être pas au goût de tout le monde. Et toutefois, afin qu'on puisse juger si les fondements que j'ai pris sont assez fermes, je me trouve en quelque façon contraint d'en parler. J'avais dès longtemps remarqué que, pour les mœurs, il est besoin quelquefois de suivre des opinions qu'on sait fort incertaines, tout de même que si elles étaient indubitables, ainsi qu'il a été dit ci-dessus; mais, parce qu'alors je désirais vaquer seulement à la recherche de la vérité, je pensai qu'il fallait que je fisse tout le contraire, et que je rejetasse, comme absolument faux, tout ce en quoi je pourrais imaginer le moindre doute, afin de voir s'il ne resterait point, après cela, quelque chose en ma créance, qui fût entièrement indubitable. Ainsi, à cause que nos sens nous trompent quelquefois, je voulus supposer qu'il n'y avait aucune chose qui fût telle qu'ils nous la font imaginer. Et parce qu'il y a des hommes qui se méprennent en raisonnant, même touchant les plus simples matières de géométrie, et y font des paralogismes, jugeant que j'étais sujet à faillir, autant qu'aucun autre, je rejetai comme fausses toutes les raisons que j'avais prises auparavant pour démonstrations. Et enfin, considérant que toutes les mêmes pensées, que nous avons étant éveillés, nous peuvent aussi venir, quand nous dormons, sans qu'il y en ait aucune, pour lors, qui soit vraie, je me résolus de feindre que toutes

---

1. Au sens traditionnel qui, dans le titre des *Méditations*, traduira l'expression latine : *sur la philosophie première;* mais aussi au sens d'*abstrait*.

les choses qui m'étaient jamais entrées en l'esprit n'étaient non plus vraies que les illusions de mes songes. Mais, aussitôt après, je pris garde que, pendant que je voulais ainsi penser que tout était faux, il fallait nécessairement que moi, qui le pensais, fusse quelque chose. Et remarquant que cette vérité : *je pense, donc je suis*, était si ferme et si assurée, que toutes les plus extravagantes suppositions des sceptiques n'étaient pas capables de l'ébranler, je jugeai que je pouvais la recevoir, sans scrupule, pour le premier principe de la philosophie que je cherchais.

Puis, examinant avec attention ce que j'étais, et voyant que je pouvais feindre que je n'avais aucun corps, et qu'il n'y avait aucun monde, ni aucun lieu où je fusse; mais que je ne pouvais pas feindre, pour cela, que je n'étais point; et qu'au contraire, de cela même que je pensais à douter de la vérité des autres choses, il suivait très évidemment et très certainement que j'étais; au lieu que, si j'eusse seulement cessé de penser, encore que tout le reste de ce que j'avais jamais imaginé eût été vrai, je n'avais aucune raison de croire que j'eusse été : je connus de là que j'étais une substance[1] dont toute l'essence ou la nature n'est que de penser, et qui, pour être, n'a besoin d'aucun lieu, ni ne dépend d'aucune chose matérielle. En sorte que ce moi, c'est-à-dire l'âme par laquelle je suis ce que je suis, est entièrement distincte du corps, et même qu'elle est plus aisée à connaître que lui, et qu'encore qu'il ne fût point, elle ne laisserait pas d'être tout ce qu'elle est.

Après cela, je considérai en général ce qui est requis à une proposition pour être vraie et certaine; car, puisque je venais d'en trouver une que je savais être telle, je pensai que je devais aussi savoir en quoi consiste cette certitude. Et ayant remarqué qu'il n'y a rien du tout en ceci : *je pense, donc je suis*, qui m'assure que je dis la vérité, sinon que je vois très clairement que, pour penser, il faut être : je jugeai que je pouvais prendre pour règle générale, que les choses que nous concevons fort clairement et fort distinctement sont toutes vraies; mais qu'il y a seulement quelque difficulté à bien remarquer quelles sont celles que nous concevons distinctement.

En suite de quoi, faisant réflexion sur ce que je doutais, et que, par conséquent, mon être n'était pas tout

1. Chose qui subsiste indépendamment des autres créatures, et dont toute l'essence ou nature, c'est-à-dire ce qui la constitue, s'exprime par un attribut principal : ici la pensée. Cf. *Principes*, I, §§ 51 et 53.

parfait, car je voyais clairement que c'était une plus grande perfection de connaître que de douter, je m'avisai de chercher d'où j'avais appris à penser à quelque chose de plus parfait que je n'étais; et je connus évidemment que ce devait être de quelque nature[1] qui fût en effet plus parfaite. Pour ce qui est des pensées que j'avais de plusieurs autres choses hors de moi, comme du ciel, de la terre, de la lumière, de la chaleur, et de mille autres, je n'étais point tant en peine de savoir d'où elles venaient, à cause que, ne remarquant rien en elles qui me semblât les rendre supérieures à moi, je pouvais croire que, si elles étaient vraies, c'étaient des dépendances de ma nature, en tant qu'elle avait quelque perfection; et si elles ne l'étaient pas, que je les tenais du néant, c'est-à-dire qu'elles étaient en moi, parce que j'avais du défaut. Mais ce ne pouvait être le même de l'idée d'un être plus parfait que le mien : car, de la tenir du néant, c'était chose manifestement impossible; et parce qu'il n'y a pas moins de répugnance[2] que le plus parfait soit une suite et une dépendance du moins parfait, qu'il y en a que de rien procède quelque chose, je ne la pouvais tenir non plus de moi-même. De façon qu'il restait qu'elle eût été mise en moi par une nature qui fût véritablement plus parfaite que je n'étais, et même qui eût en soi toutes les perfections dont je pouvais avoir quelque idée, c'est-à-dire, pour m'expliquer en un mot, qui fût Dieu. A quoi j'ajoutai que, puisque je connaissais quelques perfections que je n'avais point, je n'étais pas le seul être qui existât (j'userai, s'il vous plaît, ici librement des mots de l'Ecole), mais qu'il fallait, de nécessité, qu'il y en eût quelque autre plus parfait, duquel je dépendisse, et duquel j'eusse acquis tout ce que j'avais. Car, si j'eusse été seul et indépendant de tout autre, en sorte que j'eusse eu, de moi-même, tout ce peu que je participais[3] de l'être parfait, j'eusse pu avoir de moi, par même raison, tout le surplus que je connaissais me manquer, et ainsi être moi-même infini, éternel, immuable, tout connaissant, tout-puissant, et enfin avoir toutes les perfections que je pouvais remarquer être en Dieu. Car, suivant les rai-

---

1. C'est-à-dire : un être dont la nature ou l'essence fût effectivement plus parfaite.

2. Contradiction. P. ex. : la négation du principe que rien ne vient de rien.

3. Saint Thomas dit que toute créature est être par participation, Dieu seul étant par son essence.

sonnements que je viens de faire, pour connaître la nature de Dieu, autant que la mienne en était capable, je n'avais qu'à considérer de toutes les choses dont je trouvais en moi quelque idée, si c'était perfection, ou non, de les posséder, et j'étais assuré qu'aucune de celles qui marquaient quelque imperfection n'était en lui, mais que toutes les autres y étaient. Comme je voyais que le doute, l'inconstance, la tristesse, et choses semblables, n'y pouvaient être, vu que j'eusse été moi-même bien aise d'en être exempt. Puis, outre cela, j'avais des idées de plusieurs choses sensibles et corporelles : car, quoique je supposasse que je rêvais, et que tout ce que je voyais ou imaginais était faux, je ne pouvais nier toutefois que les idées n'en fussent véritablement en ma pensée; mais parce que j'avais déjà connu en moi très clairement que la nature intelligente est distincte de la corporelle, consi-dérant que toute composition témoigne de la dépendance, et que la dépendance est manifestement un défaut, je jugeais de là, que ce ne pouvait être une perfection en Dieu d'être composé de ces deux natures, et que, par conséquent, il ne l'était pas; mais que, s'il y avait quelques corps dans le monde, ou bien quelques intelligences, ou autres natures, qui ne fussent point toutes parfaites, leur être devait dépendre de sa puissance, en telle sorte qu'elles ne pouvaient subsister sans lui un seul moment.

Je voulus chercher, après cela, d'autres vérités, et m'étant proposé l'objet des géomètres, que je concevais comme un corps continu, ou un espace indéfiniment étendu en longueur, largeur et hauteur ou profondeur, divisible en diverses parties, qui pouvaient avoir diverses figures et grandeurs, et être mues ou transposées en toutes sortes, car les géomètres supposent tout cela en leur objet, je parcourus quelques-unes de leurs plus simples démonstrations. Et ayant pris garde que cette grande certitude, que tout le monde leur attribue, n'est fondée que sur ce qu'on les conçoit évidemment, sui-vant la règle que j'ai tantôt dite, je pris garde aussi qu'il n'y avait rien du tout en elles qui m'assurât de l'existence de leur objet. Car, par exemple, je voyais bien que, sup-posant un triangle, il fallait que ses trois angles fussent égaux à deux droits; mais je ne voyais rien pour cela qui m'assurât qu'il y eût au monde aucun triangle. Au lieu que, revenant à examiner l'idée que j'avais d'un Etre parfait, je trouvais que l'existence y était comprise, en même façon qu'il est compris en celles d'un triangle que ses trois angles sont égaux à deux droits, ou en celle d'une sphère que toutes ses parties sont également distantes de son centre, ou même encore plus évidemment; et que, par conséquent, il est pour le moins aussi certain, que Dieu, qui est cet Etre parfait, est ou existe, qu'aucune démonstration de géométrie le saurait être.

Mais ce qui fait qu'il y en a plusieurs qui se persuadent qu'il y a de la difficulté à le connaître, et même aussi à connaître ce que c'est que leur âme, c'est qu'ils n'élèvent jamais leur esprit au delà des choses sensibles, et qu'ils sont tellement accoutumés à ne rien considérer qu'en l'imaginant, qui est une façon de penser particulière pour les choses matérielles, que tout ce qui n'est pas imaginable leur semble n'être pas intelligible. Ce qui est assez manifeste de ce que même les philosophes tiennent pour maxime, dans les écoles, qu'il n'y a rien dans l'entendement qui n'ait premièrement été dans le sens [1], où toutefois il est certain que les idées de Dieu et de l'âme n'ont jamais été. Et il me semble que ceux qui veulent user de leur imagination, pour les comprendre, font tout de même que si, pour ouïr les sons, ou sentir les odeurs, ils se voulaient servir de leurs yeux : sinon qu'il y a encore cette différence, que le sens de la vue ne nous assure pas moins de la vérité de ses objets, que font ceux de l'odorat ou de l'ouïe; au lieu que ni notre imagination ni nos sens ne nous sauraient jamais assurer d'aucune chose, si notre entendement n'y intervient.

Enfin, s'il y a encore des hommes qui ne soient pas assez persuadés de l'existence de Dieu et de leur âme, par les raisons que j'ai apportées, je veux bien qu'ils sachent que toutes les autres choses, dont ils se pensent peut-être plus assurés, comme d'avoir un corps, et qu'il y a des astres et une terre, et choses semblables, sont moins certaines. Car encore qu'on ait une assurance morale [2] de ces choses, qui est telle, qu'il semble qu'à

1. Traduction d'une maxime aristotélicienne, d'où suit que tout concept se forme par abstraction à partir du sensible, ce que conteste ici Descartes, qui renverse la thèse : rien ne serait assuré dans la perception sensible si l'entendement n'intervenait.

2. Cf. *Principes*, IV, § 205 : La première sorte de certitude « est appelée *morale*, c'est-à-dire suffisante pour régler nos mœurs, ou aussi grande que celle des choses dont nous n'avons point coutume de douter touchant la conduite de la vie, bien que nous sachions qu'il se peut faire, absolument parlant, qu'elles soient fausses »; et § 206 : « L'autre sorte de certitude est lorsque nous pensons qu'il n'est aucunement possible que la chose soit autre que nous la jugeons » ; c'est la *certitude métaphysique*.

moins que d'être extravagant, on n'en peut douter,
toutefois aussi, à moins que d'être déraisonnable, lorsqu'il est question d'une certitude métaphysique, on ne
peut nier que ce ne soit assez de sujet, pour n'en être pas
entièrement assuré, que d'avoir pris garde qu'on peut,
en même façon, s'imaginer, étant endormi, qu'on a un
autre corps, et qu'on voit d'autres astres, et une autre
terre, sans qu'il en soit rien. Car d'où sait-on que les
pensées qui viennent en songe sont plutôt fausses que
les autres, vu que souvent elles ne sont pas moins vives
et expresses ? Et que les meilleurs esprits y étudient tant
qu'il leur plaira, je ne crois pas qu'ils puissent donner
aucune raison qui soit suffisante pour ôter ce doute, s'ils
ne présupposent l'existence de Dieu. Car, premièrement, cela même que j'ai tantôt pris pour une règle, à
savoir que les choses que nous concevons très clairement
et très distinctement sont toutes vraies, n'est assuré qu'à
cause que Dieu est ou existe, et qu'il est un être parfait,
et que tout ce qui est en nous vient de lui. D'où il suit
que nos idées ou notions, étant des choses réelles, et qui
viennent de Dieu, en tout ce en quoi elles sont claires et
distinctes, ne peuvent en cela être que vraies. En sorte
que, si nous en avons assez souvent qui contiennent de la
fausseté, ce ne peut être que de celles qui ont quelque
chose de confus et obscur, à cause qu'en cela elles par-
ticipent du néant [1], c'est-à-dire, qu'elles ne sont en nous
ainsi confuses, qu'à cause que nous ne sommes pas tout
parfaits. Et il est évident qu'il n'y a pas moins de répugnance que la fausseté ou l'imperfection procède de
Dieu, en tant que telle, qu'il y en a que la vérité ou la
perfection procède du néant. Mais si nous ne savions
point que tout ce qui est en nous de réel et de vrai vient
d'un être parfait et infini, pour claires et distinctes que
fussent nos idées, nous n'aurions aucune raison qui nous
assurât qu'elles eussent la perfection d'être vraies.

Or, après que la connaissance de Dieu et de l'âme nous
a ainsi rendus certains de cette règle, il est bien aisé à
connaître que les rêveries que nous imaginons étant
endormis ne doivent aucunement nous faire douter de la
vérité des pensées que nous avons étant éveillés. Car, s'il
arrivait, même en dormant, qu'on eût quelque idée fort

---

1. Dieu, Etre absolu, exclut tout non-être : l'erreur et toute imperfection sont des déficiences liées à notre limitation. Le néant ne peut
produire l'être.

distincte, comme, par exemple, qu'un géomètre inventât
quelque nouvelle démonstration, son sommeil ne l'em-
pêcherait pas d'être vraie. Et pour l'erreur la plus ordinaire de nos songes, qui consiste en ce qu'ils nous représentent divers objets en même façon que font nos sens
extérieurs, n'importe pas [1] qu'elle nous donne occasion
de nous défier de la vérité de telles idées, à cause qu'elles
peuvent aussi nous tromper assez souvent, sans que nous
dormions : comme lorsque ceux qui ont la jaunisse voient
tout de couleur jaune, ou que les astres ou autres corps
fort éloignés nous paraissent beaucoup plus petits qu'ils
ne sont. Car enfin, soit que nous veillions, soit que nous
dormions, nous ne nous devons jamais laisser persuader
qu'à l'évidence de notre raison. Et il est à remarquer
que je dis, de notre raison, et non point, de notre imagination ni de nos sens. Comme, encore que nous voyons
le soleil très clairement, nous ne devons pas juger pour
cela qu'il ne soit que de la grandeur que nous le voyons ;
et nous pouvons bien imaginer distinctement une tête
de lion entée sur le corps d'une chèvre, sans qu'il faille
conclure, pour cela, qu'il y ait au monde une chimère :
car la raison ne nous dicte point que ce que nous voyons
ou imaginons ainsi soit véritable. Mais elle nous dicte
bien que toutes nos idées ou notions doivent avoir quelque
fondement de vérité ; car il ne serait pas possible que
Dieu, qui est tout parfait et tout véritable, les eût mises
en nous sans cela. Et parce que nos raisonnements ne
sont jamais si évidents ni si entiers pendant le sommeil
que pendant la veille, bien que quelquefois nos imaginations soient alors autant ou plus vives et expresses,
elle nous dicte aussi que nos pensées ne pouvant être
toutes vraies, à cause que nous ne sommes pas tout parfaits, ce qu'elles ont de vérité doit infailliblement se
rencontrer en celles que nous avons étant éveillés, plutôt qu'en nos songes.

1. Il n'importe pas.

CINQUIÈME PARTIE

Je serais bien aise de poursuivre, et de faire voir ici toute la chaîne des autres vérités que j'ai déduites de ces premières. Mais, à cause que, pour cet effet, il serait maintenant besoin que je parlasse de plusieurs questions, qui sont en controverse entre les doctes, avec lesquels je ne désire point me brouiller, je crois qu'il sera mieux que je m'en abstienne, et que je dise seulement en général quelles elles sont, afin de laisser juger aux plus sages s'il serait utile que le public en fût plus particulièrement informé. Je suis toujours demeuré ferme en la résolution que j'avais prise, de ne supposer aucun autre principe que celui dont je viens de me servir pour démontrer l'existence de Dieu et de l'âme, et de ne recevoir aucune chose pour vraie, qui ne me semblât plus claire et plus certaine que n'avaient fait auparavant les démonstrations des géomètres. Et néanmoins j'ose dire que, non seulement j'ai trouvé moyen de me satisfaire en peu de temps, touchant toutes les principales difficultés dont on a coutume de traiter en la Philosophie, mais aussi que j'ai remarqué certaines lois, que Dieu a tellement établies en la nature, et dont il a imprimé de telles notions en nos âmes [1], qu'après y avoir fait assez de réflexion, nous ne saurions douter qu'elles ne soient exactement observées, en tout ce qui est ou qui se fait dans le monde. Puis, en

---

1. Le 15 avril 1630, Descartes écrivait à Mersenne que sa physique s'appuierait sur certaines questions métaphysiques, et d'abord que les vérités mathématiques, dites éternelles, sont créées : « C'est Dieu qui a établi ces lois en la nature, ainsi qu'un roi établit des lois en son royaume » ; et elles sont toutes innées en nos âmes, « ainsi qu'un roi imprimerait ses lois dans le cœur de tous ses sujets, s'il en avait aussi bien le pouvoir ». La rédaction actuelle du *Monde* ne comporte pas de tel développement.

considérant la suite de ces lois, il me semble avoir découvert plusieurs vérités plus utiles et plus importantes que tout ce que j'avais appris auparavant, ou même espéré d'apprendre.

Mais parce que j'ai tâché d'en expliquer les principales dans un traité, que quelques considérations m'empêchent de publier [1], je ne les saurais mieux faire connaître, qu'en disant ici sommairement ce qu'il contient. J'ai eu dessein d'y comprendre tout ce que je pensais savoir, avant que de l'écrire, touchant la nature des choses matérielles. Mais, tout de même que les peintres, ne pouvant également bien représenter dans un tableau plat toutes les diverses faces d'un corps solide, en choisissent une des principales qu'ils mettent seule vers le jour, et ombrageant les autres, ne les font paraître qu'en tant qu'on les peut voir en la regardant : ainsi, craignant de ne pouvoir mettre en mon discours tout ce que j'avais en la pensée, j'entrepris seulement d'y exposer bien amplement ce que je concevais de la lumière; puis, à son occasion, d'y ajouter quelque chose du soleil et des étoiles fixes, à cause qu'elle en procède presque toute; des cieux, à cause qu'ils la transmettent; des planètes, des comètes et de la terre, à cause qu'elles la font réfléchir; et en particulier de tous les corps qui sont sur la terre, à cause qu'ils sont ou colorés, ou transparents, ou lumineux; et enfin de l'Homme, à cause qu'il en est le spectateur. Même, pour ombrager un peu toutes ces choses, et pouvoir dire plus librement ce que j'en jugeais, sans être obligé de suivre ni de réfuter les opinions qui sont reçues entre les doctes, je me résolus de laisser tout ce Monde ici à leurs disputes, et de parler seulement de ce qui arriverait dans un nouveau, si Dieu créait maintenant quelque part, dans les espaces imaginaires [2], assez de matière pour le composer, et qu'il agitât diversement et sans ordre les diverses parties de cette matière, en sorte qu'il en composât un chaos aussi confus que les poètes en puissent feindre, et que, par après, il ne fît autre chose que prêter son concours ordinaire à la nature, et la laisser agir suivant les lois qu'il a établies. Ainsi,

1. Cf. ci-dessous, Appendice, IV : lettres de 1633-1634, où Descartes renonce à publier son *Monde*, à cause de la condamnation de Galilée.
2. Cf. ci-dessous, Appendice, II, *Le Monde*, début du ch. VI. Descartes n'accepte pas ces espaces vides, imaginés par les Anciens, hors du monde fini et plein.

premièrement, je décrivis cette matière et tâchai de la
représenter telle qu'il n'y a rien au monde, ce me semble,
de plus clair ni plus intelligible, excepté ce qui a tantôt
été dit de Dieu et de l'âme : car même je supposai,
expressément, qu'il n'y avait en elle aucune de ces formes
ou qualités dont on dispute dans les écoles [1], ni généralement aucune chose, dont la connaissance ne fût si
naturelle à nos âmes, qu'on ne pût pas même feindre de
l'ignorer. De plus, je fis voir quelles étaient les lois de la
nature; et, sans appuyer mes raisons sur aucun autre
principe que sur les perfections infinies de Dieu, je
tâchai à démontrer toutes celles dont on eût pu avoir
quelque doute, et à faire voir qu'elles sont telles, qu'encore que Dieu aurait créé plusieurs mondes, il n'y en
saurait avoir aucun où elles manquassent d'être observées.
Après cela, je montrai comment la plus grande part de la
matière de ce chaos devait, en suite de ces lois, se disposer et s'arranger d'une certaine façon qui la rendait semblable à nos cieux; comment, cependant, quelques-unes
de ses parties devaient composer une terre, et quelques-
unes des planètes et des comètes, et quelques autres un
soleil et des étoiles fixes. Et ici, m'étendant sur le sujet
de la lumière, j'expliquai bien au long quelle était celle
qui se devait trouver dans le soleil et les étoiles, et
comment de là elle traversait en un instant les immenses
espaces des cieux, et comment elle se réfléchissait des
planètes et des comètes vers la terre. J'y ajoutai aussi
plusieurs choses, touchant la substance, la situation, les
mouvements et toutes les diverses qualités de ces cieux
et de ces astres; en sorte que je pensais en dire assez,
pour faire connaître qu'il ne se remarque rien en ceux
de ce monde, qui ne dût, ou du moins qui ne pût, paraître
tout semblable en ceux du monde que je décrivais. De
là je vins à parler particulièrement de la Terre : comment,
encore que j'eusse expressément supposé que Dieu
n'avait mis aucune pesanteur en la matière dont elle
était composée, toutes ses parties ne laissaient pas de

---

1. Pour les scolastiques, les « formes substantielles », jointes à une
matière pour constituer chaque être concret, expliquent sa fonction
propre, tandis que les « qualités réelles », qui lui sont immanentes,
rendent compte de ses diverses propriétés. Cf. *Le Monde*, ch. II :
« Qu'un autre donc imagine, s'il veut, en ce bois, la forme du feu, la
qualité de la chaleur, et l'action qui le brûle, comme des choses
toutes diverses; pour moi, qui crains de me tromper si j'y suppose
quelque chose de plus que ce que je vois nécessairement y devoir
être, je me contente d'y concevoir le mouvement de ses parties ».

tendre exactement vers son centre; comment, y ayant
de l'eau et de l'air sur sa superficie, la disposition des
cieux et des astres, principalement de la lune, y devait
causer un flux et reflux, qui fût semblable, en toutes ses
circonstances, à celui qui se remarque dans nos mers; et
outre cela un certain cours, tant de l'eau que de l'air, du
levant vers le couchant tel qu'on le remarque aussi entre
les tropiques; comment les montagnes, les mers, les
fontaines et les rivières pouvaient naturellement s'y former, et les métaux y venir dans les mines, et les plantes
y croître dans les campagnes et généralement tous les
corps qu'on nomme mêlés ou composés s'y engendrer.
Et entre autres choses, à cause qu'après les astres je ne
connais rien au monde que le feu qui produise de la
lumière, je m'étudiai à faire entendre bien clairement
tout ce qui appartient à sa nature, comment il se fait,
comment il se nourrit; comment il n'a quelquefois que
de la chaleur sans lumière, et quelquefois que de la
lumière sans chaleur; comment il peut introduire diverses
couleurs en divers corps, et diverses autres qualités;
comment il en fond quelques-uns, et en durcit d'autres;
comment il les peut consumer presque tous, ou convertir en cendres et en fumée; et enfin, comment de ces
cendres, par la seule violence de son action, il forme du
verre; car cette transmutation de cendres en verre me
semblant être aussi admirable qu'aucune autre qui se fasse
en la nature, je pris particulièrement plaisir à la décrire.

Toutefois, je ne voulais pas inférer, de toutes ces
choses, que ce monde ait été créé en la façon que je pro-
posais; car il est bien plus vraisemblable que, dès le
commencement, Dieu l'a rendu tel qu'il devait être.
Mais il est certain, et c'est une opinion communément
reçue entre les théologiens [1], que l'action, par laquelle
maintenant il le conserve, est toute la même que celle
par laquelle il l'a créé; de façon qu'encore qu'il ne lui
aurait point donné, au commencement, d'autre forme
que celle du chaos, pourvu qu'ayant établi les lois de la
nature, il lui prêtât son concours [2], pour agir ainsi qu'elle a
de coutume, on peut croire, sans faire tort au miracle de la

---

1. Saint Thomas dit que la conservation des créatures est la continuation de l'action qui leur donne l'être. Descartes admet aussi que
les créatures ne peuvent subsister sans Dieu un seul moment.
2. Conséquence de la thèse précédente : Dieu agissant sans cesse
concourt immédiatement à toute action particulière : rien ne se meut
sans Dieu.

création, que par cela seul toutes les choses qui sont purement matérielles auraient pu, avec le temps, s'y rendre telles que nous les voyons à présent. Et leur nature est bien plus aisée à concevoir, lorsqu'on les voit naître peu à peu en cette sorte, que lorsqu'on ne les considère que toutes faites.

De la description des corps inanimés et des plantes, je passai à celle des animaux et particulièrement à celle des hommes. Mais parce que je n'en avais pas encore assez de connaissance pour en parler du même style que du reste, c'est-à-dire en démontrant les effets par les causes, et faisant voir de quelles semences, et en quelle façon, la nature les doit produire, je me contentai de supposer [1] que Dieu formât le corps d'un homme, entièrement semblable à l'un des nôtres, tant en la figure extérieure de ses membres qu'en la conformation intérieure de ses organes, sans le composer d'autre matière que de celle que j'avais décrite, et sans mettre en lui, au commencement, aucune âme raisonnable, ni aucune autre chose pour y servir d'âme végétante ou sensitive [2], sinon qu'il excitât en son cœur un de ces feux sans lumière, que j'avais déjà expliqués, et que je ne concevais point d'autre nature que celui qui échauffe le foin, lorsqu'on l'a renfermé avant qu'il fût sec, ou qui fait bouillir les vins nouveaux, lorsqu'on les laisse cuver sur la râpe [3]. Car, examinant les fonctions qui pouvaient en suite de cela être en ce corps, j'y trouvais exactement toutes celles qui peuvent être en nous sans que nous y pensions, ni par conséquent que notre âme, c'est-à-dire cette partie distincte du corps dont il a été dit ci-dessus que la nature n'est que de penser, y contribue, et qui sont toutes les mêmes, en quoi on peut dire que les animaux sans raison nous ressemblent : sans que j'y en pusse pour cela trouver aucune de celles qui, étant dépendantes de la pensée, sont les seules qui nous appartiennent en tant qu'hommes, au lieu que je les y trouvais toutes par après, ayant supposé que Dieu créât une âme raisonnable, et qu'il la joignît à ce corps en certaine façon que je décrivais.

1. Cf. ci-dessous, Appendice, III, *L'Homme*, début.
2. Pour les scolastiques l'âme végétante, ou végétative, exerce les fonctions de nutrition, croissance, reproduction; selon la hiérarchie des vivants, elle est subordonnée, chez les animaux, à l'âme sentante, ou sensitive, et en l'homme à l'âme intelligente, ou intellective. Pour Descartes, l'âme est uniquement raisonnable, et n'assure aucune fonction physiologique.
3. La grappe de raisin foulé, séparée du moût.

Mais, afin qu'on puisse voir en quelle sorte j'y traitais cette matière, je veux mettre ici l'explication du mouvement du cœur et des artères, qui, étant le premier et le plus général qu'on observe dans les animaux, on jugera facilement de lui [1] ce qu'on doit penser de tous les autres. Et afin qu'on ait moins de difficulté à entendre ce que j'en dirai, je voudrais que ceux qui ne sont point versés dans l'anatomie prissent la peine, avant que de lire ceci, de faire couper devant eux le cœur de quelque grand animal qui ait des poumons, car il est en tous assez semblable à celui de l'homme, et qu'il se fissent montrer les deux chambres ou concavités [2] qui y sont. Premièrement, celle qui est dans son côté droit, à laquelle répondent deux tuyaux fort larges : à savoir la veine cave, qui est le principal réceptacle du sang, et comme le tronc de l'arbre dont toutes les autres veines du corps sont les branches, et la veine artérieuse [3], qui a été ainsi mal nommée, parce que c'est en effet une artère, laquelle, prenant son origine du cœur, se divise, après en être sortie, en plusieurs branches qui se vont répandre partout dans les poumons. Puis, celle qui est dans son côté gauche, à laquelle répondent en même façon deux tuyaux, qui sont autant ou plus larges que les précédents : à savoir l'artère veineuse [4], qui a été aussi mal nommée, à cause qu'elle n'est autre chose qu'une veine, laquelle vient des poumons, où elle est divisée en plusieurs branches, entrelacées avec celles de la veine artérieuse, et celles de ce conduit qu'on nomme le sifflet [5], par où entre l'air de la respiration; et la grande artère [6], qui, sortant du cœur, envoie ses branches par tout le corps. Je voudrais aussi qu'on leur montrât soigneusement les onze petites peaux [7], qui, comme autant de petites portes, ouvrent et ferment les quatre ouvertures qui sont en ces deux concavités : à savoir, trois à l'entrée de la veine cave [8], où elles sont tellement disposées, qu'elles ne peuvent aucunement

1. D'après lui.
2. Les ventricules.
3. L'artère pulmonaire.
4. Les veines pulmonaires.
5. La trachée-artère.
6. L'artère aorte.
7. Les valvules.
8. Valvule dite tricuspide, située dans le ventricule droit, mais Descartes considère les *oreilles* (oreillettes) comme l'élargissement de la veine cave; de même ci-dessous pour les « deux autres » de « l'artère veineuse » (veine artérieuse) : valvule dite bicuspide ou mitrale.

empêcher que le sang qu'elle contient ne coule dans la concavité droite du cœur, et toutefois empêchent exactement qu'il n'en puisse sortir; trois à l'entrée de la veine artérieuse [1], qui, étant disposées tout au contraire, permettent bien au sang, qui est dans cette concavité, de passer dans les poumons, mais non pas à celui qui est dans les poumons d'y retourner; et ainsi deux autres à l'entrée de l'artère veineuse, qui laissent couler le sang des poumons vers la concavité gauche du cœur, mais s'opposent à son retour; et trois à l'entrée de la grande artère [2], qui lui permettent de sortir du cœur, mais l'empêchent d'y retourner. Et il n'est point besoin de chercher d'autre raison du nombre de ces peaux, sinon que l'ouverture de l'artère veineuse, étant en ovale à cause du lieu où elle se rencontre, peut être commodément fermée avec deux, au lieu que les autres, étant rondes, le peuvent mieux être avec trois. De plus, je voudrais qu'on leur fît considérer que la grande artère et la veine artérieuse sont d'une composition beaucoup plus dure et plus ferme que ne sont l'artère veineuse et la veine cave; et que ces deux dernières s'élargissent avant que d'entrer dans le cœur, et y font comme deux bourses, nommées les oreilles du cœur, qui sont composées d'une chair semblable à la sienne; et qu'il y a toujours plus de chaleur dans le cœur qu'en aucun autre endroit du corps [3], et, enfin, que cette chaleur est capable de faire que, s'il entre quelque goutte de sang en ses concavités, elle s'enfle promptement et se dilate, ainsi que font généralement toutes les liqueurs, lorsqu'on les laisse tomber goutte à goutte en quelque vaisseau qui est fort chaud.

Car, après cela, je n'ai besoin de dire autre chose pour expliquer le mouvement du cœur, sinon que, lorsque ses concavités ne sont pas pleines de sang, il y en coule nécessairement de la veine cave dans la droite, et de l'artère veineuse dans la gauche; d'autant que ces deux vaisseaux en sont toujours pleins, et que leurs ouvertures, qui regardent vers le cœur, ne peuvent alors être bouchées; mais que, sitôt qu'il est entré ainsi deux gouttes de sang, une en chacune de ses concavités, ces gouttes,

---

1. Trois valvules sigmoïdes situées à l'orifice de l'artère pulmonaire.
2. Trois valvules sigmoïdes situées à l'orifice de l'artère aorte.
3. Descartes accepte ici la croyance alors commune, remontant à Aristote et à Galien : expliquant cette chaleur par une sorte de fermentation, il pense éviter ainsi la mystérieuse force de pulsation qui fonde l'explication correcte de Harvey.

qui ne peuvent être que fort grosses, à cause que les
ouvertures par où elles entrent sont fort larges, et les
vaisseaux d'où elles viennent fort pleins de sang, se raré-
fient et se dilatent, à cause de la chaleur qu'elles y
trouvent, au moyen de quoi, faisant enfler tout le cœur,
elles poussent et ferment les cinq petites portes qui sont
aux entrées des deux vaisseaux d'où elles viennent, empêchant ainsi qu'il ne descende davantage de sang dans le
cœur; et continuant à se raréfier de plus en plus, elles
poussent et ouvrent les six autres petites portes qui sont
aux entrées des deux autres vaisseaux par où elles sortent,
faisant enfler par ce moyen toutes les branches de la
veine artérieuse et de la grande artère, quasi au même
instant que le cœur; lequel, incontinent après, se
désenfle [1], comme font aussi ces artères, à cause que le
sang qui y est entré s'y refroidit, et leurs six petites portes
se referment, et les cinq de la veine cave et de l'artère
veineuse se rouvrent, et donnent passage à deux autres
gouttes de sang, qui font derechef enfler le cœur et les
artères, tout de même que les précédentes. Et parce que
le sang, qui entre ainsi dans le cœur, passe par ces deux
bourses qu'on nomme ses oreilles, de là vient que leur
mouvement est contraire au sien, et qu'elles se désenflent
lorsqu'il s'enfle. Au reste, afin que ceux qui ne connaissent
pas la force des démonstrations mathématiques, et ne
sont pas accoutumés à distinguer les vraies raisons des
vraisemblables, ne se hasardent pas de nier ceci sans
l'examiner, je les veux avertir que ce mouvement, que je
viens d'expliquer, suit aussi nécessairement de la seule
disposition des organes qu'on peut voir à l'œil dans le
cœur, et de la chaleur qu'on y peut sentir avec les doigts,
et de la nature du sang qu'on peut connaître par expérience, que fait celui d'une horloge, de la force, de la
situation et de la figure de ses contrepoids et de ses
roues.
    Mais si on demande comment le sang des veines ne
s'épuise point, en coulant ainsi continuellement dans le
cœur, et comment les artères n'en sont point trop rem-
plies, puisque tout celui qui passe par le cœur s'y va
rendre, je n'ai pas besoin d'y répondre autre chose que ce

---

1. Alors que pour Harvey la systole correspond à la contraction
active du cœur, pour Descartes c'est la diastole qui pousse le sang
dans les vaisseaux, puis les parois du cœur vide retombent passive-
ment.

qui a déjà été écrit par un médecin d'Angleterre [1], auquel il faut donner la louange d'avoir rompu la glace en cet endroit, et d'être le premier qui a enseigné qu'il y a plusieurs petits passages aux extrémités des artères, par où le sang qu'elles reçoivent du cœur entre dans les petites branches des veines, d'où il se va rendre derechef vers le cœur, en sorte que son cours n'est autre chose qu'une circulation perpétuelle. Ce qu'il prouve fort bien, par l'expérience ordinaire des chirurgiens, qui ayant lié le bras médiocrement fort, au-dessus de l'endroit où ils ouvrent la veine, font que le sang en sort plus abondamment que s'ils ne l'avaient point lié. Et il arriverait tout le contraire, s'ils le liaient au-dessous, entre la main et l'ouverture, ou bien qu'ils le liassent très fort au-dessus. Car il est manifeste que le lien médiocrement serré, pouvant empêcher que le sang qui est déjà dans le bras ne retourne vers le cœur par les veines, n'empêche pas pour cela qu'il n'y en vienne toujours de nouveau par les artères, à cause qu'elles sont situées au-dessous des veines, et que leurs peaux, étant plus dures, sont moins aisées à presser, et aussi que le sang qui vient du cœur tend avec plus de force à passer par elles vers la main, qu'il ne fait à retourner de là vers le cœur par les veines. Et, puisque ce sang sort du bras par l'ouverture qui est en l'une des veines, il doit nécessairement y avoir quelques passages au-dessous du lien, c'est-à-dire vers les extrémités du bras, par où il y puisse venir des artères. Il prouve aussi fort bien ce qu'il dit du cours du sang, par certaines petites peaux, qui sont tellement disposées en divers lieux le long des veines, qu'elles ne lui permettent point d'y passer du milieu du corps vers les extrémités, mais seulement de retourner des extrémités vers le cœur ; et, de plus, par l'expérience qui montre que tout celui qui est dans le corps en peut sortir en fort peu de temps par une seule artère, lorsqu'elle est coupée, encore même qu'elle fût étroitement liée fort proche du cœur, et coupée entre lui et le lien, en sorte qu'on n'eût aucun sujet d'imaginer que le sang qui en sortirait vînt d'ailleurs.

Mais il y a plusieurs autres choses qui témoignent que la vraie cause de ce mouvement du sang est celle que j'ai dite. Comme, premièrement, la différence qu'on

---

1. Le texte note en marge : *Hervaeus, De motu cordis;* Harvey (1578-1657) avait publié son « Etude anatomique du mouvement du cœur et du sang » en 1628.

remarque entre celui qui sort des veines et celui qui sort
des artères [1], ne peut procéder que de ce qu'étant raréfié,
et comme distillé, en passant par le cœur, il est plus
subtil et plus vif et plus chaud incontinent après en être
sorti, c'est-à-dire, étant dans les artères, qu'il n'est un
peu devant que d'y entrer, c'est-à-dire, étant dans les
veines. Et, si on y prend garde, on trouvera que cette
différence ne paraît bien que vers le cœur, et non point
tant aux lieux qui en sont les plus éloignés. Puis la dureté
des peaux, dont la veine artérieuse et la grande artère
sont composées, montre assez que le sang bat contre elles
avec plus de force que contre les veines. Et pourquoi la
concavité gauche du cœur et la grande artère seraient-
elles plus amples et plus larges que la concavité droite
et la veine artérieuse ? Si ce n'était que le sang de l'artère veineuse, n'ayant été que dans les poumons depuis
qu'il a passé par le cœur, est plus subtil et se raréfie
plus fort et plus aisément que celui qui vient immédiatement de la veine cave. Et qu'est-ce que les médecins
peuvent deviner, en tâtant le pouls, s'ils ne savent que,
selon que le sang change de nature, il peut être raréfié
par la chaleur du cœur plus ou moins fort, et plus ou moins
vite qu'auparavant ? Et si on examine comment cette
chaleur se communique aux autres membres, ne faut-il
pas avouer que c'est par le moyen du sang, qui passant
par le cœur s'y réchauffe, et se répand de là par tout le
corps ? D'où vient que, si on ôte le sang de quelque
partie, on en ôte par même moyen la chaleur ; et encore
que le cœur fût aussi ardent qu'un fer embrasé, il ne
suffirait pas pour réchauffer les pieds et les mains tant
qu'il fait, s'il n'y envoyait continuellement de nouveau
sang. Puis aussi on connaît de là que le vrai usage de la
respiration est d'apporter assez d'air frais dans le poumon, pour faire que le sang, qui y vient de la concavité
droite du cœur, où il a été raréfié et comme changé en
vapeurs, s'y épaississe et convertisse en sang derechef,
avant que de retomber dans la gauche, sans quoi il ne
pourrait être propre à servir de nourriture au feu qui y
est. Ce qui se confirme, parce qu'on voit que les animaux qui n'ont point de poumons n'ont aussi qu'une
seule concavité dans le cœur, et que les enfants, qui n'en

---

1. Jusqu'à Lavoisier, en 1777, on a ignoré que c'est la respiration
pulmonaire qui transforme le sang veineux en sang artériel. Descartes pense que la chaleur du cœur opère cette sorte de distillation,
alors que Harvey n'explique pas le phénomène.

peuvent user pendant qu'ils sont renfermés au ventre de leurs mères, ont une ouverture par où il coule du sang de la veine cave en la concavité gauche du cœur, et un conduit par où il en vient de la veine artérieuse en la grande artère, sans passer par le poumon. Puis la coction [1], comment se ferait-elle en l'estomac, si le cœur n'y envoyait de la chaleur par les artères, et avec cela quelques-unes des plus coulantes parties du sang, qui aident à dissoudre les viandes [2] qu'on y a mises ? Et l'action qui convertit le suc de ces viandes en sang n'est-elle pas aisée à connaître, si on considère qu'il se distille, en passant et repassant par le cœur, peut-être par plus de cent ou deux cents fois en chaque jour ? Et qu'a-t-on besoin d'autre chose, pour expliquer la nutrition, et la production des diverses humeurs [3] qui sont dans le corps, sinon de dire que la force, dont le sang en se raréfiant passe du cœur vers les extrémités des artères, fait que quelques-unes de ses parties s'arrêtent entre celles des membres où elles se trouvent, et y prennent la place de quelques autres qu'elles en chassent; et que, selon la situation, ou la figure, ou la petitesse des pores qu'elles rencontrent, les unes se vont rendre en certains lieux plutôt que les autres, en même façon que chacun peut avoir vu divers cribles qui, étant diversement percés, servent à séparer divers grains les uns des autres ? Et enfin ce qu'il y a de plus remarquable en tout ceci, c'est la génération des esprits animaux [4], qui sont comme un vent très subtil, ou plutôt comme une flamme très pure et très vive qui, montant continuellement en grande abondance du cœur dans le cerveau, se va rendre de là par les nerfs dans les muscles, et donne le mouvement à tous les membres; sans qu'il faille imaginer d'autre cause, qui fasse que les parties du sang qui, étant les plus agitées et les plus pénétrantes, sont les plus propres à composer ces esprits, se vont rendre plutôt vers le cerveau que vers ailleurs; sinon que les artères, qui les y portent, sont

1. La digestion.
2. Tous les vivres.
3. Tous les liquides issus de la digestion : salive, sueur, urine.
4. L'appellation est traditionnelle : les physiologistes distinguaient les esprits vitaux, issus du cœur, et les esprits animaux, issus du cerveau. Saint Thomas fait de ceux-ci une sorte de matière subtile, jouant le rôle d'intermédiaire dans l'union de l'âme et du corps. Pour Descartes, qui distingue rigoureusement l'âme et le corps, ils n'ont rien de « spirituel », ni d' « animé », étant purement matériels, même lorsqu'il les appelle simplement « les esprits » (ci-dessous).

celles qui viennent du cœur le plus en ligne droite de toutes, et que, selon les règles des mécaniques, qui sont les mêmes que celles de la nature, lorsque plusieurs choses tendent ensemble à se mouvoir vers un même côté, où il n'y a pas assez de place pour toutes, ainsi que les parties du sang qui sortent de la concavité gauche du cœur tendent vers le cerveau, les plus faibles et moins agitées en doivent être détournées par les plus fortes, qui par ce moyen s'y vont rendre seules.

J'avais expliqué assez particulièrement toutes ces choses dans le traité que j'avais eu ci-devant dessein de publier. Et ensuite j'y avais montré quelle doit être la fabrique [1] des nerfs et des muscles du corps humain, pour faire que les esprits animaux, étant dedans, aient la force de mouvoir ses membres : ainsi qu'on voit que les têtes, un peu après être coupées, se remuent encore, et mordent la terre, nonobstant qu'elles ne soient plus animées; quels changements se doivent faire dans le cerveau, pour causer la veille, et le sommeil, et les songes; comment la lumière, les sons, les odeurs, les goûts, la chaleur, et toutes les autres qualités des objets extérieurs y peuvent imprimer diverses idées par l'entremise des sens; comment la faim, la soif, et les autres passions intérieures, y peuvent aussi envoyer les leurs; ce qui doit y être pris pour le sens commun [2], où ces idées sont reçues; pour la mémoire, qui les conserve; et pour la fantaisie [3], qui les peut diversement changer et en composer de nouvelles, et par même moyen, distribuant les esprits animaux dans les muscles, faire mouvoir les membres de ce corps en autant de diverses façons, et autant à propos des objets qui se présentent à ses sens, et des passions intérieures qui sont en lui, que les nôtres se puissent mouvoir, sans que la volonté les conduise. Ce qui ne semblera nullement étrange à ceux qui, sachant combien de divers *automates*, ou machines mouvantes, l'industrie des hommes peut faire, sans y employer que fort peu de pièces, à comparaison de la grande multitude des os, des muscles, des nerfs, des artères, des veines, et de toutes les autres parties qui sont dans le corps de chaque animal, considéreront ce corps comme une machine, qui,

1. La constitution.
2. Le centre cérébral où convergent les sensations : pour Descartes c'est la glande pinéale; cf. ci-dessous, Appendice, III.
3. L'imagination, en tant qu'elle a une base cérébrale, où s'impriment les traces.

ayant été faite des mains de Dieu, est incomparablement mieux ordonnée, et a en soi des mouvements plus admirables, qu'aucune de celles qui peuvent être inventées par les hommes.

Et je m'étais ici particulièrement arrêté à faire voir que, s'il y avait de telles machines, qui eussent les organes et la figure d'un singe, ou de quelque autre animal sans raison, nous n'aurions aucun moyen pour reconnaître qu'elles ne seraient pas en tout de même nature que ces animaux; au lieu que, s'il y en avait qui eussent la ressemblance de nos corps et imitassent autant nos actions que moralement il serait possible, nous aurions toujours deux moyens très certains pour reconnaître qu'elles ne seraient point pour cela de vrais hommes. Dont le premier est que jamais elles ne pourraient user de paroles, ni d'autres signes en les composant, comme nous faisons pour déclarer aux autres nos pensées. Car on peut bien concevoir qu'une machine soit tellement faite qu'elle profère des paroles, et même qu'elle en profère quelques-unes à propos des actions corporelles qui causeront quelque changement en ses organes : comme, si on la touche en quelque endroit, qu'elle demande ce qu'on lui veut dire; si en un autre, qu'elle crie qu'on lui fait mal, et choses semblables; mais non pas qu'elle les arrange diversement, pour répondre au sens de tout ce qui se dira en sa présence, ainsi que les hommes les plus hébétés peuvent faire. Et le second est que, bien qu'elles fissent plusieurs choses aussi bien, ou peut-être mieux qu'aucun de nous, elles manqueraient infailliblement en quelques autres, par lesquelles on découvrirait qu'elles n'agiraient pas par connaissance, mais seulement par la disposition de leurs organes. Car, au lieu que la raison est un instrument universel, qui peut servir en toutes sortes de rencontres, ces organes ont besoin de quelque particulière disposition pour chaque action particulière; d'où vient qu'il est moralement impossible qu'il y en ait assez de divers en une machine pour la faire agir en toutes les occurrences de la vie, de même façon que notre raison nous fait agir.

Or, par ces deux mêmes moyens, on peut aussi connaître la différence qui est entre les hommes et les bêtes. Car c'est une chose bien remarquable, qu'il n'y a point d'hommes si hébétés et si stupides, sans en excepter même les insensés, qu'ils ne soient capables d'arranger ensemble diverses paroles, et d'en composer un discours par lequel ils fassent entendre leurs pensées; et

qu'au contraire, il n'y a point d'autre animal, tant parfait et tant heureusement né qu'il puisse être, qui fasse
le semblable. Ce qui n'arrive pas de ce qu'ils ont faute
d'organes, car on voit que les pies et les perroquets
peuvent proférer des paroles ainsi que nous, et toutefois
ne peuvent parler ainsi que nous, c'est-à-dire en témoignant qu'ils pensent ce qu'ils disent; au lieu que les
hommes qui, étant nés sourds et muets, sont privés des
organes qui servent aux autres pour parler, autant ou
plus que les bêtes, ont coutume d'inventer d'eux-
mêmes quelques signes, par lesquels ils se font entendre
à ceux qui, étant ordinairement avec eux, ont loisir d'apprendre leur langue. Et ceci ne témoigne pas seulement que les bêtes ont moins de raison que les hommes,
mais qu'elles n'en ont point du tout. Car on voit qu'il
n'en faut que fort peu pour savoir parler; et d'autant
qu'on remarque de l'inégalité entre les animaux d'une
même espèce, aussi bien qu'entre les hommes, et
que les uns sont plus aisés à dresser que les autres, il
n'est pas croyable qu'un singe ou un perroquet, qui
serait des plus parfaits de son espèce, n'égalât en cela
un enfant des plus stupides, ou du moins un enfant qui
aurait le cerveau troublé, si leur âme n'était d'une nature
du tout [1] différente de la nôtre. Et on ne doit pas
confondre les paroles avec les mouvements naturels, qui
témoignent les passions, et peuvent être imités par des
machines aussi bien que par les animaux; ni penser,
comme quelques anciens, que les bêtes parlent, bien que
nous n'entendions pas leur langage : car s'il était vrai,
puisqu'elles ont plusieurs organes qui se rapportent aux
nôtres, elles pourraient aussi bien se faire entendre à
nous qu'à leurs semblables. C'est aussi une chose fort
remarquable que, bien qu'il y ait plusieurs animaux qui
témoignent plus d'industrie que nous en quelques-unes
de leurs actions, on voit toutefois que les mêmes n'en
témoignent point du tout en beaucoup d'autres : de
façon que ce qu'ils font mieux que nous ne prouve pas
qu'ils ont de l'esprit; car, à ce compte, ils en auraient
plus qu'aucun de nous et feraient mieux en toute chose;
mais plutôt qu'ils n'en ont point, et que c'est la Nature
qui agit en eux, selon la disposition de leurs organes :
ainsi qu'on voit qu'une horloge, qui n'est composée que
de roues et de ressorts, peut compter les heures, et mesu-

1. Entièrement.

rer le temps, plus justement que nous avec toute notre
prudence.

J'avais décrit, après cela, l'âme raisonnable [1], et fait
voir qu'elle ne peut aucunement être tirée de la puissance
de la matière, ainsi que les autres choses dont j'avais
parlé, mais qu'elle doit expressément être créée; et
comment il ne suffit pas qu'elle soit logée dans le corps
humain, ainsi qu'un pilote en son navire, sinon peut-être
pour mouvoir ses membres, mais qu'il est besoin qu'elle
soit jointe et unie plus étroitement avec lui pour avoir,
outre cela, des sentiments et des appétits semblables
aux nôtres, et ainsi composer un vrai homme. Au reste,
je me suis ici un peu étendu sur le sujet de l'âme, à cause
qu'il est des plus importants; car, après l'erreur de ceux
qui nient Dieu, laquelle je pense avoir ci-dessus assez
réfutée, il n'y en a point qui éloigne plutôt les esprits
faibles du droit chemin de la vertu, que d'imaginer que
l'âme des bêtes soit de même nature que la nôtre, et que,
par conséquent, nous n'avons rien à craindre, ni à espérer, après cette vie, non plus que les mouches et les four-
mis; au lieu que, lorsqu'on sait combien elles diffèrent,
on comprend beaucoup mieux les raisons, qui prouvent
que la nôtre est d'une nature entièrement indépendante
du corps et, par conséquent, qu'elle n'est point sujette
à mourir avec lui; puis, d'autant qu'on ne voit point
d'autres causes qui la détruisent, on est naturellement
porté à juger de là qu'elle est immortelle.

---

1. Le traité de *L'Homme* ne comporte pas ce développement.

SIXIÈME PARTIE

Or, il y a maintenant trois ans que j'étais parvenu à la fin du traité qui contient toutes ces choses, et que je commençais à le revoir, afin de le mettre entre les mains d'un imprimeur, lorsque j'appris que des personnes, à qui je défère et dont l'autorité ne peut guère moins sur mes actions que ma propre raison sur mes pensées, avaient désapprouvé une opinion de physique, publiée un peu auparavant par quelque autre [1], de laquelle je ne veux pas dire que je fusse, mais bien que je n'y avais rien remarqué, avant leur censure, que je pusse imaginer être préjudiciable ni à la religion ni à l'Etat, ni, par conséquent, qui m'eût empêché de l'écrire, si la raison me l'eût persuadée, et que cela me fit craindre qu'il ne s'en trouvât tout de même quelqu'une entre les miennes, en laquelle je me fusse mépris, nonobstant le grand soin que j'ai toujours eu de n'en point recevoir de nouvelles en ma créance, dont je n'eusse des démonstrations très certaines, et de n'en point écrire qui pussent tourner au désavantage de personne. Ce qui a été suffisant pour m'obliger à changer la résolution que j'avais eue de les publier. Car, encore que les raisons, pour lesquelles je l'avais prise auparavant, fussent très fortes, mon inclination, qui m'a toujours fait haïr le métier de faire des livres, m'en fit incontinent trouver assez d'autres pour m'en excuser. Et ces raisons de part et d'autre sont telles, que non seulement j'ai ici quelque intérêt de les dire, mais peut-être aussi que le public en a de les avoir.

Je n'ai jamais fait beaucoup d'état des choses qui

---

1. Galilée : cf. ci-dessous, Appendice, IV, lettre à Mersenne, fin novembre 1633.

venaient de mon esprit, et pendant que je n'ai recueilli d'autres fruits de la méthode dont je me sers, sinon que je me suis satisfait, touchant quelques difficultés qui appartiennent aux sciences spéculatives, ou bien que j'ai tâché de régler mes mœurs par les raisons qu'elle m'enseignait, je n'ai point cru être obligé d'en rien écrire. Car, pour ce qui touche les mœurs, chacun abonde si fort en son sens, qu'il se pourrait trouver autant de réformateurs que de têtes, s'il était permis à d'autres qu'à ceux que Dieu a établis pour souverains sur ses peuples, ou bien auxquels il a donné assez de grâce et de zèle pour être prophètes, d'entreprendre d'y rien changer; et bien que mes spéculations me plussent fort, j'ai cru que les autres en avaient aussi qui leur plaisaient peut-être davantage. Mais, sitôt que j'ai eu acquis quelques notions générales touchant la physique, et que, commençant à les éprouver en diverses difficultés particulières, j'ai remarqué jusques où elles peuvent conduire, et combien elles diffèrent des principes dont on s'est servi jusques à présent, j'ai cru que je ne pouvais les tenir cachées, sans pécher grandement contre la loi qui nous oblige à procurer, autant qu'il est en nous, le bien général de tous les hommes. Car elles m'ont fait voir qu'il est possible de parvenir à des connaissances qui soient fort utiles à la vie, et qu'au lieu de cette philosophie spéculative, qu'on enseigne dans les écoles, on en peut trouver une pratique, par laquelle, connaissant la force et les actions du feu, de l'eau, de l'air, des astres, des cieux et de tous les autres corps qui nous environnent, aussi distinctement que nous connaissons les divers métiers de nos artisans, nous les pourrions employer en même façon à tous les usages auxquels ils sont propres, et ainsi nous rendre comme maîtres et possesseurs de la Nature. Ce qui n'est pas seulement à désirer pour l'invention d'une infinité d'artifices, qui feraient qu'on jouirait, sans aucune peine, des fruits de la terre et de toutes les commodités qui s'y trouvent, mais principalement aussi pour la conservation de la santé, laquelle est sans doute le premier bien et le fondement de tous les autres biens de cette vie; car même l'esprit dépend si fort du tempérament, et de la disposition des organes du corps que, s'il est possible de trouver quelque moyen qui rende communément les hommes plus sages et plus habiles qu'ils n'ont été jusques ici, je crois que c'est dans la médecine qu'on doit le chercher. Il est vrai que celle qui est maintenant en usage contient peu de choses dont l'utilité soit si remarquable ; mais, sans que j'aie aucun dessein de la mépriser, je m'assure qu'il n'y a personne, même de ceux qui en font profession, qui n'avoue que tout ce qu'on y sait n'est presque rien, à comparaison de ce qui reste à y savoir, et qu'on se pourrait exempter d'une infinité de maladies, tant du corps que de l'esprit, et même aussi peut-être de l'affaiblissement de la vieillesse, si on avait assez de connaissance de leurs causes, et de tous les remèdes dont la Nature nous a pourvus. Or, ayant dessein d'employer toute ma vie à la recherche d'une science si nécessaire, et ayant rencontré un chemin qui me semble tel qu'on doit infailliblement la trouver, en le suivant, si ce n'est qu'on en soit empêché, ou par la brièveté de la vie, ou par le défaut des expériences, je jugeais qu'il n'y avait point de meilleur remède contre ces deux empêchements que de communiquer fidèlement au public tout le peu que j'aurais trouvé, et de convier les bons esprits à tâcher de passer plus outre, en contribuant, chacun selon son inclination et son pouvoir, aux expériences qu'il faudrait faire, et communiquant aussi au public toutes les choses qu'ils apprendraient, afin que les derniers commençant où les précédents auraient achevé, et ainsi, joignant les vies et les travaux de plusieurs, nous allassions tous ensemble beaucoup plus loin que chacun en particulier ne saurait faire.

Même je remarquais, touchant les expériences, qu'elles sont d'autant plus nécessaires qu'on est plus avancé en connaissance. Car, pour le commencement, il vaut mieux ne se servir que de celles qui se présentent d'elles-mêmes à nos sens, et que nous ne saurions ignorer, pourvu que nous y fassions tant soit peu de réflexion, que d'en chercher de plus rares et étudiées : dont la raison est que ces plus rares trompent souvent, lorsqu'on ne sait pas encore les causes des plus communes, et que les circonstances dont elles dépendent sont quasi toujours si particulières et si petites, qu'il est très malaisé de les remarquer. Mais l'ordre que j'ai tenu en ceci a été tel. Premièrement, j'ai tâché de trouver en général les principes, ou premières causes, de tout ce qui est, ou qui peut être, dans le monde, sans rien considérer, pour cet effet, que Dieu seul, qui l'a créé, ni les tirer d'ailleurs que de certaines semences de vérités qui sont naturellement en nos âmes. Après cela, j'ai examiné quels étaient les premiers et plus ordinaires effets qu'on pouvait déduire de ces causes :

et il me semble que, par là, j'ai trouvé des cieux, des astres, une Terre, et même, sur la terre, de l'eau, de l'air, du feu, des minéraux, et quelques autres telles choses qui sont les plus communes de toutes et les plus simples, et par conséquent les plus aisées à connaître. Puis, lorsque j'ai voulu descendre à celles qui étaient plus particulières, il s'en est tant présenté à moi de diverses, que je n'ai pas cru qu'il fût possible à l'esprit humain de distinguer les formes ou espèces de corps qui sont sur la terre d'une infinité d'autres qui pourraient y être, si c'eût été le vouloir de Dieu de les y mettre, ni, par conséquent, de les rapporter à notre usage, si ce n'est qu'on vienne au-devant des causes par les effets [1], et qu'on se serve de plusieurs expériences particulières. En suite de quoi, repassant mon esprit sur tous les objets qui s'étaient jamais présentés à mes sens, j'ose bien dire que je n'y ai remarqué aucune chose que je ne pusse assez commodément expliquer par les principes que j'avais trouvés. Mais il faut aussi que j'avoue que la puissance de la Nature est si ample et si vaste, et que ces principes sont si simples et si généraux, que je ne remarque quasi plus aucun effet particulier, que d'abord je ne connaisse qu'il peut en être déduit en plusieurs diverses façons, et que ma plus grande difficulté est d'ordinaire de trouver en laquelle de ces façons il en dépend. Car à cela je ne sais point d'autre expédient, que de chercher derechef quelques expériences, qui soient telles, que leur événement [2] ne soit pas le même, si c'est en l'une de ces façons qu'on doit l'expliquer, que si c'est en l'autre. Au reste, j'en suis maintenant là, que je vois, ce me semble, assez bien de quel biais on se doit prendre à faire la plupart de celles qui peuvent servir à cet effet; mais je vois aussi qu'elles sont telles, et en si grand nombre, que ni mes mains, ni mon revenu, bien que j'en eusse mille fois plus que je n'en ai, ne sauraient suffire pour toutes; en sorte que, selon que j'aurai désormais la commodité d'en faire plus ou moins, j'avancerai aussi plus ou moins en la connaissance de la Nature. Ce que je me promettais de faire connaître, par le traité que j'avais écrit, et d'y montrer si clairement l'utilité que le public en peut recevoir, que j'obligerais tous ceux qui désirent en géné-

---

1. C'est l'inverse de la déduction *a priori* qui va des causes aux effets.
2. Ce qui advient.

ral le bien des hommes, c'est-à-dire tous ceux qui sont
en effet vertueux, et non point par faux semblant, ni
seulement par opinion, tant à me communiquer celles
qu'ils ont déjà faites, qu'à m'aider en la recherche de
celles qui restent à faire.

Mais j'ai eu, depuis ce temps-là, d'autres raisons qui
m'ont fait changer d'opinion, et penser que je devais
véritablement continuer d'écrire toutes les choses que
je jugerais de quelque importance, à mesure que j'en
découvrirais la vérité, et y apporter le même soin que si
je les voulais faire imprimer : tant afin d'avoir d'autant
plus d'occasion de les bien examiner, comme sans doute
on regarde toujours de plus près à ce qu'on croit devoir
être vu par plusieurs, qu'à ce qu'on ne fait que pour soi-
même, et souvent les choses qui m'ont semblé vraies
lorsque j'ai commencé à les concevoir, m'ont paru
fausses lorsque je les ai voulu mettre sur le papier;
qu'afin de ne perdre aucune occasion de profiter au
public, si j'en suis capable, et que, si mes écrits valent
quelque chose, ceux qui les auront après ma mort en
puissent user ainsi qu'il sera le plus à propos; mais que
je ne devais aucunement consentir qu'ils fussent publiés
pendant ma vie, afin que ni les oppositions et contro-
verses, auxquelles ils seraient peut-être sujets, ni même
la réputation telle quelle, qu'ils me pourraient acquérir,
ne me donnassent aucune occasion de perdre le temps
que j'ai dessein d'employer à m'instruire. Car, bien qu'il
soit vrai que chaque homme est obligé de procurer,
autant qu'il est en lui, le bien des autres, et que c'est
proprement ne valoir rien que de n'être utile à personne,
toutefois il est vrai aussi que nos soins se doivent étendre
plus loin que le temps présent, et qu'il est bon d'omettre
les choses qui apporteraient peut-être quelque profit à
ceux qui vivent, lorsque c'est à dessein d'en faire d'autres
qui en apportent davantage à nos neveux. Comme, en
effet, je veux bien qu'on sache que le peu que j'ai appris
jusqu'ici n'est presque rien, à comparaison de ce que
j'ignore, et que je ne désespère pas de pouvoir apprendre;
car c'est quasi le même de ceux qui découvrent peu à
peu la vérité dans les sciences, que de ceux qui, commençant à devenir riches, ont moins de peine à faire de
grandes acquisitions, qu'ils n'ont eu auparavant, étant
plus pauvres, à en faire de beaucoup moindres. Ou bien
on peut les comparer aux chefs d'armée, dont les forces
ont coutume de croître à proportion de leurs victoires,

et qui ont besoin de plus de conduite [1], pour se maintenir
après la perte d'une bataille, qu'ils n'ont, après l'avoir
gagnée, à prendre des villes et des provinces. Car c'est
véritablement donner des batailles, que de tâcher à
vaincre toutes les difficultés et les erreurs qui nous empêchent de parvenir à la connaissance de la vérité, et c'est
en perdre une, que de recevoir quelque fausse opinion
touchant une matière un peu générale et importante; il
faut, après, beaucoup plus d'adresse, pour se remettre au
même état qu'on était auparavant, qu'il ne faut à faire
de grands progrès, lorsqu'on a déjà des principes qui
sont assurés. Pour moi, si j'ai ci-devant trouvé quelques
vérités dans les sciences (et j'espère que les choses qui
sont contenues en ce volume [2] feront juger que j'en ai
trouvé quelques-unes), je puis dire que ce ne sont que
des suites et des dépendances de cinq ou six principales
difficultés que j'ai surmontées, et que je compte pour
autant de batailles où j'ai eu l'heur de mon côté. Même
je ne craindrai pas de dire que je pense n'avoir plus
besoin d'en gagner que deux ou trois autres semblables
pour venir entièrement à bout de mes desseins; et que
mon âge n'est point si avancé que, selon le cours ordinaire
de la Nature, je ne puisse encore avoir assez de loisir pour
cet effet. Mais je crois être d'autant plus obligé à ména-
ger le temps qui me reste, que j'ai plus d'espérance de
le pouvoir bien employer; et j'aurais sans doute plusieurs
occasions de le perdre, si je publiais les fondements de
ma Physique. Car, encore qu'ils soient presque tous si
évidents, qu'il ne faut que les entendre pour les croire,
et qu'il n'y en ait aucun, dont je ne pense pouvoir
donner des démonstrations, toutefois, à cause qu'il est
impossible qu'ils soient accordants avec toutes les
diverses opinions des autres hommes, je prévois que je
serais souvent diverti par les oppositions qu'ils feraient
naître.

On peut dire que ces oppositions seraient utiles, tant
afin de me faire connaître mes fautes, qu'afin que, si
j'avais quelque chose de bon, les autres en eussent par
ce moyen plus d'intelligence, et, comme plusieurs
peuvent plus voir qu'un homme seul, que commençant
dès maintenant à s'en servir, ils m'aidassent aussi de
leurs inventions. Mais, encore que je me reconnaisse

---

1. L'édition latine traduira : prudence.
2. Les « essais » : *Dioptrique, Météores* et *Géométrie*.

extrêmement sujet à faillir, et que je ne me fie quasi
jamais aux premières pensées qui me viennent, toutefois l'expérience que j'ai des objections qu'on me peut
faire m'empêche d'en espérer aucun profit : car j'ai déjà
souvent éprouvé les jugements, tant de ceux que j'ai
tenus pour mes amis, que de quelques autres à qui je
pensais être indifférent, et même aussi de quelques-uns
dont je savais que la malignité et l'envie tâcheraient
assez à découvrir ce que l'affection cacherait à mes amis ;
mais il est rarement arrivé qu'on m'ait objecté quelque
chose que je n'eusse point du tout prévue, si ce n'est
qu'elle fût fort éloignée de mon sujet ; en sorte que je
n'ai quasi jamais rencontré aucun censeur de mes opinions, qui ne me semblât ou moins rigoureux, ou moins
équitable que moi-même. Et je n'ai jamais remarqué
non plus que, par le moyen des disputes qui se pratiquent
dans les écoles, on ait découvert aucune vérité qu'on
ignorât auparavant ; car, pendant que chacun tâche de
vaincre, on s'exerce bien plus à faire valoir la vraisemblance, qu'à peser les raisons de part et d'autre ; et ceux
qui ont été longtemps bons avocats ne sont pas pour cela,
par après, meilleurs juges.

Pour l'utilité que les autres recevraient de la commu-
nication de mes pensées, elle ne pourrait aussi être fort
grande, d'autant que je ne les ai point encore conduites
si loin, qu'il ne soit besoin d'y ajouter beaucoup de choses
avant que de les appliquer à l'usage. Et je pense pouvoir
dire, sans vanité, que, s'il y a quelqu'un qui en soit
capable, ce doit être plutôt moi qu'aucun autre : non pas
qu'il ne puisse y avoir au monde plusieurs esprits incomparablement meilleurs que le mien ; mais pour ce qu'on
ne saurait si bien concevoir une chose, et la rendre
sienne, lorsqu'on l'apprend de quelque autre, que lorsqu'on l'invente soi-même. Ce qui est si véritable, en cette
matière, que, bien que j'aie souvent expliqué quelques-
unes de mes opinions à des personnes de très bon esprit,
et qui, pendant que je leur parlais, semblaient les entendre
fort distinctement, toutefois, lorsqu'ils les ont redites,
j'ai remarqué qu'ils les ont changées presque toujours
en telle sorte que je ne les pouvais plus avouer pour
miennes. A l'occasion de quoi je suis bien aise de prier
ici nos neveux de ne croire jamais que les choses qu'on
leur dira viennent de moi, lorsque je ne les aurai point
moi-même divulguées. Et je ne m'étonne aucunement
des extravagances qu'on attribue à tous ces anciens Phi-

losophes, dont nous n'avons point les écrits [1], ni ne juge
pas, pour cela, que leurs pensées aient été fort déraison-
nables, vu qu'ils étaient des meilleurs esprits de leurs
temps, mais seulement qu'on nous les a mal rapportées.
Comme on voit aussi que presque jamais il n'est arrivé
qu'aucun de leurs sectateurs les ait surpassés; et je
m'assure que les plus passionnés de ceux qui suivent
maintenant Aristote se croiraient heureux, s'ils avaient
autant de connaissance de la nature qu'il a en eu, encore
même que ce fût à condition qu'ils n'en auraient jamais
davantage. Ils sont comme le lierre, qui ne tend point à
monter plus haut que les arbres qui le soutiennent, et
même souvent qui redescend, après qu'il est parvenu
jusques à leur faîte; car il me semble aussi que ceux-là
redescendent, c'est-à-dire se rendent en quelque façon
moins savants que s'ils s'abstenaient d'étudier, lesquels,
non contents de savoir tout ce qui est intelligiblement
expliqué dans leur auteur, veulent, outre cela, y trouver
la solution de plusieurs difficultés, dont il ne dit rien et
auxquelles il n'a peut-être jamais pensé. Toutefois, leur
façon de philosopher est fort commode, pour ceux qui
n'ont que des esprits fort médiocres; car l'obscurité des
distinctions et des principes dont ils se servent est cause
qu'ils peuvent parler de toutes choses aussi hardiment
que s'ils les savaient, et soutenir tout ce qu'ils en disent
contre les plus subtils et les plus habiles sans qu'on ait
moyen de les convaincre. En quoi ils me semblent pareils
à un aveugle qui, pour se battre sans désavantage contre
un qui voit, l'aurait fait venir dans le fond de quelque
cave fort obscure; et je puis dire que ceux-ci ont intérêt
que je m'abstienne de publier les principes de la philosophie dont je me sers : car étant très simples et très évidents, comme ils sont, je ferais quasi le même, en les
publiant, que si j'ouvrais quelques fenêtres, et faisais
entrer du jour dans cette cave, où ils sont descendus pour
se battre. Mais même les meilleurs esprits n'ont pas
occasion de souhaiter de les connaître : car, s'ils veulent
savoir parler de toutes choses et acquérir la réputation
d'être doctes, ils y parviendront plus aisément en se
contentant de la vraisemblance, qui peut être trouvée sans
grande peine en toutes sortes de matières, qu'en cher-

---

1. Les présocratiques : la lettre à Huygens de mars-avril 1638 doute
que Démocrite « ait eu des opinions si peu raisonnables qu'on lui fait
accroire ».

chant la vérité, qui ne se découvre que peu à peu en
quelques-unes, et qui, lorsqu'il est question de parler
des autres, oblige à confesser franchement qu'on les
ignore. Que s'ils préfèrent la connaissance de quelque
peu de vérités à la vanité de paraître n'ignorer rien,
comme sans doute elle est bien préférable, et qu'ils
veuillent suivre un dessein semblable au mien, ils n'ont
pas besoin, pour cela, que je leur dise rien davantage que
ce que j'ai dit en ce discours. Car, s'ils sont capables de
passer plus outre que je n'ai fait, ils le seront aussi, à plus
forte raison, de trouver d'eux-mêmes tout ce que je
pense avoir trouvé. D'autant que, n'ayant jamais rien
examiné que par ordre, il est certain que ce qui me reste
encore à découvrir, est de soi plus difficile et plus caché
que ce que j'ai pu ci-devant rencontrer, et ils auraient
bien moins de plaisir à l'apprendre de moi que d'eux-
mêmes ; outre que l'habitude qu'ils acquerront, en cherchant premièrement des choses faciles, et passant peu à
peu par degrés à d'autres plus difficiles, leur servira plus
que toutes mes instructions ne sauraient faire. Comme,
pour moi, je me persuade que, si on m'eût enseigné, dès
ma jeunesse, toutes les vérités dont j'ai cherché depuis
les démonstrations, et que je n'eusse eu aucune peine
à les apprendre, je n'en aurais peut-être jamais su aucunes
autres, et du moins que jamais je n'aurais acquis l'habitude et la facilité, que je pense avoir, d'en trouver toujours de nouvelles, à mesure que je m'applique à les
chercher. Et en un mot, s'il y a au monde quelque ouvrage
qui ne puisse être si bien achevé par aucun autre que par
le même qui l'a commencé, c'est celui auquel je tra-
vaille.

Il est vrai que, pour ce qui est des expériences qui
peuvent y servir, un homme seul ne saurait suffire à
les faire toutes ; mais il n'y saurait aussi employer utilement d'autres mains que les siennes, sinon celles des
artisans, ou telles gens qu'il pourrait payer, et à qui
l'espérance du gain, qui est un moyen très efficace, ferait
faire exactement toutes les choses qu'il leur prescrirait.
Car, pour les volontaires, qui, par curiosité ou désir
d'apprendre, s'offriraient peut-être de lui aider, outre
qu'ils ont pour l'ordinaire plus de promesses que d'effet,
et qu'ils ne font que de belles propositions dont aucune
jamais ne réussit, ils voudraient infailliblement être payés
par l'explication de quelques difficultés, ou du moins
par des compliments et des entretiens inutiles, qui ne

lui sauraient coûter si peu de son temps qu'il n'y perdît.
Et pour les expériences que les autres ont déjà faites,
quand bien même ils les lui voudraient communiquer, ce
que ceux qui les nomment des secrets ne feraient jamais,
elles sont, pour la plupart, composées de tant de circonstances, ou d'ingrédients superflus, qu'il lui serait
très malaisé d'en déchiffrer la vérité; outre qu'il les trouverait presque toutes si mal expliquées, ou même si
fausses, à cause que ceux qui les ont faites se sont efforcés
de les faire paraître conformes à leurs principes, que,
s'il y en avait quelques-unes qui lui servissent, elles ne
pourraient derechef valoir le temps qu'il lui faudrait
employer à les choisir. De façon que, s'il y avait au
monde quelqu'un, qu'on sût assurément être capable
de trouver les plus grandes choses et les plus utiles au
public qui puissent être, et que, pour cette cause, les
autres hommes s'efforçassent, par tous moyens, de l'aider à venir à bout de ses desseins, je ne vois pas qu'ils
pussent autre chose pour lui, sinon fournir aux frais
des expériences dont il aurait besoin et, du reste, empêcher que son loisir ne lui fût ôté par l'importunité de
personne. Mais, outre que je ne présume pas tant de
moi-même, que de vouloir rien promettre d'extraordinaire, ni ne me repais point de pensées si vaines, que de
m'imaginer que le public se doive beaucoup intéresser
en mes desseins, je n'ai pas aussi l'âme si basse, que je
voulusse accepter de qui que ce fût aucune faveur, qu'on
pût croire que je n'aurais pas méritée.

Toutes ces considérations jointes ensemble furent
cause, il y a trois ans, que je ne voulus point divulguer
le traité que j'avais entre les mains, et même que je fus
en résolution de n'en faire voir aucun autre, pendant ma
vie, qui fût si général, ni duquel on pût entendre les
fondements de ma Physique. Mais il y a eu depuis derechef deux autres raisons, qui m'ont obligé à mettre ici
quelques essais particuliers, et à rendre au public quelque
compte de mes actions et de mes desseins. La première
est que, si j'y manquais, plusieurs, qui ont su l'intention
que j'avais eue ci-devant de faire imprimer quelques
écrits, pourraient s'imaginer que les causes pour lesquelles je m'en abstiens seraient plus à mon désavantage
qu'elles ne sont. Car, bien que je n'aime pas la gloire
par excès, ou même, si je l'ose dire, que je la haïsse, en
tant que je la juge contraire au repos, lequel j'estime sur
toutes choses, toutefois aussi je n'ai jamais tâché de

cacher mes actions comme des crimes, ni n'ai usé de
beaucoup de précautions pour être inconnu; tant à cause
que j'eusse cru me faire tort, qu'à cause que cela m'aurait
donné quelque espèce d'inquiétude, qui eût derechef été
contraire au parfait repos d'esprit que je cherche. Et
parce que, m'étant toujours ainsi tenu indifférent entre
le soin d'être connu ou ne l'être pas, je n'ai pu empêcher
que je n'acquisse quelque sorte de réputation, j'ai pensé
que je devais faire mon mieux pour m'exempter au
moins de l'avoir mauvaise. L'autre raison, qui m'a obligé
à écrire ceci, est que, voyant tous les jours de plus en
plus le retardement que souffre le dessein que j'ai de
m'instruire, à cause d'une infinité d'expériences dont
j'ai besoin, et qu'il est impossible que je fasse sans l'aide
d'autrui, bien que je ne me flatte pas tant que d'espérer
que le public prenne grande part en mes intérêts, toutefois je ne veux pas aussi me défaillir tant à moi-même,
que de donner sujet à ceux qui me survivront de me
reprocher quelque jour, que j'eusse pu leur laisser plusieurs choses beaucoup meilleures que je n'aurai fait, si
je n'eusse point trop négligé de leur faire entendre en
quoi ils pouvaient contribuer à mes desseins.

Et j'ai pensé qu'il m'était aisé de choisir quelques
matières qui, sans être sujettes à beaucoup de contro-
verses, ni m'obliger à déclarer davantage de mes principes que je ne désire, ne laisseraient pas de faire voir
assez clairement ce que je puis, ou ne puis pas, dans les
sciences. En quoi je ne saurais dire si j'ai réussi, et je ne
veux point prévenir les jugements de personne, en parlant moi-même de mes écrits; mais je serai bien aise
qu'on les examine, et afin qu'on en ait d'autant plus
d'occasion, je supplie tous ceux qui auront quelques
objections à y faire de prendre la peine de les envoyer à
mon libraire, par lequel en étant averti, je tâcherai d'y
joindre ma réponse en même temps[1]; et par ce moyen
les lecteurs, voyant ensemble l'un et l'autre, jugeront
d'autant plus aisément de la vérité. Car je ne promets
pas d'y faire jamais de longues réponses, mais seulement
d'avouer mes fautes fort franchement, si je les connais,
ou bien, si je ne les puis apercevoir, de dire simplement
ce que je croirai être requis pour la défense des choses

---

1. L'impression d'éventuelles objections et des réponses n'aurait pu
se faire que si l'ouvrage avait été réédité du vivant de Descartes. Pour
les *Méditations*, objections et réponses furent jointes à la 1re édition,
des copies ayant d'abord été transmises à quelques lecteurs choisis.

que j'ai écrites, sans y ajouter l'explication d'aucune nouvelle matière afin de ne me pas engager sans fin de l'une en l'autre.

Que si quelques-unes de celles dont j'ai parlé, au commencement de la Dioptrique et des Météores, choquent d'abord, à cause que je les nomme des suppositions, et que je ne semble pas avoir envie de les prouver, qu'on ait la patience de lire le tout avec attention, et j'espère qu'on s'en trouvera satisfait. Car il me semble que les raisons s'y entre-suivent en telle sorte que, comme les dernières sont démontrées par les premières, qui sont leurs causes, ces premières le sont réciproquement par les dernières, qui sont leurs effets. Et on ne doit pas imaginer que je commette en ceci la faute que les logiciens nomment un cercle; car l'expérience rendant la plupart de ces effets très certains, les causes dont je les déduis ne servent pas tant à les prouver qu'à les expliquer; mais, tout au contraire, ce sont elles qui sont prouvées par eux. Et je ne les ai nommées des suppositions, qu'afin qu'on sache que je pense les pouvoir déduire de ces premières vérités que j'ai ci-dessus expliquées, mais que j'ai voulu expressément ne le pas faire, pour empêcher que certains esprits, qui s'imaginent qu'ils savent en un jour tout ce qu'un autre a pensé en vingt années, sitôt qu'il leur en a seulement dit deux ou trois mots, et qui sont d'autant plus sujets à faillir, et moins capables de la vérité, qu'ils sont plus pénétrants et plus vifs, ne puissent de là prendre occasion de bâtir quelque philosophie extravagante sur ce qu'ils croiront être mes principes, et qu'on m'en attribue la faute. Car, pour les opinions, qui sont toutes miennes, je ne les excuse point comme nouvelles, d'autant que, si on en considère bien les raisons, je m'assure qu'on les trouvera si simples et si conformes au sens commun, qu'elles sembleront moins extraordinaires, et moins étranges, qu'aucunes autres qu'on puisse avoir sur mêmes sujets. Et je ne me vante point d'être le premier inventeur d'aucunes, mais bien, que je ne les ai jamais reçues, ni parce qu'elles avaient été dites par d'autres, ni parce qu'elles ne l'avaient point été, mais seulement parce que la raison me les a persuadées.

Que si les artisans ne peuvent si tôt exécuter l'invention qui est expliquée en la Dioptrique [1], je ne crois pas

---

1. Discours X sur la taille des verres optiques.

qu'on puisse dire, pour cela, qu'elle soit mauvaise : car, d'autant qu'il faut de l'adresse et de l'habitude, pour faire et pour ajuster les machines que j'ai décrites, sans qu'il y manque aucune circonstance, je ne m'étonnerais pas moins, s'ils rencontraient [1] du premier coup, que si quelqu'un pouvait apprendre, en un jour, à jouer du luth excellemment, par cela seul qu'on lui aurait donné de la tablature [2] qui serait bonne. Et si j'écris en français, qui est la langue de mon pays, plutôt qu'en latin, qui est celle de mes précepteurs, c'est à cause que j'espère que ceux qui ne se servent que de leur raison naturelle toute pure jugeront mieux de mes opinions que ceux qui ne croient qu'aux livres anciens. Et pour ceux qui joignent le bon sens avec l'étude, lesquels seuls je souhaite pour mes juges, ils ne seront point, je m'assure, si partiaux pour le latin, qu'ils refusent d'entendre mes raisons, parce que je les explique en langue vulgaire.

Au reste, je ne veux point parler ici, en particulier, des progrès que j'ai espérance de faire à l'avenir dans les sciences, ni m'engager envers le public d'aucune promesse que je ne sois pas assuré d'accomplir; mais je dirai seulement que j'ai résolu de n'employer le temps qui me reste à vivre à autre chose qu'à tâcher d'acquérir quelque connaissance de la Nature, qui soit telle qu'on en puisse tirer des règles pour la médecine, plus assurées que celles qu'on a eues jusques à présent, et que mon inclination m'éloigne si fort de toute sorte d'autres desseins, principalement de ceux qui ne sauraient être utiles aux uns qu'en nuisant aux autres, que, si quelques occasions me contraignaient de m'y employer, je ne crois point que je fusse capable d'y réussir. De quoi je fais ici une déclaration, que je sais bien ne pouvoir servir à me rendre considérable dans le monde, mais aussi n'ai-je aucunement envie de l'être; et je me tiendrai toujours plus obligé à ceux par la faveur desquels je jouirai sans empêchement de mon loisir, que je ne ferais à ceux qui m'offriraient les plus honorables emplois de la terre.

1. Réussissaient.
2. C'est-à-dire une partition.

LA DIOPTRIQUE

DE LA LUMIÈRE

Toute la conduite de notre vie dépend de nos sens, entre lesquels celui de la vue étant le plus universel et le plus noble, il n'y a point de doute que les inventions qui servent à augmenter sa puissance ne soient des plus utiles qui puissent être. Et il est malaisé d'en trouver aucune qui l'augmente davantage que celle de ces merveilleuses lunettes qui, n'étant en usage que depuis peu, nous ont déjà découvert de nouveaux astres dans le ciel, et d'autres nouveaux objets dessus la terre, en plus grand nombre que ne sont ceux que nous y avions vus auparavant : en sorte que, portant notre vue beaucoup plus loin que n'avait coutume d'aller l'imagination de nos pères, elles semblent nous avoir ouvert le chemin, pour parvenir à une connaissance de la Nature beaucoup plus grande et plus parfaite qu'ils ne l'ont eue. Mais, à la honte de nos sciences, cette invention, si utile et si admirable, n'a premièrement été trouvée que par l'expérience et la fortune. Il y a environ trente ans, qu'un nommé Jacques Metius [1], de la ville d'Alcmar en Hollande, homme qui n'avait jamais étudié, bien qu'il eût un père et un frère qui ont fait profession des mathématiques, mais qui prenait particulièrement plaisir à faire des miroirs et verres brûlants, en composant même l'hiver avec de la glace, ainsi que l'expérience a montré qu'on en peut faire, ayant à cette occasion plusieurs verres de diverses formes, s'avisa par bonheur de regarder au travers de deux, dont l'un était un peu plus épais au milieu qu'aux extrémités, et l'autre au contraire beaucoup plus

---

1. C'est-à-dire : originaire de Metz. Son père s'était fixé aux Pays-Bas, où Descartes connut son frère, Adrien, professeur à Franeker. Plusieurs artisans (en Italie dès 1590; aux Pays-Bas en 1608) ont revendiqué l'invention des lunettes d'approche.

épais aux extrémités qu'au milieu, et il les appliqua si
heureusement aux deux bouts d'un tuyau, que la première des lunettes dont nous parlons, en fut composée.
Et c'est seulement sur ce patron que toutes les autres
qu'on a vues depuis ont été faites, sans que personne
encore, que je sache, ait suffisamment déterminé les
figures que ces verres doivent avoir. Car, bien qu'il y
ait eu depuis quantité de bons esprits, qui ont fort cultivé
cette matière, et ont trouvé à son occasion plusieurs
choses en l'Optique, qui valent mieux que ce que nous en
avaient laissé les anciens, toutefois, à cause que les inventions un peu malaisées n'arrivent pas à leur dernier
degré de perfection du premier coup, il est encore
demeuré assez de difficultés en celle-ci, pour me donner
sujet d'en écrire. Et d'autant que l'exécution des choses
que je dirai doit dépendre de l'industrie des artisans,
qui pour l'ordinaire n'ont point étudié, je tâcherai de me
rendre intelligible à tout le monde, et de ne rien omettre,
ni supposer, qu'on doive avoir appris des autres sciences.
C'est pourquoi je commencerai par l'explication de la
lumière et de ses rayons [1]; puis, ayant fait une brève description des parties de l'œil, je dirai particulièrement en
quelle sorte se fait la vision; et ensuite, ayant remarqué
toutes les choses qui sont capables de la rendre plus
parfaite, j'enseignerai comment elles y peuvent être ajou-
tées par les inventions que je décrirai.

*   Or, n'ayant ici autre occasion de parler de la lumière,
que pour expliquer comment ses rayons entrent dans
l'œil, et comment ils peuvent être détournés par les
divers corps qu'ils rencontrent, il n'est pas besoin que
j'entreprenne de dire au vrai quelle est sa nature, et je
crois qu'il suffira que je me serve de deux ou trois comparaisons, qui aident à la concevoir en la façon qui me
semble la plus commode, pour expliquer toutes celles
de ses propriétés que l'expérience nous fait connaître,
et pour déduire ensuite toutes les autres qui ne peuvent

---

1. Plan de l'ouvrage : cf. ci-dessous disc. 1-6; puis d. 7-10 sur les
applications pratiques.

   * *Comment* [2] *il suffit de concevoir la nature de la lumière pour entendre
toutes ses propriétés.*
   2. Nous indiquons au fur et à mesure des passages visés le détail
de la Table établie par Descartes, non pour aider les lecteurs à « choisir les matières... et... s'exempter de la peine de lire le reste », mais
pour « leur faire prendre garde à celles qu'ils auront peut-être passées
sans les remarquer » (*Avertissement* en tête de la Table).

pas si aisément être remarquées; imitant en ceci les
astronomes, qui, bien que leurs suppositions soient
presque toutes fausses ou incertaines, toutefois, à cause
qu'elles se rapportent à diverses observations qu'ils ont
faites, ne laissent pas d'en tirer plusieurs conséquences
très vraies et très assurées.

Il vous est bien sans doute arrivé quelquefois, en
marchant de nuit sans flambeau, par des lieux un peu
difficiles, qu'il fallait vous aider d'un bâton pour vous
conduire, et vous avez pour lors pu remarquer que vous
sentiez, par l'entremise de ce bâton, les divers objets
qui se rencontraient autour de vous, et même que vous
pouviez distinguer s'il y avait des arbres, ou des pierres,
ou du sable, ou de l'eau, ou de l'herbe, ou de la boue, ou
quelque autre chose de semblable. Il est vrai que cette
sorte de sentiment est un peu confuse et obscure, en
ceux qui n'en ont pas un long usage; mais considérez-la
en ceux qui, étant nés aveugles, s'en sont servis toute
leur vie, et vous l'y trouverez si parfaite et si exacte,
qu'on pourrait quasi dire qu'ils voient des mains, ou
que leur bâton est l'organe de quelque sixième sens, qui
leur a été donné au défaut de la vue. Et pour tirer une
comparaison de ceci, je désire que vous pensiez que la
lumière n'est autre chose, dans les corps qu'on nomme
lumineux, qu'un certain mouvement, ou une action fort
prompte et fort vive, qui passe vers nos yeux, par l'entremise de l'air et des autres corps transparents, en même
façon que le mouvement ou la résistance des corps, que
rencontre cet aveugle, passe vers sa main, par l'entre-
*mise de son bâton. Ce qui vous empêchera d'abord de
trouver étrange, que cette lumière puisse étendre ses
rayons en un instant, depuis le soleil jusques à nous : car
vous savez que l'action, dont on meut l'un des bouts
d'un bâton, doit ainsi passer en un instant jusques à
l'autre, et qu'elle y devrait passer en même sorte, encore
qu'il y aurait plus de distance qu'il n'y en a, depuis la
**terre jusques aux cieux. Vous ne trouverez pas étrange
non plus, que par son moyen nous puissions voir toutes
sortes de couleurs; et même vous croirez peut-être que
ces couleurs ne sont autre chose, dans les corps qu'on
nomme colorés, que les diverses façons dont ces corps

---

* Comment ses rayons passent en un instant du soleil jusques à nous.
** Comment on voit les couleurs par son moyen. Quelle est la nature
des couleurs en général.

la reçoivent et la renvoient contre nos yeux : si vous
considérez que les différences, qu'un aveugle remarque
entre des arbres, des pierres, de l'eau, et choses semblables, par l'entremise de son bâton, ne lui semblent
pas moindres que nous font celles qui sont entre le rouge,
le jaune, le vert, et toutes les autres couleurs; et toutefois que ces différences ne sont autre chose, en tous ces
corps, que les diverses façons de mouvoir, ou de résister
*aux mouvements de ce bâton. En suite de quoi vous aurez
occasion de juger, qu'il n'est pas besoin de supposer
qu'il passe quelque chose de matériel depuis les objets
jusques à nos yeux, pour nous faire voir les couleurs et
la lumière, ni même qu'il y ait rien en ces objets, qui
soit semblable aux idées ou aux sentiments que nous en
avons : tout de même qu'il ne sort rien des corps, que
sent un aveugle, qui doive passer le long de son bâton
jusques à sa main, et que la résistance ou le mouvement
de ces corps, qui est la seule cause des sentiments qu'il
en a, n'est rien de semblable aux idées qu'il en conçoit.
Et par ce moyen votre esprit sera délivré de toutes ces
petites images voltigeantes par l'air, nommées des
espèces intentionnelles, qui travaillent tant l'imagination
**des philosophes [1]. Même vous pourrez aisément décider
la question, qui est entre eux, touchant le lieu d'où vient
l'action qui cause le sentiment de la vue : car, comme
notre aveugle peut sentir les corps qui sont autour de lui,
non seulement par l'action de ces corps, lorsqu'ils se
meuvent contre son bâton, mais aussi par celle de
sa main, lorsqu'ils ne font que lui résister; ainsi faut-il
avouer que les objets de la vue peuvent être sentis, non
seulement par le moyen de l'action qui, étant en eux, tend
vers les yeux, mais aussi par le moyen de celle qui, étant
***dans les yeux, tend vers eux. Toutefois, parce que cette

---

1. « Espèces », en latin *species*, peut se référer aux « petites images »
émises par les corps et circulant dans l'air selon la physique épicu-
rienne. Cependant les scolastiques en font des « qualités réelles », ou
« apparences », qui font impression sur l'organe sensoriel; et le terme
« intentionnelles » traduit leur fonction d'intermédiaire entre l'objet
et sa représentation.

* *Qu'on n'a point besoin d'*espèces intentionnelles *pour les voir. Ni
même qu'il y ait rien dans les objets qui soit semblable aux sentiments que
nous en avons.*
** *Que nous voyons, de jour, par le moyen des rayons qui viennent des
objets vers nos yeux.*
*** *Et qu'au contraire les chats voient de nuit par le moyen des
rayons qui tendent de leurs yeux vers les objets.*

action n'est autre chose que la lumière, il faut remarquer qu'il n'y a que ceux qui peuvent voir pendant les ténèbres de la nuit, comme les chats, dans les yeux desquels elle se trouve; et que, pour l'ordinaire des hommes, ils ne voient que par l'action qui vient des objets : car l'expérience nous montre que ces objets doivent être lumineux ou illuminés pour être vus, et non point nos yeux pour les voir. Mais, parce qu'il y a grande différence entre le bâton de cet aveugle et l'air ou les autres corps transparents, par l'entremise desquels nous voyons, il faut que je me serve encore ici d'une autre comparaison.

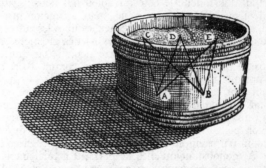

*   Voyez une cuve au temps de vendange, toute pleine de raisins à demi foulés, et dans le fond de laquelle on ait fait un trou ou deux, comme A et B, par où le vin doux, qu'elle contient, puisse couler. Puis pensez que, n'y ayant point de vide en la Nature, ainsi que presque tous les Philosophes avouent [1], et néanmoins y ayant plusieurs pores en tous les corps que nous apercevons autour de nous, ainsi que l'expérience peut montrer fort clairement; il est nécessaire que ces pores soient remplis de quelque matière fort subtile et fort fluide, qui s'étende sans interruption depuis les Astres jusques à nous. Or, cette matière subtile étant comparée avec le vin de cette cuve, et les parties moins fluides ou plus grossières, tant de l'air que des autres corps transparents, avec les grappes de raisins qui sont parmi : vous entendrez facilement que, comme les parties de ce vin, qui sont par exemple vers

1. Descartes est ici d'accord avec les scolastiques et les stoïciens, contre les atomistes.

*   *Quelle est la matière qui transmet les rayons.*

C, tendent à descendre en ligne droite par le trou A,
au même instant qu'il est ouvert, et ensemble par le
trou B, et que celles qui sont vers D, et vers E, tendent
aussi en même temps à descendre par ces deux trous,
sans qu'aucune de ces actions soit empêchée par les autres,
ni aussi par la résistance des grappes qui sont en cette
cuve : nonobstant que ces grappes, étant soutenues l'une
par l'autre, ne tendent point du tout à descendre par ces
trous A et B, comme le vin, et même qu'elles puissent
cependant être mues, en plusieurs autres façons, par
ceux qui les foulent. Ainsi toutes les parties de la matière
*subtile, que touche le côté du Soleil qui nous regarde,
tendent en ligne droite vers nos yeux au même instant
qu'il sont ouverts, sans s'empêcher les unes les autres, et
même sans être empêchées par les parties grossières des
corps transparents, qui sont entre deux : soit que ces
corps se meuvent en d'autres façons, comme l'air, qui
est presque toujours agité par quelque vent; soit qu'ils
soient sans mouvement, comme peut être le verre ou le
**cristal. Et remarquez ici qu'il faut distinguer entre le
mouvement, et l'action ou inclination à se mouvoir.
Car on peut fort bien concevoir que les parties du vin,
qui sont par exemple vers C, tendent vers B, et ensemble
vers A, nonobstant qu'elles ne puissent actuellement se
mouvoir vers ces deux côtés en même temps; et qu'elles
tendent exactement en ligne droite vers B et vers A,
nonobstant qu'elles ne se puissent mouvoir si exactement
vers la ligne droite, à cause des grappes de raisins qui
***sont entre deux : et ainsi, pensant que ce n'est pas tant
le mouvement, comme l'action des corps lumineux qu'il
faut prendre pour leur lumière, vous devez juger que les
rayons de cette lumière ne sont autre chose que les
lignes suivant lesquelles tend cette action. En sorte qu'il
****y a une infinité de tels rayons qui viennent de tous les
points des corps lumineux, vers tous les points de ceux
qu'ils illuminent, ainsi que vous pouvez imaginer une
infinité de lignes droites, suivant lesquelles les actions, qui

* Comment les rayons de plusieurs divers objets peuvent entrer ensemble
dans l'œil. Ou allant vers divers yeux passer par un même endroit de l'air
sans se mêler ni s'entr'empêcher. Ni être empêchés par la fluidité de l'air.
Ni par l'agitation des vents. Ni par la dureté du verre ou autres tels corps
transparents.
** Comment cela n'empêche pas même qu'ils ne soient exactement droits.
*** Et ce que c'est proprement que ces rayons.
**** Et comment il en vient une infinité de chacun des points des corps
lumineux.

viennent de tous les points de la superficie du vin CDE, tendent vers A, et une infinité d'autres, suivant lesquelles les actions, qui viennent de ces mêmes points, tendent aussi vers B, sans que les unes empêchent les autres.

Au reste, ces rayons doivent bien être ainsi toujours imaginés exactement droits, lorsqu'ils ne passent que par un seul corps transparent, qui est partout égal à soi-même : mais, lorsqu'ils rencontrent quelques autres corps, ils sont sujets à être détournés par eux, ou amortis, en même façon que l'est le mouvement d'une balle, ou d'une pierre jetée dans l'air, par ceux qu'elle rencontre. Car il est bien aisé à croire que l'action ou inclination à se mouvoir, que j'ai dit devoir être prise pour la lumière, doit suivre en ceci les mêmes lois que le mouvement. Et afin que j'explique cette troisième comparaison tout au long, considérez que les corps, qui peuvent ainsi être rencontrés par une balle qui passe dans l'air, sont ou mous, ou durs, ou liquides; et que, s'ils sont mous, ils arrêtent et amortissent tout à fait son mouvement : comme lorsqu'elle donne contre des toiles, ou du sable, ou de la boue; au lieu que, s'ils sont durs, ils la renvoient d'un autre côté sans l'arrêter; et ce, en plusieurs diverses façons. Car ou leur superficie est toute égale et unie, ou raboteuse et inégale; et derechef, étant égale, elle est ou plate, ou courbée; et étant inégale, ou son inégalité ne consiste qu'en ce qu'elle est composée de plusieurs parties diversement courbées, dont chacune est en soi assez unie; ou bien elle consiste, outre cela, en ce qu'elle a plusieurs divers angles ou pointes, ou des parties plus dures l'une que l'autre, ou qui se meuvent, et ce, avec des variétés qui peuvent être imaginées en mille sortes. Et il faut remarquer que la balle, outre son mouvement simple et ordinaire, qui la porte d'un lieu en l'autre, en peut encore avoir un deuxième, qui la fait tourner autour de son centre, et que la vitesse de celui-ci peut avoir plusieurs diverses proportions avec celle de l'autre. Or, quand plusieurs balles, venant d'un même côté, rencontrent un corps, dont la superficie est toute unie et égale, elles se réfléchissent également, et en même ordre, en sorte que, si cette superficie est toute plate, elles gardent entre elles la même distance, après l'avoir rencontrée, qu'elles avaient auparavant; et si elle est courbée en dedans ou en dehors, elles s'approchent ou s'éloignent en même ordre les unes des autres, plus ou moins, à raison de cette courbure. Comme vous voyez ici les balles A, B, C, qui, après avoir rencontré les superficies des corps D, E, F, se réfléchissent vers G, H, I. Et si ces balles rencontrent une superficie inégale, comme L ou M, elles se réfléchissent vers divers côtés, chacune selon la situation de l'endroit de cette superficie qu'elle touche. Et elles ne changent rien que

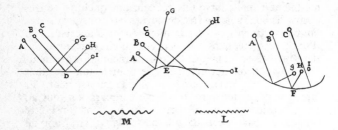

cela en la façon de leur mouvement, lorsque son inégalité ne consiste qu'en ce que ses parties sont courbées diversement. Mais elle peut aussi consister en plusieurs autres choses et faire, par ce moyen, que, si ces balles n'ont eu auparavant qu'un simple mouvement droit, elles en perdent une partie, et en acquièrent au lieu un circulaire, qui peut avoir diverse proportion avec ce qu'elles retiennent du droit, selon que la superficie du corps qu'elles rencontrent peut être diversement disposée. Ce que ceux qui jouent à la paume éprouvent assez, lorsque leur balle rencontre de faux carreaux, ou bien qu'ils la touchent en biaisant de leur raquette, ce qu'ils nomment, ce me semble, couper ou friser [1]. Enfin, considérez que, si une balle qui se meut rencontre obliquement la superficie d'un corps liquide, par lequel elle puisse passer plus ou moins facilement que par celui d'où elle sort, elle se détourne et change son cours en y entrant : comme, par exemple, si étant en l'air au point A, on la pousse vers B, elle va bien en ligne droite depuis A jusques à B, si ce n'est que sa pesanteur ou quelqu'autre cause particulière l'en empêche; mais, étant au point B où je suppose qu'elle rencontre la superficie de l'eau CBE, elle se détourne et prend son cours vers I, allant derechef

---

1. Faire rouler la balle qui combine alors un mouvement de rotation autour de son centre avec sa translation. Tel est le mouvement des « petites boules » qui provoque en nous la couleur.

en ligne droite depuis B jusques à I, ainsi qu'il est aisé
*à vérifier par l'expérience. Or il faut penser, en même façon,
qu'il y a des corps qui, étant rencontrés par les rayons de la

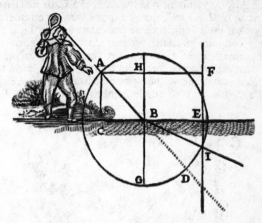

lumière, les amortissent, et leur ôtent toute leur force,
à savoir ceux qu'on nomme noirs, lesquels n'ont point
d'autre couleur que les ténèbres ; et qu'il y en a d'autres
**qui les font réfléchir, les uns au même ordre qu'ils les
reçoivent, à savoir ceux qui, ayant leur superficie toute
polie, peuvent servir de miroirs tant plats que courbés,
***et les autres confusément vers plusieurs côtés ; et que
derechef, entre ceux-ci, les uns font réfléchir ces rayons
sans apporter aucun autre changement en leur action, à
savoir ceux qu'on nomme blancs, et les autres y apportent
avec cela un changement semblable à celui que reçoit le
****mouvement d'une balle quand on la frise, à savoir ceux
qui sont rouges, ou jaunes, ou bleus, ou de quelque autre
telle couleur. Car je pense pouvoir déterminer en quoi
consiste la nature de chacune de ces couleurs, et le
faire voir par expérience ; mais cela passe les bornes de
*****mon sujet. Et il me suffit ici de vous avertir que les
rayons, qui tombent sur les corps qui sont colorés et non

---

* *Ce que c'est qu'un corps noir.*
** *Ce que c'est qu'un miroir. Comment les miroirs, tant plats que*
convexes et concaves, font réfléchir les rayons.
*** *Ce que c'est qu'un corps blanc.*
**** *En quoi consiste la nature des couleurs moyennes.*
***** *Comment les corps colorés font réfléchir les rayons.*

polis, se réfléchissent ordinairement de tous côtés, encore
même qu'ils ne viennent que d'un seul côté : comme,
encore que ceux qui tombent sur la superficie du corps
blanc AB, ne viennent que du flambeau C, ils ne laissent
pas de se réfléchir tellement de tous côtés, qu'en quelque
lieu qu'on pose l'œil, comme par exemple vers D, il s'en
trouve toujours plusieurs venant de chaque endroit de
cette superficie AB, qui tendent vers lui. Et même, si
l'on suppose ce corps fort délié comme un papier ou une
toile, en sorte que le jour passe au travers, encore que
l'œil soit d'autre côté que le flambeau, comme vers E, il

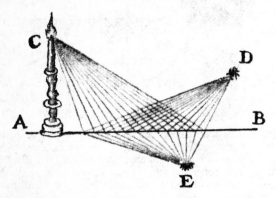

ne laissera pas de se réfléchir vers lui quelques rayons
*de chacune des parties de ce corps. Enfin, considérez que
les rayons se détournent aussi, en même façon qu'il a
été dit d'une balle quand ils rencontrent obliquement la
superficie d'un corps transparent, par lequel ils pénètrent
plus ou moins facilement que par celui d'où ils viennent,
et cette façon de se détourner s'appelle en eux Réfraction.

---

* Ce que c'est que la réfraction.

DE LA RÉFRACTION

D'autant que nous aurons besoin ci-après de savoir exactement la quantité de cette réfraction, et qu'elle peut assez commodément être entendue par la compa-

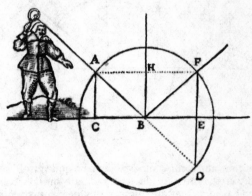

raison dont je viens de me servir, je crois qu'il est à propos que je tâche ici tout d'un train de l'expliquer, et que je parle premièrement de la réflexion, afin d'en rendre l'intelligence d'autant plus aisée. Pensons donc qu'une balle, étant poussée d'A vers B, rencontre, au point B, la superficie de la terre CBE, qui, l'empêchant de passer outre, est cause qu'elle se détourne; et voyons vers quel côté. Mais afin de ne nous embarrasser point en de nouvelles difficultés, supposons que la terre est parfaitement plate et dure, et que la balle va toujours d'égale vitesse, tant en descendant qu'en remontant, sans nous enquérir en aucune façon de la puissance qui continue de la mouvoir, après qu'elle n'est plus touchée de la raquette,

ni considérer aucun effet de sa pesanteur, ni de sa grosseur, ni de sa figure. Car il n'est pas ici question d'y regarder de si près, et il n'y a aucune de ces choses qui ait lieu
en l'action de la lumière à laquelle ceci se doit rapporter.
Seulement faut-il remarquer que la puissance, telle
qu'elle soit, qui fait continuer le mouvement de cette
balle, est différente de celle qui la détermine à se mouvoir plutôt vers un côté que vers un autre, ainsi qu'il
est très aisé à connaître de ce que c'est la force dont elle
a été poussée par la raquette, de qui dépend son mouvement, et que cette même force l'aurait pu faire mouvoir

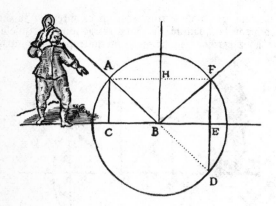

vers tout autre côté, aussi facilement que vers B, au lieu
que c'est la situation de cette raquette qui la détermine
à tendre vers B, et qui aurait pu l'y déterminer en même
façon, encore qu'une autre force l'aurait mue. Ce qui montre
déjà qu'il n'est pas impossible que cette balle soit détournée par la rencontre de la terre, et ainsi, que la détermination qu'elle avait à tendre vers B soit changée, sans
qu'il y ait rien pour cela de changé en la force de son
mouvement, puisque ce sont deux choses diverses, et
*par conséquent qu'on ne doit pas imaginer qu'il soit
nécessaire qu'elle s'arrête quelque moment au point B
avant que de retourner vers F, ainsi que font plusieurs

** Que les corps qui se meuvent ne doivent point s'arrêter aucun moment
contre ceux qui les font réfléchir.*

de nos Philosophes [1]; car, si son mouvement était une fois interrompu par cet arrêt, il ne se trouverait aucune cause, qui le fît par après recommencer. De plus, il faut remarquer que la détermination à se mouvoir vers quelque côté peut, aussi bien que le mouvement et généralement que toute autre sorte de quantité, être divisée entre toutes les parties desquelles on peut imaginer qu'elle est composée; et qu'on peut aisément imaginer que celle de la balle qui se meut d'A vers B est composée de deux autres, dont l'une la fait descendre de la ligne AF vers la ligne CE, et l'autre en même temps la fait aller de la gauche AC vers la droite FE, en sorte que ces deux, jointes ensemble, la conduisent jusques à B suivant la ligne droite AB. Et ensuite il est aisé à entendre, que la rencontre de la terre ne peut empêcher que l'une de ces deux déterminations, et non point l'autre en aucune façon. Car elle doit bien empêcher celle qui faisait descendre la balle d'AF vers CE, à cause qu'elle occupe tout l'espace qui est au-dessous de CE; mais pourquoi empêcherait-elle l'autre, qui la faisait avancer vers la main droite, vu qu'elle ne lui est aucunement opposée en ce sens-là ? Pour trouver donc justement vers quel côté cette balle doit retourner, décrivons un cercle du centre B, qui passe par le point A, et disons qu'en autant de temps qu'elle aura mis à se mouvoir depuis A jusques à B, elle doit infailliblement retourner depuis B jusques à quelque point de la circonférence de ce cercle, d'autant que tous les points qui sont aussi distants de celui-ci B qu'en est A, se trouvent en cette circonférence, et que nous supposons le mouvement de cette balle être toujours également vite. Puis afin de savoir précisément auquel de tous les points de cette circonférence elle doit retourner, tirons trois lignes droites AC, HB, et FE perpendiculaires sur CE, et en telle sorte, qu'il n'y ait ni plus ni moins de distance entre AC et HB qu'entre HB et FE; et disons, qu'en autant de temps que la balle a mis à s'avancer vers le côté droit, depuis A, l'un des points de la ligne AC, jusques à B, l'un de ceux de la ligne HB, elle doit aussi s'avancer depuis la ligne HB jusques à quelque point de la ligne FE; car tous les points de cette ligne FE sont autant éloignés de HB en ce sens-là, l'un comme l'autre, et autant que

---

1. Pour Aristote, seul le mouvement circulaire est parfaitement continu : entre deux mouvements de direction contraire, il y a un temps de repos (*Physique*, VIII, 7). Cette thèse est critiquée par Descartes dans les lettres à Mersenne des 4 et 25 novembre 1630.

ceux de la ligne AC, et elle est aussi autant déterminée
à s'avancer vers ce côté-là, qu'elle a été auparavant. Or
*est-il qu'elle ne peut arriver en même temps en quelque
point de la ligne FE, et ensemble à quelque point de la
circonférence du cercle AFD, si ce n'est au point D,
ou au point F, d'autant qu'il n'y a que ces deux, où elles
s'entrecoupent l'une l'autre; si bien que, la terre l'empêchant de passer vers D, il faut conclure qu'elle doit aller
infailliblement vers F. Et ainsi vous voyez facilement
comment se fait la réflexion, à savoir selon un angle

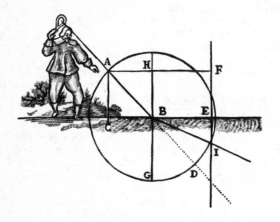

toujours égal à celui qu'on nomme l'angle d'incidence.
Comme, si un rayon, venant du point A, tombe au point
B sur la superficie du miroir plat CBE, il se réfléchit
vers F, en sorte que l'angle de la réflexion FBE n'est
ne plus ne moins grand que celui de l'incidence ABC.
** Venons maintenant à la Réfraction. Et premièrement
supposons qu'une balle, poussée d'A vers B, rencontre au
point B, non plus la superficie de la terre, mais une toile
CBE, qui soit si faible et déliée que cette balle ait la force
de la rompre et de passer tout au travers, en perdant
seulement une partie de sa vitesse, à savoir, par exemple,

----

* Pourquoi l'angle de la réflexion est égal à celui de l'incidence.
** De combien le mouvement d'une balle est détourné lorsqu'elle passe
au travers d'une toile.

la moitié. Or cela posé, afin de savoir quel chemin elle doit suivre, considérons derechef que son mouvement diffère entièrement de sa détermination à se mouvoir plutôt vers un côté que vers un autre, d'où il suit que leur quantité doit être examinée séparément. Et considérons aussi que, des deux parties dont on peut imaginer que cette détermination est composée, il n'y a que celle qui faisait tendre la balle de haut en bas, qui puisse être changée en quelque façon par la rencontre de la toile; et que, pour celle qui la faisait tendre vers la main droite, elle doit toujours demeurer la même qu'elle a été, à cause que

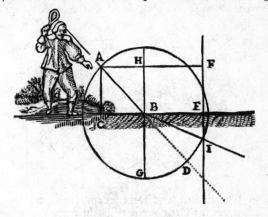

cette toile ne lui est aucunement opposée en ce sens-là. Puis, ayant décrit du centre B le cercle AFD, et tiré à angles droits sur CBE les trois lignes droites AC, HB, FE, en telle sorte qu'il y ait deux fois autant de distance entre FE et HB qu'entre HB et AC, nous verrons que cette balle doit tendre vers le point I. Car, puisqu'elle perd la moitié de sa vitesse, en traversant la toile CBE, elle doit employer deux fois autant de temps à passer au-dessous, depuis B jusques à quelque point de la circonférence du cercle AFD, qu'elle a fait au-dessus à venir depuis A jusques à B. Et puisqu'elle ne perd rien du tout de la détermination qu'elle avait à s'avancer vers le côté droit, en deux fois autant de temps qu'elle en a mis à passer depuis la ligne AC jusques à HB, elle doit faire deux fois autant de chemin vers ce même côté, et par conséquent arriver à quelque point de la ligne droite FE, au même instant qu'elle arrive aussi à quelque point de la

circonférence du cercle AFD. Ce qui serait impossible, si
elle n'allait vers I, d'autant que c'est le seul point au-
dessous de la toile CBE, où le cercle AFD et la ligne
droite FE s'entrecoupent.

* Pensons maintenant que la balle, qui vient d'A vers
D, rencontre au point B, non plus une toile, mais de
l'eau, dont la superficie CBE lui ôte justement la moitié
de sa vitesse, ainsi que faisait cette toile. Et le reste posé
comme devant, je dis que cette balle doit passer de B
en ligne droite, non vers D, mais vers I. Car, premièrement, il est certain que la superficie de l'eau la doit
détourner vers là en même façon que la toile, vu qu'elle

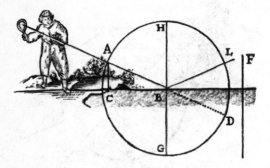

lui ôte tout autant de sa force, et qu'elle lui est opposée
en même sens. Puis, pour le reste du corps de l'eau qui
remplit tout l'espace qui est depuis B jusques à I,
encore qu'il lui résiste plus ou moins que ne faisait l'air
que nous y supposions auparavant, ce n'est pas à dire
pour cela qu'il doive plus ou moins la détourner : car il se
peut ouvrir, pour lui faire passage, tout aussi facilement
vers un côté que vers un autre, au moins si on suppose
toujours, comme nous faisons, que ni la pesanteur ou
légèreté de cette balle, ni sa grosseur, ni sa figure, ni
aucune autre telle cause étrangère ne change son cours.
**Et on peut ici remarquer, qu'elle est d'autant plus détour-
née par la superficie de l'eau ou de la toile, qu'elle la
rencontre plus obliquement, en sorte que, si elle la rencontre à angles droits, comme lorsqu'elle est poussée

---

* *Et de combien lorsqu'elle entre dans l'eau.*
** *Pourquoi la réfraction est d'autant plus grande que l'incidence est
plus oblique. Et nulle quand l'incidence est perpendiculaire.*

d'H vers B, elle doit passer outre en ligne droite vers G,
*sans aucunement se détourner. Mais si elle est poussée
suivant une ligne comme AB, qui soit si fort inclinée
sur la superficie de l'eau ou de la toile CBE, que la ligne
FE, étant tirée comme tantôt, ne coupe point le cercle
AD, cette balle ne doit aucunement la pénétrer, mais
rejaillir de sa superficie B vers l'air L, tout de même que
si elle y avait rencontré de la terre. Ce qu'on a quelquefois expérimenté avec regret, lorsque, faisant tirer pour
plaisir des pièces d'artillerie vers le fond d'une rivière,
on a blessé ceux qui étaient de l'autre côté sur le rivage.
** Mais faisons encore ici une autre supposition, et pensons que la balle, ayant été premièrement poussée d'A

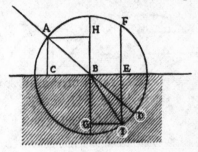

vers B, est poussée derechef, étant au point B, par la
raquette CBE, qui augmente la force de son mouvement,
par exemple, d'un tiers, en sorte qu'elle puisse faire,
par après, autant de chemin en deux moments, qu'elle
en faisait en trois auparavant. Ce qui fera le même effet,
que si elle rencontrait au point B un corps de telle nature,
qu'elle passât au travers de sa superficie CBE, d'un tiers
plus facilement que par l'air. Et il suit manifestement de
ce qui a été déjà démontré, que, si l'on décrit le cercle AD
comme devant, et les lignes AC, HB, FE, en telle sorte
qu'il y ait d'un tiers moins de distance entre FE et HB
qu'entre HB et AC, le point I, où la ligne droite FE et
la circulaire AD s'entrecoupent, désignera le lieu vers
lequel cette balle, étant au point B, se doit détourner.

* Pourquoi quelquefois les balles des canons tirés vers l'eau n'y peuvent
entrer et se réfléchissent vers l'air.
** De combien les rayons sont détournés par les corps transparents
qu'ils pénètrent.

*   Or on peut prendre aussi le revers de cette conclusion et dire que, puisque la balle qui vient d'A en ligne
droite jusques à B, se détourne étant au point B, et
prend son cours de là vers I, cela signifie que la force
ou facilité, dont elle entre dans le corps CBEI, est à
celle dont elle sort du corps ACBE, comme la distance
qui est entre AC et HB, à celle qui est entre HB et FI,
c'est-à-dire comme la ligne CB est à BE [1].

Enfin, d'autant que l'action de la lumière suit en ceci
les mêmes lois que le mouvement de cette balle, il faut
dire que, lorsque ses rayons passent obliquement d'un
corps transparent dans un autre, qui les reçoit plus ou
moins facilement que le premier, ils s'y détournent en

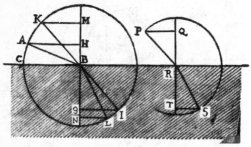

telle sorte, qu'ils se trouvent toujours moins inclinés
sur la superficie de ces corps, du côté où est celui qui
les reçoit le plus aisément, que du côté où est l'autre :
et ce, justement à proportion de ce qu'il les reçoit plus
aisément que ne fait l'autre. Seulement faut-il prendre
garde que cette inclination se doit mesurer par la quantité des lignes droites, comme CB ou AH, et EB ou IG,
et semblables, comparées les unes aux autres; non par
celle des angles, tels que sont ABH ou GBI, ni beaucoup moins par celle des semblables à DBI, qu'on nomme

1. Puisque AH = CB et EB = IG, le rapport $\dfrac{\text{CB}}{\text{BE}}$ équivaut au rap-

port des sinus $\left(\dfrac{\text{AH}}{\text{AB}}\ \text{et}\ \dfrac{\text{IG}}{\text{BI}}\right)$, ou, AB et IB étant égaux au rayon

unité, AH et IG) de l'angle d'incidence $\widehat{\text{ABH}}$ et de l'angle de réfraction $\widehat{\text{GBI}}$. La loi de la réfraction exprime la constance du rapport
des deux sinus, en fonction de l'indice de réfraction (n) des deux
milieux considérés, soit : AH = n . IG.

*   Comment il faut mesurer la grandeur des réfractions.

les angles de Réfraction. Car la raison ou proportion qui
est entre ces angles varie à toutes les diverses inclinations
des rayons ; au lieu que celle qui est entre les lignes AH
et IG, ou semblables, demeure la même en toutes les
réfractions qui sont causées par les mêmes corps. Comme,
par exemple, s'il passe un rayon dans l'air d'A vers B,
qui, rencontrant au point B la superficie du verre CBR,
se détourne vers I dans ce verre ; et qu'il en vienne un
autre de K vers B, qui se détourne vers L ; et un autre de P
vers R, qui se détourne vers S ; il doit y avoir même proportion entre les lignes KM et LN, ou PQ et ST,
qu'entre AH et IG, mais non pas la même entre les angles
KBM et LBN, ou PRQ et SRT, qu'entre ABH et IBG.

Si bien que vous voyez maintenant en quelle sorte
se doivent mesurer les réfractions ; et encore que, pour
déterminer leur quantité, en tant qu'elle dépend de la
nature particulière des corps où elles se font, il soit
besoin d'en venir à l'expérience, on ne laisse pas de le
pouvoir faire assez certainement et aisément, depuis
qu'elles sont ainsi toutes réduites sous une même mesure ;
car il suffit de les examiner en un seul rayon, pour
connaître toutes celles qui se font en une même superficie,
et on peut éviter toute erreur, si on les examine outre
cela en quelques autres. Comme, si nous voulons savoir
la quantité de celles qui se font en la superficie CBR,
qui sépare l'air AKP du verre LIS, nous n'avons qu'à

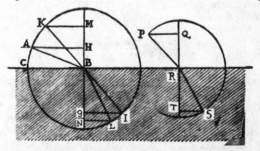

l'éprouver en celle du rayon ABI, en cherchant la proportion qui est entre les lignes AH et IG. Puis, si nous
craignons d'avoir failli en cette expérience, il faut encore
l'éprouver en quelques autres rayons, comme KBL ou
PRS, et trouvant même proportion de KM à LN, et de
PQ à ST, que d'AH à IG, nous n'aurons plus aucune
occasion de douter de la vérité.

* Mais peut-être vous étonnerez-vous, en faisant ces
expériences, de trouver que les rayons de la lumière
s'inclinent plus dans l'air que dans l'eau, sur les superficies où se fait leur réfraction, et encore plus dans l'eau
que dans le verre, tout au contraire d'une balle qui
s'incline davantage dans l'eau que dans l'air, et ne peut
aucunement passer dans le verre. Car, par exemple, si
c'est une balle qui, étant poussée dans l'air d'A vers B,
rencontre au point B la superficie de l'eau CBE, elle se
détournera de B vers V; et si c'est un rayon, il ira, tout
au contraire, de B vers I. Ce que vous cesserez toutefois

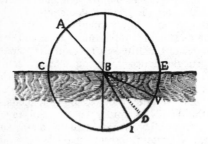

de trouver étrange, si vous vous souvenez de la nature
que j'ai attribuée à la lumière, quand j'ai dit qu'elle
n'était autre chose qu'un certain mouvement ou une
action reçue en une matière très subtile, qui remplit
les pores des autres corps; et que vous considériez que,
comme une balle perd davantage de son agitation, en
donnant contre un corps mou, que contre un qui est dur,
et qu'elle roule moins aisément sur un tapis, que sur
une table toute nue, ainsi l'action de cette matière subtile
peut beaucoup plus être empêchée par les parties de
l'air, qui, étant comme molles et mal jointes, ne lui font
pas beaucoup de résistance, que par celles de l'eau, qui
lui en font davantage; et encore plus par celles de l'eau,
que par celles du verre, ou du cristal. En sorte que,
d'autant que les petites parties d'un corps transparent
sont plus dures et plus fermes, d'autant laissent-elles
passer la lumière plus aisément : car cette lumière n'en
doit pas chasser aucunes hors de leurs places, ainsi qu'une

* Que les rayons passent plus aisément au travers du verre que de l'eau,
et de l'eau que de l'air, et pourquoi.

balle en doit chasser de celles de l'eau, pour trouver passage parmi elles.

* Au reste, sachant ainsi la cause des réfractions qui se font dans l'eau et dans le verre, et communément en tous les autres corps transparents qui sont autour de nous, on peut remarquer qu'elles y doivent être toutes semblables, quand les rayons sortent de ces corps, et quand ils y entrent. Comme, si le rayon qui vient d'A vers B, se détourne de B vers I, en passant de l'air dans le verre, celui qui reviendra d'I vers B, doit aussi se détourner

** de B vers A. Toutefois il se peut bien trouver d'autres corps, principalement dans le ciel, où les réfractions,

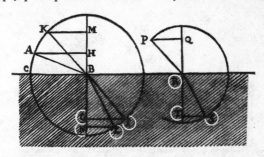

procédant d'autres causes, ne sont pas ainsi réciproques.
*** Et il se peut aussi trouver certains cas, auxquels les rayons se doivent courber, encore qu'ils ne passent que par un seul corps transparent, ainsi que se courbe souvent le mouvement d'une balle, parce qu'elle est détournée vers un côté par sa pesanteur, et vers un autre par l'action dont on l'a poussée, ou pour diverses autres raisons. Car enfin j'ose dire que les trois comparaisons, dont je viens de me servir, sont si propres, que toutes les particularités qui s'y peuvent remarquer se rapportent à quelques autres qui se trouvent toutes semblables en la lumière; mais je n'ai tâché que d'expliquer celles qui
**** faisaient le plus à mon sujet. Et je ne vous veux plus faire ici considérer autre chose, sinon que les superficies

* Pourquoi la réfraction des rayons qui entrent dans l'eau est égale à celle des rayons qui en sortent.
** Et pourquoi cela n'est pas général en tous corps transparents.
*** Que les rayons peuvent quelquefois être courbés sans sortir d'un même corps transparent.
**** Comment se fait la réfraction en chaque point des superficies courbées.

des corps transparents qui sont courbées détournent les rayons qui passent par chacun de leurs points, en même sorte que feraient les superficies plates, qu'on peut imaginer toucher ces corps aux mêmes points [1]. Comme, par exemple, la réfraction des rayons AB, AC, AD, qui, venant du flambeau A, tombent sur la superficie courbe de la boule de cristal BCD, doit être considérée en même sorte, que si AB tombait sur la superficie plate EBF, et AC sur GCH, et AD sur IDK, et ainsi des autres. D'où vous voyez que ces rayons se peuvent assembler ou écarter diversement, selon qu'ils tombent sur des superficies qui sont courbées diversement. Et il est

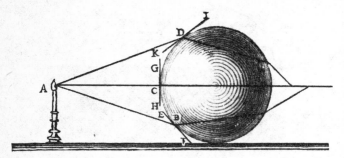

temps que je commence à vous décrire quelle est la structure de l'œil, afin de vous pouvoir faire entendre comment les rayons, qui entrent dedans, s'y disposent pour causer le sentiment de la vue.

1. C'est-à-dire les plans tangents au point d'impact.

DE L'ŒIL

S'il était possible de couper l'œil par la moitié, sans que les liqueurs dont il est rempli s'écoulassent, ni qu'aucune de ses parties changeât de place, et que le plan de la section passât justement par le milieu de la

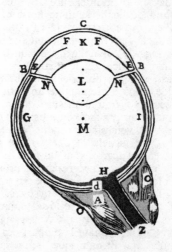

prunelle, il paraîtrait tel qu'il est représenté en cette figure. ABCB est une peau assez dure et épaisse, qui compose comme un vase rond dans lequel toutes ses parties intérieures sont contenues. DEF est une autre peau déliée, qui est tendue ainsi qu'une tapisserie au

*dedans de la précédente. ZH est le nerf nommé optique, qui est composé d'un grand nombre de petits filets, dont les extrémités s'étendent en tout l'espace GHI, où, se mêlant avec une infinité de petites veines et artères, elles composent une espèce de chair extrêmement tendre et délicate, laquelle est comme une troisième peau, qui couvre tout le fond de la seconde. K, L, M sont trois sortes de glaires ou humeurs fort transparentes, qui remplissent tout l'espace contenu au dedans de ces peaux, et ont chacune la figure, en laquelle vous la voyez ici **représentée. Et l'expérience montre que celle du milieu, L, qu'on nomme l'humeur cristalline, cause à peu près même réfraction que le verre ou le cristal; et que les deux autres, K et M, la causent un peu moindre, environ comme l'eau commune, en sorte que les rayons de la lumière passent plus facilement par celle du milieu que par les deux autres, et encore plus facilement par ces deux que par l'air. En la première peau, la partie BCB est transparente, et un peu plus voûtée que le reste BAB. En la seconde, la superficie intérieure de la partie EF, qui regarde le fond de l'œil, est toute noire et obscure; et elle a au milieu un petit trou rond FF, qui est ce qu'on nomme la prunelle, et qui paraît si noir au milieu de l'œil, ***quand on le regarde par dehors. Ce trou n'est pas toujours de même grandeur, et la partie EF de la peau en laquelle il est, nageant librement en l'humeur K, qui est fort liquide, semble être comme un petit muscle, qui se peut étrécir et élargir à mesure qu'on regarde des objets plus ou moins proches, ou plus ou moins éclairés, ou qu'on les veut voir plus ou moins distinctement. Et vous pourrez voir facilement l'expérience de tout ceci en l'œil d'un enfant; car si vous lui faites regarder fixement un objet proche, vous verrez que sa prunelle deviendra un peu plus petite que si vous lui en faites regarder un plus éloigné, qui ne soit point avec cela plus éclairé. Et derechef, qu'encore qu'il regarde toujours le même objet, il l'aura beaucoup plus petite, étant en une chambre fort claire, que si, en fermant la plupart des fenêtres, on la rend fort obscure. Et enfin que, demeurant au même jour, et regardant le même objet, s'il tâche d'en distinguer les moindres parties, sa prunelle sera plus petite, que s'il

---

* *Que la peau nommée vulgairement* retina *n'est autre chose que le nerf optique.*
** *Quelles sont les réfractions que causent les humeurs de l'œil.*
*** *Pour quel usage la prunelle s'étrécit et s'élargit.*

*ne le considère que tout entier, et sans attention. Et notez que ce mouvement doit être appelé volontaire, nonobstant qu'il soit ordinairement ignoré de ceux qui le font, car il ne laisse pas pour cela d'être dépendant et de suivre de la volonté qu'ils ont de bien voir; ainsi que les mouvements des lèvres et de la langue, qui servent à prononcer les paroles, se nomment volontaires, à cause qu'ils suivent de la volonté qu'on a de parler, nonobstant qu'on ignore souvent quels ils doivent être **pour servir à la prononciation de chaque lettre. EN, EN sont plusieurs petit filets noirs, qui embrassent tout autour l'humeur marquée L, et qui, naissant aussi de la seconde peau, en l'endroit où la troisième se termine, semblent autant de petits tendons, par le moyen desquels cette humeur L, devenant tantôt plus voûtée, tantôt plus plate, selon l'intention qu'on a de regarder des objets proches ou éloignés, change un peu toute la figure du corps de l'œil. Et vous pouvez connaître ce mouvement par expérience : car si, lorsque vous regardez fixement une tour ou une montagne un peu éloignée, on présente un livre devant vos yeux, vous n'y pourrez voir distinctement aucune lettre, jusques à ce que leur figure soit un ***peu changée. Enfin O, O sont six ou sept muscles attachés à l'œil par dehors, qui le peuvent mouvoir de tous côtés, et même aussi, peut-être, en le pressant ou retirant, aider à changer sa figure. Je laisse à dessein plusieurs autres particularités qui se remarquent en cette matière, et dont les anatomistes grossissent leurs livres; car je crois que celles que j'ai mises ici suffiront pour expliquer tout ce qui sert à mon sujet, et que les autres que j'y pourrais ajouter, n'aidant en rien votre intelligence, ne feraient que divertir votre attention.

---

* *Que ce mouvement de la prunelle est volontaire.*
** *Que l'humeur cristalline est comme un muscle qui peut changer la figure de tout l'œil.*
*** *Et que les petits filets nommés* processus ciliares *en sont les tendons.*

DES SENS EN GÉNÉRAL

Mais il faut que je vous dise maintenant quelque chose de la nature des sens en général, afin de pouvoir d'autant plus aisément expliquer en particulier celui de la vue. *On sait déjà assez que c'est l'âme qui sent, et non le corps : car on voit que, lorsqu'elle est divertie par une extase ou forte contemplation, tout le corps demeure sans sentiment, encore qu'il ait divers objets qui le touchent. Et **on sait que ce n'est pas proprement en tant qu'elle est dans les membres qui servent d'organes aux sens extérieurs, qu'elle sent, mais en tant qu'elle est dans le cerveau, où elle exerce cette faculté qu'ils[1] appellent le sens commun : car on voit des blessures et maladies qui, n'offensant que le cerveau seul, empêchent généralement tous les sens, encore que le reste du corps ne laisse point pour cela d'être animé. Enfin on sait que c'est par l'entre- ***mise des nerfs que les impressions, que font les objets dans les membres extérieurs, parviennent jusques à l'âme dans le cerveau : car on voit divers accidents, qui, ne nuisant à rien qu'à quelque nerf, ôtent le sentiment de toutes les parties du corps où ce nerf envoie ses branches, sans rien diminuer de celui des autres. Mais, pour savoir plus particulièrement en quelle sorte l'âme, demeurant dans le cerveau, peut ainsi, par l'entremise des nerfs, recevoir les impressions des objets qui sont au dehors, il faut distinguer trois choses en ces nerfs : à

---

1. Les scolastiques : cf. p. 78, note 2.

Que c'est l'âme qui sent et non le corps.
**Qu'elle sent en tant qu'elle est dans le cerveau, et non en tant qu'elle anime les autres membres.*
***Que c'est par l'entremise des nerfs qu'elle sent. Que la substance intérieure de ces nerfs est composée de plusieurs petits filets fort déliés.*

savoir, premièrement, les peaux qui les enveloppent, et qui, prenant leur origine de celles qui enveloppent le cerveau, sont comme de petits tuyaux divisés en plusieurs branches, qui se vont épandre çà et là par tous les membres, en même façon que les veines et les artères; puis leur substance intérieure, qui s'étend en forme de petits filets tout le long de ces tuyaux, depuis le cerveau, d'où elle prend son origine, jusques aux extrémités des autres membres, où elle s'attache, en sorte qu'on peut imaginer, en chacun de ces petits tuyaux, plusieurs de ces petits filets indépendants les uns des autres; puis enfin les esprits animaux [1], qui sont comme un air ou un vent très subtil, qui, venant des chambres ou concavités qui sont dans le cerveau, s'écoule par ces mêmes tuyaux dans les muscles. Or les anatomistes et médecins avouent assez que ces trois choses se trouvent dans les nerfs; mais il ne me semble point qu'aucun d'eux en ait encore bien *distingué les usages. Car, voyant que les nerfs ne servent pas seulement à donner le sentiment aux membres, mais aussi à les mouvoir, et qu'il y a quelquefois des paralysies qui ôtent le mouvement, sans ôter pour cela le sentiment, tantôt ils ont dit qu'il y avait deux sortes de nerfs, dont les uns ne servaient que pour les sens, et les autres que pour les mouvements, et tantôt que la faculté de sentir était dans les peaux ou membranes, et que celle de mouvoir était dans la substance intérieure des nerfs : qui sont choses fort répugnantes [2] à l'expérience et à la raison. Car qui a jamais pu remarquer aucun nerf, qui servît au mouvement, sans servir aussi à quelque sens ? Et comment, si c'était des peaux que le sentiment dépendît, les diverses impressions des objets pourraient-elles, par le moyen de ces peaux, parvenir jusques au **cerveau ? Afin donc d'éviter ces difficultés, il faut penser que ce sont les esprits qui, coulant par les nerfs dans les muscles, et les enflant plus ou moins, tantôt les uns, tantôt les autres, selon les diverses façons que le cerveau les distribue, causent le mouvement de tous les membres;

---

1. Cf. *Discours*, 5ᵉ partie, p. 77, note 4. De même pour « *les esprits* » dans toute la suite.
2. *En contradiction avec :* pour Descartes, tout nerf est sensitif et moteur.

* *Que ce sont les mêmes nerfs qui servent aux sens et aux mouvements.*
** *Que ce sont les esprits animaux contenus dans les peaux de ces nerfs qui meuvent les membres. Que c'est leur substance intérieure qui sert aux sens. Comment se fait le sentiment par l'aide des nerfs.*

et que ce sont les petits filets, dont la substance intérieure de ces nerfs est composée, qui servent aux sens. Et d'autant que je n'ai point ici besoin de parler des mouvements, je désire seulement que vous conceviez que ces petits filets, étant enfermés, comme j'ai dit, en des tuyaux qui sont toujours enflés et tenus ouverts par les esprits qu'ils contiennent, ne se pressent ni empêchent aucunement les uns les autres, et sont étendus depuis le cerveau jusques aux extrémités de tous les membres qui sont capables de quelque sentiment, en telle sorte que, pour peu qu'on touche et fasse mouvoir l'endroit de ces membres où quelqu'un d'eux est attaché, on fait aussi mouvoir au même instant l'endroit du cerveau d'où il vient, ainsi que, tirant l'un des bouts d'une corde qui est toute tendue, on fait mouvoir au même instant l'autre bout. Car, sachant que ces filets sont ainsi enfermés en des tuyaux, que les esprits tiennent toujours un peu enflés et entre-ouverts, il est aisé à entendre qu'encore qu'ils fussent beaucoup plus déliés que ceux que filent les vers à soie, et plus faibles que ceux des araignées, ils ne laisseraient pas de se pouvoir étendre depuis la tête jusques aux membres les plus éloignés, sans être en aucun hasard de se rompre, ni que les diverses situations de ces membres empêchassent leurs mouvements. Il faut, outre *cela, prendre garde à ne pas supposer que, pour sentir, l'âme ait besoin de contempler quelques images qui soient envoyées par les objets jusques au cerveau, ainsi que font communément nos philosophes; ou, du moins, il faut concevoir la nature de ces images tout autrement qu'ils ne font. Car, d'autant qu'ils ne considèrent en elles autre chose, sinon qu'elles doivent avoir de la ressemblance avec les objets qu'elles représentent, il leur est impossible de nous montrer comment elles peuvent être formées par ces objets, et reçues par les organes des sens extérieurs, et transmises par les nerfs jusques au cerveau. Et ils n'ont eu aucune raison de les supposer, sinon que, voyant que notre pensée peut facilement être excitée, par un tableau, à concevoir l'objet qui y est peint, il leur a semblé qu'elle devait l'être, en même façon, à concevoir ceux qui touchent nos sens, par quelques petits tableaux qui s'en formassent en notre tête, au lieu que

---

* *Que les idées que les sens extérieurs envoient en la fantaisie ne sont point des images des objets, ou du moins qu'elles n'ont point besoin de leur ressembler.*

nous devons considérer qu'il y a plusieurs autres choses
que des images, qui peuvent exciter notre pensée;
comme, par exemple, les signes et les paroles, qui ne ressemblent en aucune façon aux choses qu'elles signifient.
Et si, pour ne nous éloigner que le moins qu'il est possible des opinions déjà reçues, nous aimons mieux avouer
que les objets que nous sentons envoient véritablement
leurs images jusques au dedans de notre cerveau, il faut
au moins que nous remarquions qu'il n'y a aucunes
images qui doivent en tout ressembler aux objets qu'elles
représentent : car autrement il n'y aurait point de distinction entre l'objet et son image : mais qu'il suffit
qu'elles leur ressemblent en peu de choses; et souvent
même, que leur perfection dépend de ce qu'elles ne leur
ressemblent pas tant qu'elles pourraient faire. Comme
vous voyez que les tailles-douces, n'étant faites que d'un
peu d'encre posée çà et là sur du papier, nous représentent
des forêts, des villes, des hommes, et même des batailles
et des tempêtes, bien que, d'une infinité de diverses
qualités qu'elles nous font concevoir en ces objets, il
n'y en ait aucune que la figure seule dont elles aient proprement la ressemblance; et encore est-ce une ressemblance fort imparfaite, vu que, sur une superficie toute
plate, elles nous représentent des corps diversement
relevés et enfoncés, et que même, suivant les règles de
la perspective, souvent elles représentent mieux des
cercles par des ovales que par d'autres cercles; et des
carrés par des losanges que par d'autres carrés; et ainsi
de toutes les autres figures : en sorte que souvent, pour
être plus parfaites en qualité d'images, et représenter
mieux un objet, elles doivent ne lui pas ressembler. Or
il faut que nous pensions tout le même des images qui
se forment en notre cerveau, et que nous remarquions
qu'il est seulement question de savoir comment elles
peuvent donner moyen à l'âme de sentir toutes les
diverses qualités des objets auxquels elles se rapportent,
et non point comment elles ont en soi leur ressemblance [1].
*Comme, lorsque l'aveugle, dont nous avons parlé ci-
dessus, touche quelques corps de son bâton, il est certain que ces corps n'envoient autre chose jusques à lui,

---

1. Cf. ci-dessous, Appendice, II, *Le Monde*, ch. 1.

* *Que les divers mouvements des petits filets de chaque nerf suffisent
pour causer divers sentiments.*

sinon que, faisant mouvoir diversement son bâton selon les diverses qualités qui sont en eux, ils meuvent par même moyen les nerfs de sa main, et ensuite les endroits de son cerveau d'où viennent ces nerfs ; ce qui donne occasion à son âme de sentir tout autant de diverses qualités en ces corps, qu'il se trouve de variétés dans les mouvements qui sont causés par eux en son cerveau.

DES IMAGES QUI SE FORMENT SUR LE FOND DE L'ŒIL

 * Vous voyez donc assez que, pour sentir, l'âme n'a pas besoin de contempler aucunes images qui soient semblables aux choses qu'elle sent; mais cela n'empêche pas qu'il ne soit vrai que les objets que nous regardons en impriment d'assez parfaites dans le fond de nos yeux; ainsi que quelques-uns ont déjà très ingénieusement expliqué [1], par la comparaison de celles qui paraissent dans une chambre, lorsque l'ayant toute fermée, réservé un seul trou, et ayant mis au-devant de ce trou un verre en forme de lentille, on étend derrière, à certaine distance, un linge blanc, sur qui la lumière, qui vient des objets de dehors, forme ces images. Car ils disent que cette chambre représente l'œil; ce trou, la prunelle; ce verre, l'humeur cristalline, ou plutôt toutes celles des parties de l'œil qui causent quelque réfraction; et ce linge, la peau intérieure, qui est composée des extrémités du nerf optique.

** Mais vous en pourrez être encore plus certain, si, prenant l'œil d'un homme fraîchement mort, ou, au défaut, celui d'un bœuf ou de quelque autre gros animal, vous coupez dextrement vers le fond les trois peaux qui l'enveloppent, en sorte qu'une grande partie de l'humeur M, qui y est, demeure découverte, sans qu'il y ait rien d'elle pour cela qui se répande; puis, l'ayant recouverte de quelque corps blanc, qui soit si délié que le jour passe

---

1. Léonard de Vinci avait le premier comparé le fonctionnement de l'œil à celui d'une chambre obscure. Celle-ci est décrite par J. B. della Porta (1538-1615) dans la *Magia naturalis*, 2e éd. en 20 livres, Naples 1589, et par Kepler, *Ad Vitellionem Paralipomena*, Francfort, 1604.

 * *Comparaison de ces images avec celles qu'on voit en une chambre obscure.*
** *Explication de ces images en l'œil d'un animal mort.*

au travers, comme, par exemple, d'un morceau de papier
ou de la coquille d'un œuf, RST, que vous mettiez cet
œil dans le trou d'une fenêtre fait exprès, comme Z, en
sorte qu'il ait le devant, BCD, tourné vers quelque lieu
où il y ait divers objets, comme V, X, Y, éclairés par le
soleil; et le derrière, où est le corps blanc RST, vers le
dedans de la chambre, P, où vous serez, et en laquelle
il ne doit entrer aucune lumière, que celle qui pourra
pénétrer au travers de cet œil, dont vous savez que toutes
les parties, depuis C jusques à S, sont transparentes. Car,
cela fait, si vous regardez sur ce corps blanc RST, vous
y verrez, non peut-être sans admiration et plaisir, une
peinture, qui représentera fort naïvement en perspective
tous les objets qui seront au dehors vers VXY, au moins si
vous faites en sorte que cet œil retienne sa figure naturelle,
proportionnée à la distance de ces objets : car, pour peu
que vous le pressiez plus ou moins que de raison, cette
peinture en deviendra moins distincte. Et il est à remar-
*quer qu'on doit le presser un peu davantage, et tendre
sa figure un peu plus longue, lorsque les objets sont fort
proches, que lorsqu'ils sont plus éloignés. Mais il est
besoin que j'explique ici plus au long comment se forme
cette peinture; car je pourrai, par même moyen, vous faire
entendre plusieurs choses qui appartiennent à la vision.
**   Considérez donc, premièrement, que, de chaque point
des objets V, X, Y, il entre en cet œil autant de rayons,
qui pénètrent jusques au corps blanc RST, que l'ouverture de la prunelle FF en peut comprendre, et que, suivant ce qui a été dit ici dessus, tant de la nature de la
réfraction que de celle des trois humeurs K, L, M, tous
ceux de ces rayons, qui viennent d'un même point, se
courbent en traversant les trois superficies BCD, 123 et
456 [1], en la façon qui est requise pour se rassembler
derechef environ vers un même point. Et il faut remar-
***quer qu'afin que la peinture, dont il est ici question, soit

---

1. C'est-à-dire les courbes du cristallin, passant sur la figure par les
points 1, 2, 3 et 4, 5, 6.

* *Qu'on doit rendre la figure de cet œil un peu plus longue lorsque les
objets sont fort proches que lorsqu'ils sont plus éloignés.*
** *Qu'il entre en cet œil plusieurs rayons de chaque point de l'objet.*
*** *Que tous ceux qui viennent d'un même point se doivent assembler au
fond de cet œil environ le même point, et qu'il faut disposer sa figure à cet
effet. Que ceux de divers points s'y doivent assembler en divers points.
Comment les couleurs se voient au travers d'un papier blanc qui est sur
le fond de cet œil.*

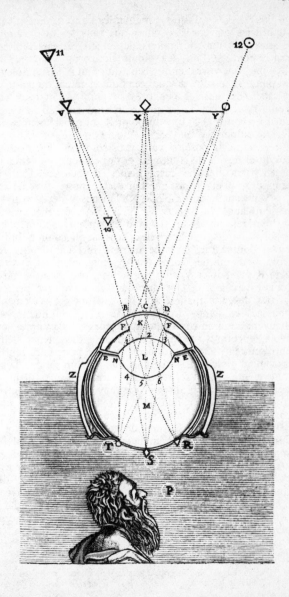

la plus parfaite qu'il est possible, les figures de ces trois
superficies doivent être telles que tous les rayons, qui
viennent de l'un des points des objets, se rassemblent
exactement en l'un des points du corps blanc RST.
Comme vous voyez ici que ceux du point X s'assemblent
au point S; en suite de quoi ceux qui viennent du point V
s'assemblent aussi à peu près au point R; et ceux du
point Y, au point T. Et que, réciproquement, il ne vient
aucun rayon vers S, que du point X; ni quasi aucun vers
R, que du point V; ni vers T, que du point Y, et ainsi des
*autres. Or cela posé, si vous vous souvenez de ce qui a
été dit ci-dessus de la lumière et des couleurs en général,
et en particulier des corps blancs, il vous sera facile à
entendre, qu'étant enfermé dans la chambre P, et jetant
vos yeux sur le corps blanc RST, vous y devez voir la
ressemblance des objets V, X, Y. Car, premièrement,
la lumière, c'est-à-dire le mouvement ou l'action dont
le soleil, ou quelque autre des corps qu'on nomme lumineux, pousse une certaine matière fort subtile qui se
trouve en tous les corps transparents, étant repoussée
vers R par l'objet V, que je suppose, par exemple, être
rouge, c'est-à-dire, être disposé à faire que les petites
parties de cette matière subtile, qui ont été seulement
poussées en lignes droites par les corps lumineux, se
meuvent aussi en rond autour de leurs centres, après les
avoir rencontrés, et que leurs deux mouvements aient
entre eux la proportion qui est requise pour faire sentir
la couleur rouge; il est certain que l'action de ces deux
mouvements, ayant rencontré au point R un corps blanc [1],
c'est-à-dire un corps disposé à la renvoyer vers tout autre
côté sans la changer, doit de là se réfléchir vers vos yeux
par les pores de ce corps, que j'ai supposé à cet effet fort
délié, et comme percé à jour de tous côtés, et ainsi vous
faire voir le point R de couleur rouge. Puis, la lumière
étant aussi repoussée de l'objet X, que je suppose jaune,
vers S; et d'Y, que je suppose bleu, vers T, d'où elle est
portée vers vos yeux; elle vous doit faire paraître S de
couleur jaune, et T de couleur bleue. Et ainsi les trois
points R, S, T, paraissant des mêmes couleurs, et gardant
entre eux le même ordre que les trois V, X, Y, en ont
**manifestement la ressemblance. Et la perfection de cette

---

1. Le corps blanc RST, papier ou coquille translucide.

* *Que les images qui s'y forment ont la ressemblance des objets.*
** *Comment la grandeur de la prunelle sert à la perfection de ces images.*

peinture dépend principalement de trois choses : à savoir de ce que, la prunelle de l'œil ayant quelque grandeur, il y entre plusieurs rayons de chaque point de l'objet, comme ici XB14S [1], XC25S, XD36S, et tout autant d'autres qu'on en puisse imaginer entre ces trois, y viennent du seul point X; et de ce que ces rayons souffrent dans l'œil de telles réfractions, que ceux qui viennent de divers points se rassemblent à peu près en autant d'autres divers points sur le corps blanc RST; et enfin de ce que, tant les petits filets EN que le dedans de la peau EF étant de couleur noire, et la chambre P toute fermée et obscure, il ne vient d'ailleurs que des objets V, X, Y, aucune lumière qui trouble l'action de *ces rayons. Car, si la prunelle était si étroite, qu'il ne passât qu'un seul rayon de chaque point de l'objet vers chaque point du corps RST, il n'aurait pas assez de force pour se réfléchir de là dans la chambre P, vers vos yeux. Et la prunelle étant un peu grande, s'il ne se faisait dans l'œil aucune réfraction, les rayons qui viendraient de chaque point des objets, s'épandraient çà et là en tout l'espace RST, en sorte que, par exemple, les trois points V, X, Y enverraient trois rayons vers R, qui, se réfléchissant de là tous ensemble vers vos yeux, vous feraient paraître ce point R d'une couleur moyenne entre le rouge, le jaune et le bleu, et tout semblable aux points S et T, vers lesquels les mêmes points V, X, Y enverraient aussi chacun un de leurs rayons. Et il arriverait aussi quasi le même, si la réfraction qui se fait en l'œil était plus ou moins grande qu'elle ne doit, à raison de la grandeur de cet œil : car, étant trop grande, les rayons qui viendraient, par exemple, du point X, s'assembleraient avant que d'être parvenus jusques à S, comme vers M; et, au contraire, étant trop petite, ils ne s'assembleraient qu'au delà, comme vers P; si bien qu'ils toucheraient le corps blanc RST en plusieurs points, vers lesquels il viendrait aussi d'autres rayons des autres parties de **l'objet. Enfin, si les corps EN, EF n'étaient noirs, c'est-à-dire disposés à faire que la lumière qui donne de contre

---

1. Les points X, B, 1, 4, S (etc.) par lesquels passent les rayons lumineux.

* *Comment y sert la réfraction qui se fait dans l'œil, et comment elle y nuirait étant plus grande ou plus petite qu'elle n'est.*
** *Comment la noirceur des parties intérieures de cet œil et l'obscurité de la chambre où se voient ces images y sert aussi.*

s'y amortisse, les rayons qui viendraient vers eux du corps blanc RST, pourraient de là retourner, ceux de T, vers S et vers R ; ceux de R, vers T et vers S ; et ceux de S, vers R et vers T : au moyen de quoi ils troubleraient l'action les uns des autres ; et le même feraient aussi les rayons qui viendraient de la chambre P vers RST, s'il y avait quelque autre lumière en cette chambre, que celle qu'y envoient les objets V, X, Y.

   *   Mais, après vous avoir parlé des perfections de cette peinture, il faut aussi que je vous fasse considérer ses défauts, dont le premier et le principal est que, quelques figures que puissent avoir les parties de l'œil, il est impossible qu'elles fassent que les rayons qui viennent de divers points, s'assemblent tous en autant d'autres divers points, et que tout le mieux qu'elles puissent faire c'est seulement que tous ceux qui viennent de quelque point, comme d'X, s'assemblent en un autre point, comme S, dans le milieu du fond de l'œil ; en quel cas il n'y en peut avoir que quelques-uns de ceux du point V, qui s'assemblent justement au point R, ou du point Y, qui s'assemblent justement au point T ; et les autres s'en doivent écarter quelque peu, tout à l'entour, ainsi que j'expliquerai ci-après. Et ceci est cause que cette peinture n'est jamais si distincte vers ses extrémités qu'au milieu, comme il a été assez remarqué par ceux qui ont écrit de
  ** l'optique. Car c'est pour cela qu'ils ont dit que la vision se fait principalement suivant la ligne droite, qui passe par les centres de l'humeur cristalline et de la prunelle, telle qu'est ici la ligne XKLS, qu'ils nomment l'essieu
 *** de la vision. Et notez que les rayons, par exemple, ceux qui viennent du point V, s'écartent autour du point R, d'autant plus que l'ouverture de la prunelle est plus grande ; et ainsi que, si sa grandeur sert à rendre les couleurs de cette peinture plus vives et plus fortes, elle empêche en revanche que ces figures ne soient si distinctes, d'où vient qu'elle ne doit être que médiocre.
 **** Notez aussi que ces rayons s'écarteraient encore plus

     * *Pourquoi elles ne sont jamais si parfaites en leurs extrémités qu'au milieu.*

     ** *Comment on doit entendre ce qui se dit que* visio fit per axem < *la vision se fait en ligne droite* >.

     *** *Que la grandeur de la prunelle rendant les couleurs plus vives rend les figures moins distinctes, et ainsi ne doit être que médiocre.*

     **** *Que les objets qui sont à côté de celui à la distance duquel l'œil est disposé, en étant beaucoup plus éloignés ou plus proches, s'y repré-*

autour du point R, qu'ils ne font, si le point V, d'où ils
viennent, était beaucoup plus proche de l'œil, comme
vers 10, ou beaucoup plus éloigné, comme vers 11, que
n'est X, à la distance duquel je suppose que la figure de
l'œil est proportionnée; de sorte qu'ils rendraient la
partie R de cette peinture encore moins distincte qu'ils
ne font. Et vous entendrez facilement les démonstrations
de tout ceci, lorsque vous aurez vu, ci-après, quelle
figure doivent avoir les corps transparents, pour faire
que les rayons, qui viennent d'un point, s'assemblent
en quelque autre point, après les avoir traversés. Pour
*les autres défauts de cette peinture, ils consistent en ce
que ses parties sont renversées, c'est-à-dire en position
toute contraire à celle des objets; et en ce qu'elles sont
apetissées et raccourcies les unes plus, les autres moins,
à raison de la diverse distance et situation des choses
qu'elles représentent, quasi en même façon que dans un
tableau de perspective. Comme vous voyez ici clairement que T, qui est vers le côté gauche, représente Y,
qui est vers le droit, et que R, qui est vers le droit,
représente V, qui est vers le gauche. Et de plus, que
la figure de l'objet V ne doit pas occuper plus d'espace vers R, que celle de l'objet 10, qui est plus
petit, mais plus proche; ni moins que celle de l'objet 11, qui est plus grand, mais à proportion plus éloigné, sinon en tant qu'elle est un peu plus distincte. Et
enfin, que la ligne droite VXY est représentée par la
courbe RST.

**   Or, ayant ainsi vu cette peinture dans l'œil d'un animal mort, et en ayant considéré les raisons, on ne peut
douter qu'il ne s'en forme une toute semblable en celui
d'un homme vif, sur la peau intérieure, en la place de
laquelle nous avions substitué le corps blanc RST; et
même qu'elle ne s'y forme beaucoup mieux, à cause que
ses humeurs, étant pleines d'esprits, sont plus transparentes, et ont plus exactement la figure qui est requise à
cet effet. Et peut-être aussi qu'en l'œil d'un bœuf la
figure de la prunelle, qui n'est pas ronde, empêche que
cette peinture n'y soit si parfaite.

*sentent beaucoup moins distinctement que s'ils en étaient presque à pareille
distance.*

* *Que ces images sont renversées. Que leurs figures sont changées et
raccourcies à raison de la distance ou situation des objets.*

** *Que ces images sont plus parfaites en l'œil d'un animal vivant qu'en
celui d'un mort, et en celui d'un homme qu'en celui d'un bœuf.*

*   On ne peut douter non plus que les images qu'on fait
paraître sur un linge blanc, dans une chambre obscure,
ne s'y forment tout de même et pour la même raison
qu'au fond de l'œil; même, à cause qu'elles y sont ordinairement beaucoup plus grandes, et s'y forment en plus
de façons, on y peut plus commodément remarquer
diverses particularités, dont je désire ici vous avertir,
afin que vous en fassiez l'expérience, si vous ne l'avez
encore jamais faite. Voyez donc, premièrement, que,
si on ne met aucun verre au-devant du trou qu'on aura
fait en cette chambre, il paraîtra bien quelques images
sur le linge, pourvu que le trou soit fort étroit, mais qui
seront fort confuses et imparfaites, et qui le seront d'au-

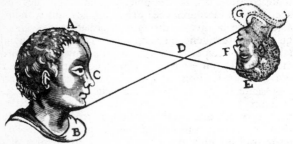

tant plus, que ce trou sera moins étroit; et qu'elles seront
aussi d'autant plus grandes, qu'il y aura plus de distance
entre lui et le linge, en sorte que leur grandeur doit avoir,
à peu près, même proportion avec cette distance, que la
grandeur des objets, qui les causent, avec la distance qui
est entre eux et ce même trou. Comme il est évident que,
si ACB est l'objet, D le trou, et EFG l'image, EG est à
FD comme AB est à CD. Puis, ayant mis un verre en
forme de lentille au-devant de ce trou, considérez qu'il
y a certaine distance déterminée, à laquelle tenant le
linge, les images paraissent fort distinctes, et que, pour
peu qu'on l'éloigne ou qu'on l'approche davantage du
verre, elles commencent à l'être moins. Et que cette distance doit être mesurée par l'espace qui est, non pas
entre le linge et le trou, mais entre le linge et le verre :
en sorte que, si l'on met le verre un peu au delà du trou

** Que celles qui paraissent par le moyen d'une lentille de verre dans
une chambre obscure s'y forment tout de même que dans l'œil, et qu'on y
peut faire l'expérience de plusieurs choses qui confirment ce qui est ici
expliqué.*

de part ou d'autre, le linge en doit aussi être d'autant approché ou reculé. Et qu'elle dépend en partie de la figure de ce verre, et en partie aussi de l'éloignement des objets : car, en laissant l'objet en même lieu, moins les superficies du verre sont courbées, plus le linge en doit être éloigné, et en se servant du même verre, si les objets en sont fort proches, il en faut tenir le linge un peu plus loin, que s'ils en sont plus éloignés. Et que de cette distance dépend la grandeur des images, quasi en même façon que lorsqu'il n'y a point de verre au-devant du trou. Et que ce trou peut être beaucoup plus grand, lorsqu'on y met un verre, que lorsqu'on le laisse tout vide, sans que les images en soient pour cela de beaucoup moins distinctes. Et que, plus il est grand, plus elles paraissent claires et illuminées : en sorte que, si on couvre une partie de ce verre, elles paraîtront bien plus obscures qu'auparavant, mais qu'elles ne laisseront pas pour cela d'occuper autant d'espace sur le linge. Et que, plus ces images sont grandes et claires, plus elles se voient parfaitement : en sorte que, si on pouvait aussi faire un œil, dont la profondeur fût fort grande, et la prunelle fort large, et que les figures de celles de ses superficies qui causent quelque réfraction, fussent proportionnées à cette grandeur, les images s'y formeraient d'autant plus visibles. Et que, si ayant deux ou plusieurs verres en forme de lentilles, mais assez plats, on les joint l'un contre l'autre, ils auront à peu près le même effet qu'aurait un seul, qui serait autant voûté ou convexe qu'eux deux ensemble ; car le nombre des superficies où se font les réfractions n'y fait pas grand chose. Mais que, si on éloigne ces verres à certaines distances les uns des autres, le second pourra redresser l'image que le premier aura renversée, et le troisième la renverser derechef, et ainsi de suite. Qui sont toutes choses dont les raisons sont fort aisées à déduire de ce que j'ai dit, et elles seront bien plus vôtres, s'il vous faut user d'un peu de réflexion pour les concevoir, que si vous les trouviez ici mieux expliquées.

* Au reste, les images des objets ne se forment pas seulement ainsi au fond de l'œil, mais elles passent encore au delà jusques au cerveau, comme vous entendrez facilement, si vous pensez que, par exemple, les rayons qui viennent dans l'œil de l'objet V touchent au point R l'extrémité de l'un des petits filets du nerf optique, qui

---

* *Comment ces images passent de l'œil dans le cerveau.*

prend son origine de l'endroit 7 de la superficie intérieure
du cerveau 789; et ceux de l'objet X touchent au point S
l'extrémité d'un autre de ces filets, dont le commencement
est au point 8; et ceux de l'objet Y en touchent un autre

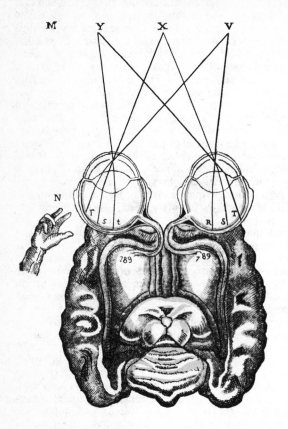

au point T, qui répond à l'endroit du cerveau marqué 9,
et ainsi des autres. Et que, la lumière n'étant autre chose
qu'un mouvement, ou une action qui tend à causer
quelque mouvement, ceux de ses rayons qui viennent de V
vers R, ont la force de mouvoir tout le filet R7, et par
conséquent l'endroit du cerveau marqué 7; et ceux qui
viennent d'X vers S, de mouvoir tout le nerf S8, et

même de le mouvoir d'autre façon que n'est mu R7, à cause que les objets X et V sont de deux diverses couleurs; et ainsi, que ceux qui viennent d'Y, meuvent le point 9. D'où il est manifeste qu'il se forme derechef une peinture 789, assez semblable aux objets V, X, Y, en la superficie intérieure du cerveau qui regarde ses concavités. Et de là je pourrais encore la transporter jusques à une certaine petite glande, qui se trouve environ le milieu de ces concavités, et est proprement le siège du sens commun [1]. Même je pourrais, encore plus outre, vous montrer comment quelquefois elle peut passer de là par les artères d'une femme enceinte, jusques à quelque membre déterminé de l'enfant qu'elle porte en ses entrailles, et y former ces marques d'envie, qui causent tant d'admiration à tous les Doctes.

1. Cf. *Discours*, 5e partie, p. 78, note 2.

DE LA VISION

*   Or, encore que cette peinture, en passant ainsi jusques
au dedans de notre tête, retienne toujours quelque chose
de la ressemblance des objets dont elle procède, il ne se
faut point toutefois persuader, ainsi que je vous ai déjà
tantôt assez fait entendre, que ce soit par le moyen de
cette ressemblance qu'elle fasse que nous les sentons,
comme s'il y avait derechef d'autres yeux en notre cerveau, avec lesquels nous la pussions apercevoir ; mais
plutôt, que ce sont les mouvements par lesquels elle est
composée, qui, agissant immédiatement contre notre
âme, d'autant qu'elle est unie à notre corps, sont institués
de la Nature pour lui faire avoir de tels sentiments. Ce
que je vous veux ici expliquer plus en détail. Toutes les
qualités que nous apercevons dans les objets de la vue,
peuvent être réduites à six principales, qui sont : la
lumière, la couleur, la situation, la distance, la grandeur,
**et la figure. Et premièrement, touchant la lumière et la
couleur, qui seules appartiennent proprement au sens
de la vue, il faut penser que notre âme est de telle nature,
que la force des mouvements, qui se trouvent dans les
endroits du cerveau d'où viennent les petits filets des
nerfs optiques, lui fait avoir le sentiment de la lumière ;
et la façon de ces mouvements, celui de la couleur : ainsi
***que les mouvements des nerfs qui répondent aux oreilles
lui font ouïr les sons ; et ceux des nerfs de la langue lui

---

* *Que la vision ne se fait point par le moyen des images qui passent
des yeux dans le cerveau, mais par le moyen des mouvements qui les
composent.*
** *Que c'est par la force de ces mouvements qu'on sent la lumière. Et
par leurs autres variétés qu'on sent les couleurs.*
*** *Comment se sentent les sons, les goûts, et le chatouillement et la
douleur.*

font goûter les saveurs ; et, généralement, ceux des nerfs
de tout le corps lui font sentir quelque chatouillement,
quand ils sont modérés, et quand ils sont trop violents,
quelque douleur ; sans qu'il doive, en tout cela, y avoir
aucune ressemblance entre les idées qu'elle conçoit, et
*les mouvements qui causent ces idées. Ce que vous croirez
facilement, si vous remarquez qu'il semble à ceux qui
reçoivent quelque blessure dans l'œil, qu'ils voient une
infinité de feux et d'éclairs devant eux, nonobstant qu'ils
ferment les yeux, ou bien qu'ils soient en lieu fort obscur ;
en sorte que ce sentiment ne peut être attribué qu'à la
seule force du coup, laquelle meut les petits filets du
nerf optique, ainsi que ferait une violente lumière ; et
cette même force, touchant les oreilles, pourrait faire
ouïr quelque son ; et touchant le corps en d'autres
**parties, y faire sentir de la douleur. Et ceci se confirme
aussi de ce que, si quelquefois on force ses yeux à regarder le soleil, ou quelque autre lumière fort vive, ils en
retiennent, après un peu de temps, l'impression en telle
sorte que, nonobstant même qu'on les tienne fermés, il
semble qu'on voie diverses couleurs, qui se changent et
passent de l'une à l'autre, à mesure qu'elles s'affaiblis-
sent : car cela ne peut procéder que de ce que les petits
filets du nerf optique, ayant été mus extraordinairement
fort, ne se peuvent arrêter sitôt que de coutume. Mais
l'agitation, qui est encore en eux après que les yeux sont
fermés, n'étant plus assez grande pour représenter cette
forte lumière qui l'a causée, représente des couleurs
moins vives. Et ces couleurs se changent en s'affaiblis-
sant, ce qui montre que leur nature ne consiste qu'en la
diversité du mouvement, et n'est point autre que je l'ai
***ci-dessus supposée. Et enfin ceci se manifeste de ce que les
couleurs paraissent souvent en des corps transparents, où
il est certain qu'il n'y a rien qui les puisse causer, que
les diverses façons dont les rayons de la lumière y sont
reçus, comme lorsque l'arc-en-ciel paraît dans les nues, et
encore plus clairement, lorsqu'on en voit la ressemblance
dans un verre qui est taillé à plusieurs faces.

---

*Pourquoi les coups qu'on reçoit dans l'œil font voir diverses lumières,
et ceux qu'on reçoit contre les oreilles font ouïr des sons, et ainsi une même
force cause divers sentiments en divers organes.*

**Pourquoi, tenant les yeux fermés un peu après avoir regardé le
soleil, il semble qu'on voie diverses couleurs.*

***Pourquoi il paraît quelquefois des couleurs dans les corps qui ne sont
que transparents, comme l'arc-en-ciel paraît dans la pluie.*

* Mais il faut ici particulièrement considérer en quoi consiste la quantité de la lumière qui se voit, c'est-à-dire, de la force dont est mû chacun des petits filets du nerf optique : car elle n'est pas toujours égale à la lumière qui est dans les objets, mais elle varie à raison de leur distance et de la grandeur de la prunelle, et aussi à raison de l'espace que les rayons, qui viennent de chaque point de l'objet, peuvent occuper au fond de l'œil. Comme, par exemple, il est manifeste que le point X enverrait plus de rayons dans l'œil B qu'il ne fait, si la prunelle FF était ouverte jusques à G ; et qu'il en envoie tout autant en cet œil B qui est proche de lui, et dont la prunelle est fort étroite, qu'il fait en l'œil A, dont la prunelle est beaucoup plus grande, mais qui est à proportion plus éloignée. Et encore qu'il n'entre pas plus de rayons des divers points de l'objet VXY, considérés tous ensemble, dans le fond de l'œil A que dans celui de l'œil B, toutefois, parce que ces rayons ne s'y étendent qu'en l'espace TR, qui est plus petit que n'est HI, dans lequel ils s'étendent au fond de l'œil B, ils y doivent agir avec plus de force contre chacune des extrémités du nerf optique qu'ils y touchent : ce qui est fort aisé à calculer. Car, si, par exemple, l'espace HI est quadruple de TR, et qu'il contienne les extrémités de quatre mille des petits filets du nerf optique, TR ne contiendra que celles de mille, et par conséquent chacun de ces petits filets sera mû, dans le fond de l'œil A, par la millième partie des forces qu'ont tous les rayons qui y entrent, jointes ensemble, et, dans le fond de l'œil B, par
**le quart de la millième partie seulement. Il faut aussi considérer qu'on ne peut discerner les parties des corps qu'on regarde, qu'en tant qu'elles diffèrent en quelque façon de couleur ; et que la vision distincte de ces couleurs ne dépend pas seulement de ce que tous les rayons, qui viennent de chaque point de l'objet, se rassemblent à peu près en autant d'autres divers points au fond de l'œil, et de ce qu'il n'en vient aucuns autres d'ailleurs vers ces mêmes points, ainsi qu'il a été tantôt amplement expliqué ; mais aussi de la multitude des petits filets du nerf optique, qui sont en l'espace qu'occupe l'image au

---

* Que le sentiment qu'on a de la lumière est plus ou moins fort selon que l'objet est plus ou moins proche. Et selon que la prunelle est plus ou moins grande. Et selon que l'image qui se peint dans le fond de l'œil est plus ou moins petite.
** Comment la multitude des petits filets du nerf optique sert à rendre la vision distincte.

fond de l'œil. Car si, par exemple, l'objet VXY est composé de dix mille parties, qui soient disposées à envoyer des rayons vers le fond de l'œil RST, en dix mille façons différentes, et par conséquent à faire voir en même temps dix mille couleurs, elles n'en pourront néanmoins faire distinguer à l'âme que mille tout au plus, si nous supposons qu'il n'y ait que mille des filets du nerf optique en l'espace RST; d'autant que dix des parties de l'objet,

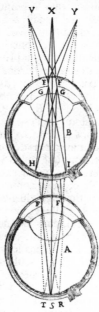

agissant ensemble contre chacun de ces filets, ne le peuvent mouvoir que d'une seule façon, composée de toutes celles dont elles agissent, en sorte que l'espace qu'occupe chacun de ces filets ne doit être considéré que
*comme un point. Et c'est ce qui fait que souvent une prairie, qui sera peinte d'une infinité de couleurs toutes diverses, ne paraîtra de loin que toute blanche, ou toute bleue; et, généralement, que tous les corps se voient

* *Pourquoi les prairies étant peintes de diverses couleurs ne paraissent de loin que d'une seule. Pourquoi tous les corps se voient moins distinctement de loin que près. Comment la grandeur de l'image sert à rendre la vision plus distincte.*

moins distinctement de loin que de près ; et enfin que, plus on peut faire que l'image d'un même objet occupe d'espace au fond de l'œil, plus il peut être vu distinctement. Ce qui sera ci-après fort à remarquer.

* Pour la situation, c'est-à-dire le côté vers lequel est posée chaque partie de l'objet au respect de notre corps, nous ne l'apercevons pas autrement par l'entremise de nos yeux que par celle de nos mains ; et sa connaissance ne dépend d'aucune image, ni d'aucune action qui vienne de l'objet, mais seulement de la situation des petites parties du cerveau d'où les nerfs prennent leur origine. Car cette situation, se changeant tant soit peu, à chaque fois que se change celle des membres où ces nerfs sont insérés, est instituée de la Nature pour faire, non seulement que l'âme connaisse en quel endroit est chaque partie du corps qu'elle anime, au respect de toutes les autres ; mais aussi qu'elle puisse transférer de là son attention à tous les lieux contenus dans les lignes droites qu'on peut imaginer être tirées de l'extrémité de chacune de ces parties, et prolongées à l'infini. Comme, lorsque l'aveugle,

dont nous avons déjà tant parlé ci-dessus, tourne sa main A vers E, ou C aussi vers E, les nerfs insérés en cette main causent un certain changement en son cerveau qui donne moyen à son âme de connaître, non seulement le lieu A ou C, mais aussi tous les autres qui sont en la ligne droite AE ou CE, en sorte qu'elle peut porter son attention jusques aux objets B et D, et déterminer les lieux où ils sont, sans connaître pour cela ni penser aucu-

* *Comment on connaît vers quel côté est l'objet qu'on regarde, ou celui qu'on montre du doigt sans le toucher.*

nement à ceux où sont ses deux mains. Et ainsi, lorsque notre œil ou notre tête se tournent vers quelque côté, notre âme en est avertie par le changement que les nerfs insérés dans les muscles, qui servent à ces mouvements,

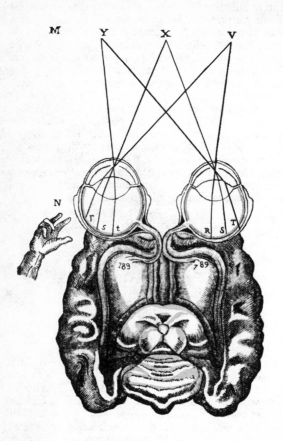

causent en notre cerveau. Comme ici, en l'œil RST, il faut penser que la situation du petit filet optique, qui est au point R, ou S, ou T, est suivie d'une autre certaine situation de la partie du cerveau 7, ou 8, ou 9, qui fait que l'âme peut connaître tous les lieux qui sont en la ligne

*RV, ou SX, ou TY. De façon que vous ne devez pas trouver étrange que les objets puissent être vus en leur vraie situation, nonobstant que la peinture, qu'ils impriment dans l'œil, en ait une toute contraire : ainsi que notre aveugle peut sentir en même temps l'objet B, qui est à droite, par l'entremise de sa main gauche; et D, qui **est à gauche, par l'entremise de sa main droite. Et comme cet aveugle ne juge point qu'un corps soit double, encore qu'il le touche de ses deux mains, ainsi, lorsque nos yeux sont tous deux disposés en la façon qui est requise pour porter notre attention vers un même lieu, ils ne nous y doivent faire voir qu'un seul objet, nonobstant qu'il s'en forme en chacun d'eux une peinture.

*** La vision de la distance ne dépend, non plus que celle de la situation, d'aucunes images envoyées des objets, mais, premièrement, de la figure du corps de l'œil; car, comme nous avons dit, cette figure doit être un peu autre, pour nous faire voir ce qui est proche de nos yeux, que pour nous faire voir ce qui en est plus éloigné, et à mesure que nous la changeons pour la proportionner à la distance des objets, nous changeons aussi certaine partie de notre cerveau, d'une façon qui est instituée de la Nature pour faire apercevoir à notre âme cette ****distance. Et ceci nous arrive ordinairement sans que nous y fassions de réflexion; tout de même que, lorsque nous serrons quelque corps de notre main, nous la conformons à la grosseur et à la figure de ce corps, et le sentons par son moyen, sans qu'il soit besoin pour cela ****que nous pensions à ses mouvements. Nous connaissons, en second lieu, la distance par le rapport qu'ont les deux yeux l'un à l'autre. Car, comme notre aveugle, tenant les deux bâtons AE, CE, dont je suppose qu'il ignore la longueur, et sachant seulement l'intervalle qui est entre ses deux mains A et C, et la grandeur des angles ACE, CAE, peut de là, comme par une Géométrie

Pourquoi le renversement de l'image qui se fait dans l'œil n'empêche pas que les objets ne paraissent droits.

**Pourquoi ce qu'on voit des deux yeux ou qu'on touche des deux mains ne paraît pas double pour cela.*

***Comment les mouvements qui changent la figure de l'œil servent à faire voir la distance des objets.*

****Qu'encore que nous ignorions ces mouvements, nous ne laissons pas de connaître ce qu'ils désignent.*

*****Comment le rapport des deux yeux sert aussi à faire voir la distance.*

naturelle, connaître où est le point E; ainsi, quand nos
deux yeux, RST et *rst*, sont tournés vers X, la grandeur
de la ligne S*s*, et celle des deux angles XS*s* et X*s*S, nous
*font savoir où est le point X. Nous pouvons aussi le même
par l'aide d'un œil seul, en lui faisant changer de place:
comme si, le tenant tourné vers X, nous le mettons premièrement au point S et incontinent après au point *s*,
cela suffira pour faire que la grandeur de la ligne S*s* et
des deux angles XS*s* et X*s*S se trouvent ensemble en
notre fantaisie, et nous fassent apercevoir la distance du
point X : et ce, par une action de la pensée, qui, n'étant
qu'une imagination toute simple, ne laisse point d'enve-
lopper en soi un raisonnement tout semblable à celui
que font les arpenteurs, lorsque, par le moyen de deux
différentes stations, ils mesurent les lieux inaccessibles.
**Nous avons encore une autre façon d'apercevoir la
distance, à savoir par la distinction ou confusion de la
figure, et ensemble par la force ou débilité de la lumière.
Comme, pendant que nous regardons fixement vers X,
les rayons qui viennent des objets 10 et 12, ne s'assemblent pas si exactement vers R et vers T, au fond de
notre œil, que si ces objets étaient aux points V et Y;
d'où nous voyons qu'ils sont plus éloignés, ou plus
proches de nous, que n'est X. Puis, de ce que la lumière,
qui vient de l'objet 10 vers notre œil, est plus forte que si
cet objet était vers V, nous le jugeons être plus proche;
et de ce que celle qui vient de l'objet 12 est plus faible
que s'il était vers Y, nous le jugeons plus éloigné. Enfin,
quand nous imaginons déjà d'ailleurs la grandeur d'un
objet, ou sa situation, ou la distinction de sa figure et de
ses couleurs, ou seulement la force de la lumière qui
vient de lui, cela nous peut servir, non pas proprement
à voir, mais à imaginer sa distance. Comme, regardant
de loin quelque corps, que nous avons accoutumé de
voir de près, nous en jugeons bien mieux l'éloignement,
que nous ne ferions si sa grandeur nous était moins
connue. Et regardant une montagne exposée au soleil,
au delà d'une forêt couverte d'ombre, ce n'est que la
situation de cette forêt, qui nous la fait juger la plus
proche. Et regardant sur mer deux vaisseaux, dont l'un
soit plus petit que l'autre, mais plus proche à proportion,

---

* *Comment on peut voir la distance avec un œil seul, en lui faisant*
changer de place.
** *Comment la distinction ou la confusion de la figure, et la débilité ou*
la force de la lumière sert aussi à voir la distance.

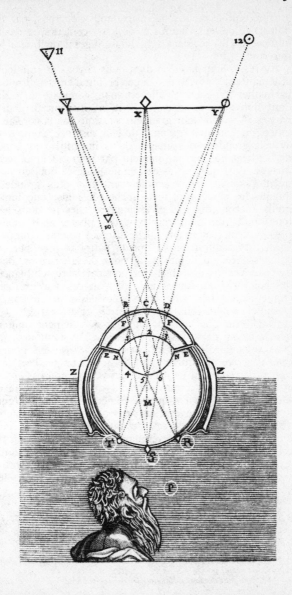

en sorte qu'ils paraissent égaux, nous pourrons, par la
différence de leurs figures et de leurs couleurs, et de la
lumière qu'ils envoient vers nous, juger lequel sera le
plus loin.

   *   Au reste, pour la façon dont nous voyons la grandeur
et la figure des objets, je n'ai pas besoin d'en rien dire de
particulier, d'autant qu'elle est toute comprise en celle
dont nous voyons la distance et la situation de leurs
parties. A savoir, leur grandeur s'estime par la connaissance, ou l'opinion, qu'on a de leur distance, comparée
avec la grandeur des images qu'ils impriment au fond
de l'œil; et non pas absolument par la grandeur de ces
images, ainsi qu'il est assez manifeste de ce que, encore
qu'elles soient, par exemple, cent fois plus grandes,
lorsque les objets sont fort proches de nous, que lorsqu'ils en sont dix fois plus éloignés, elles ne nous les
font point voir pour cela cent fois plus grands, mais
presque égaux, au moins si leur distance ne nous trompe.

**En il est manifeste aussi que la figure se juge par la
connaissance, ou l'opinion, qu'on a de la situation des
diverses parties des objets, et non par la ressemblance
des peintures qui sont dans l'œil : car ces peintures ne
contiennent ordinairement que des ovales et des losanges
lorsqu'elles nous font voir des cercles et des carrés.

***   Mais, afin que vous ne puissiez aucunement douter
que la vision ne se fasse ainsi que je l'ai expliquée, je
vous veux faire encore ici considérer les raisons pourquoi il arrive quelquefois qu'elle nous trompe. Premièrement, à cause que c'est l'âme qui voit, et non pas l'œil,
et qu'elle ne voit immédiatement que par l'entremise
du cerveau, de là vient que les frénétiques [1], et ceux qui
dorment, voient souvent, ou pensent voir, divers objets
qui ne sont point pour cela devant leurs yeux : à savoir
quand quelques vapeurs, remuant leur cerveau, disposent
celles de ses parties qui ont coutume de servir à la vision,
en même façon que feraient ces objets, s'ils étaient pré-
****sents. Puis, à cause que les impressions, qui viennent de

---

1. Au sens médical du terme : atteint d'une lésion cérébrale.

   * *Que la connaissance qu'on a eue auparavant des objets qu'on regarde
sert à mieux connaître leur distance.*
   ** *Comment la situation de ces objets y sert aussi. Comment on voit la
grandeur de chaque objet. Comment on voit sa figure.*
   *** *Pourquoi souvent les frénétiques ou ceux qui dorment pensent voir
ce qu'ils ne voient point.*
   **** *Pourquoi on voit quelquefois les objets doubles.*

dehors, passent vers le sens commun par l'entremise des
nerfs, si la situation de ces nerfs est contrainte par quelque
cause extraordinaire, elle peut faire voir les objets en
d'autres lieux qu'ils ne sont. Comme si l'œil *rst*, étant
disposé de soi à regarder vers X, est contraint par le
doigt N à se tourner vers M, les parties du cerveau d'où
viennent ses nerfs, ne se disposent pas tout à fait en même
sorte que si c'étaient ses muscles qui le tournassent vers
M; ni aussi en même sorte que s'il regardait véritablement vers X; mais d'une façon moyenne entre ces deux,

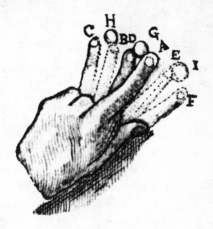

à savoir, comme s'il regardait vers Y; et ainsi l'objet M
paraîtra au lieu où est Y, par l'entremise de cet œil, et Y
au lieu où est X, et X au lieu où est V, et ces objets paraissant aussi en même temps en leurs vrais lieux, par
l'entremise de l'autre œil RST, ils sembleront doubles.
*En même façon que, touchant la petite boule G des deux
doigts A et D croisés l'un sur l'autre, on en pense toucher
deux; à cause que, pendant que ces doigts se retiennent
l'un l'autre ainsi croisés, les muscles de chacun d'eux
tendent à les écarter, A vers C, et D vers F, au moyen
de quoi les parties du cerveau d'où viennent les nerfs
qui sont insérés en ces muscles, se trouvent disposées
en la façon qui est requise pour faire qu'ils semblent

---

  * *Comment l'attouchement fait aussi quelquefois juger qu'un objet soit
double.*

être, A vers B, et D vers E, et par conséquent y toucher
deux diverses boules, H et I. De plus, à cause que nous
sommes accoutumés de juger que les impressions, qui
meuvent notre vue, viennent des lieux vers lesquels nous
devons regarder pour les sentir, quand il arrive qu'elles
viennent d'ailleurs, nous y pouvons facilement être

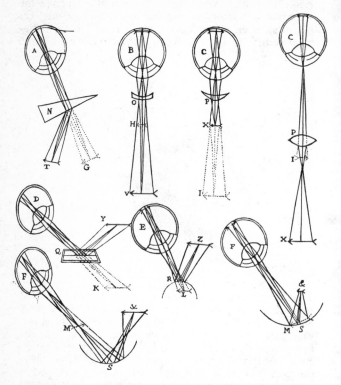

*trompés. Comme ceux qui ont les yeux infectés de la
jaunisse, ou bien qui regardent au travers d'un verre
jaune, ou qui sont enfermés dans une chambre où il
n'entre aucune lumière que par de tels verres, attribuent
cette couleur à tous les corps qu'ils regardent. Et celui

*Pourquoi ceux qui ont la jaunisse ou bien qui regardent au travers
d'un verre jaune jugent que tout ce qu'ils voient a la couleur.

*qui est dans la chambre obscure que j'ai tantôt décrite, attribue au corps blanc RST les couleurs des objets V, X, Y, à cause que c'est seulement vers lui qu'il dresse sa vue. Et les yeux A, B, C, D, E, F, voyant les objets T, V, X, Y, Z, etc. au travers des verres N, O, P, et dans les miroirs Q, R, S, les jugent être aux points G, H, I, K, L, M; et V, Z être plus petits, et X, etc. plus grands qu'ils ne sont : ou bien aussi X, etc. plus petits et avec cela renversés, à savoir, lorsqu'ils sont un peu loin des yeux C, F, d'autant que ces verres et ces miroirs détournent les rayons qui viennent de ces objets, en telle sorte que ces yeux ne les peuvent voir distinctement, qu'en se disposant comme ils doivent être pour regarder vers les points G, H, I, K, L, M, ainsi que connaîtront facilement ceux qui prendront la peine de l'examiner. Et ils verront, par même moyen, combien les anciens se sont abusés en leur Catoptrique [1], lorsqu'ils ont voulu déterminer le lieu des images dans les miroirs creux et **convexes. Il est aussi à remarquer que tous les moyens qu'on a pour connaître la distance sont fort incertains : car, quant à la figure de l'œil, elle ne varie quasi plus sensiblement, lorsque l'objet est à plus de quatre ou cinq pieds loin de lui, et même elle varie si peu lorsqu'il est plus proche, qu'on n'en peut tirer aucune connaissance bien précise. Et pour les angles compris entre les lignes tirées des deux yeux l'un à l'autre et de là vers l'objet, ou de deux stations d'un même œil [2], ils ne varient aussi presque plus, lorsqu'on regarde tant soit peu loin. Ensuite ***de quoi notre sens commun même ne semble pas être

1. Tandis que l'optique est la science générale des lois de la lumière et de la vision, la catoptrique traite de la lumière réfléchie et la dioptrique de la lumière réfractée.

2. L'édition de 1637 imprimait ici *objet* : Descartes corrige la faute dans une lettre à Mersenne du 9 janvier 1639.

* *Quel est le lieu où l'on voit l'objet au travers d'un verre plat dont les superficies ne sont pas parallèles. Et celui où on le voit au travers d'un verre concave. Et pourquoi l'objet paraît alors plus petit qu'il n'est. Quel est le lieu où il paraît au travers d'un verre convexe et pourquoi il y paraît quelquefois plus grand et plus éloigné qu'il n'est, et quelquefois plus petit et plus proche, et avec cela renversé. Quel est le lieu des images qu'on voit dans les miroirs tant plats que convexes ou concaves, et pourquoi elles y paraissent droites ou renversées, et plus grandes ou plus petites, et plus proches ou plus éloignées que ne sont les objets.*

** *Pourquoi nous nous trompons aisément en jugeant de la distance.*

*** *Comment on peut prouver que nous n'avons point coutume d'imaginer de distance plus grande que de cent ou deux cents pieds. Pourquoi le soleil et la lune semblent plus grands étant proches de l'horizon qu'en étant éloignés.*

capable de recevoir en soi l'idée d'une distance plus
grande qu'environ de cent ou deux cents pieds, ainsi
qu'il se peut vérifier de ce que la lune et le soleil, qui
sont du nombre des corps les plus éloignés que nous
puissions voir, et dont les diamètres sont à leur distance
à peu près comme un à cent, n'ont coutume de nous
paraître que d'un ou deux pieds de diamètre tout au plus,
nonobstant que nous sachions assez, par raison, qu'ils
sont extrêmement grands et extrêmement éloignés. Car
cela ne nous arrive pas faute de les pouvoir concevoir
plus grands que nous ne faisons, vu que nous concevons
bien des tours et des montagnes beaucoup plus grandes,
mais parce que, ne les pouvant concevoir plus éloignés
que de cent ou deux cents pieds, il suit de là que leur
diamètre ne nous doit paraître que d'un ou de deux
pieds. En quoi la situation aide aussi à nous tromper;
car ordinairement ces astres semblent plus petits, lorsqu'ils sont fort hauts vers le midi, que lorsque, se levant
ou se couchant, il se trouve divers objets entre eux et
nos yeux, qui nous font mieux remarquer leur distance.
*Et les astronomes éprouvent assez, en les mesurant avec
leurs instruments, que ce qu'ils paraissent ainsi plus
grands une fois que l'autre, ne vient point de ce qu'ils se
voient sous un plus grand angle, mais de ce qu'ils se
jugent plus éloignés; d'où il suit que l'axiome de l'ancienne
optique, qui dit que la grandeur apparente des objets est
proportionnée à celle de l'angle de la vision, n'est pas
**toujours vrai. On se trompe aussi en ce que les corps
blancs ou lumineux, et généralement tous ceux qui ont
beaucoup de force pour mouvoir le sens de la vue,
paraissent toujours quelque peu plus proches et plus
grands qu'ils ne feraient, s'ils en avaient moins. Or la
raison qui les fait paraître plus proches, est que le mouvement dont la prunelle s'étrécit pour éviter la force de
leur lumière, est tellement joint avec celui qui dispose
tout l'œil à voir distinctement les objets proches, et par
lequel on juge de leur distance, que l'un ne se peut guère
faire, sans qu'il se fasse aussi un peu de l'autre : en même
façon qu'on ne peut fermer entièrement les deux premiers
doigts de la main, sans que le troisième se courbe aussi
quelque peu, comme pour se fermer avec eux. Et la rai-

---

*Que la grandeur apparente des objets ne doit point se mesurer par
celle de l'angle de la vision.*
**Pourquoi les objets blancs et lumineux paraissent plus proches et
plus grands qu'ils ne sont.*

son pourquoi ces corps blancs ou lumineux paraissent plus grands, ne consiste pas seulement en ce que l'estime qu'on fait de leur grandeur dépend de celle de leur distance, mais aussi en ce que leurs images s'impriment plus grandes dans le fond de l'œil. Car il faut remarquer que les bouts des filets du nerf optique qui le couvrent, encore que très petits, ont néanmoins quelque grosseur; en sorte que chacun d'eux peut être touché en l'une de ses parties par un objet, et en d'autres par d'autres; et que n'étant toutefois capable d'être mû que d'une seule façon à chaque fois, lorsque la moindre de ses parties est touchée par quelque objet fort éclatant, et les autres par d'autres qui le sont moins, il suit tout entier le mouvement de celui qui est le plus éclatant, et en représente

l'image, sans représenter celle des autres. Comme, si les bouts de ces petits filets sont 1, 2, 3, et que les rayons qui viennent, par exemple, tracer l'image d'une étoile sur le fond de l'œil, s'y étendent sur celui qui est marqué 1, et tant soit peu au delà tout autour sur les extrémités des six autres marqués 2, sur lesquels je suppose qu'il ne vient point d'autres rayons, que fort faibles, des parties du ciel voisines à cette étoile, son image s'étendra en tout l'espace qu'occupent ces six marqués 2, et même peut-être encore en tout celui qu'occupent les douze marqués 3, si la force du mouvement est si grande qu'elle se communique aussi à eux. Et ainsi vous voyez que les étoiles, quoiqu'elles paraissent assez petites, paraissent néanmoins beaucoup plus grandes qu'elles ne devraient
*à raison de leur extrême distance. Et encore qu'elles ne seraient pas entièrement rondes, elles ne laisseraient pas de paraître telles, comme aussi une tour carrée étant vue de loin paraît ronde, et tous les corps qui ne tracent que de fort petites images dans l'œil, n'y peuvent tracer les

* Pourquoi tous les corps fort petits ou fort éloignés paraissent ronds.

*figures de leurs angles. Enfin, pour ce qui est de juger
de la distance par la grandeur, ou la figure, ou la couleur,
ou la lumière, les tableaux de perspective nous montrent
assez combien il est facile de s'y tromper. Car souvent,
parce que les choses, qui y sont peintes, sont plus petites
que nous ne nous imaginons qu'elles doivent être, et que
leurs linéaments sont plus confus, et leurs couleurs plus
brunes ou plus faibles, elles nous paraissent plus éloignées qu'elles ne sont.

---

* *Comment se font les éloignements dans les tableaux de perspective.*

DES MOYENS DE PERFECTIONNER LA VISION

* Maintenant que nous avons assez examiné comment
se fait la vision, recueillons en peu de mots et nous remet-
tons devant les yeux toutes les conditions qui sont requises
à sa perfection, afin que, considérant en quelle sorte il a
déjà été pourvu à chacune par la Nature, nous puissions
faire un dénombrement exact de tout ce qui reste encore
à l'art à y ajouter. On peut réduire toutes les choses auxquelles il faut avoir ici égard à trois principales, qui sont :
les objets, les organes intérieurs qui reçoivent les actions
de ces objets, et les extérieurs qui disposent ces actions
à être reçues comme elles doivent. Et, touchant les objets,
il suffit de savoir que les uns sont proches ou accessibles,
et les autres éloignés et inaccessibles, et avec cela les uns
plus, les autres moins illuminés; afin que nous soyons
avertis que, pour ce qui est des accessibles, nous les pouvons approcher ou éloigner, et augmenter ou diminuer
la lumière qui les éclaire, selon qu'il nous sera le plus
commode; mais que, pour ce qui concerne les autres,
nous n'y pouvons changer aucune chose. Puis, touchant
les organes intérieurs, qui sont les nerfs et le cerveau,
il est certain aussi que nous ne saurions rien ajouter par
art à leur fabrique; car nous ne saurions nous faire un
nouveau corps; et si les médecins y peuvent aider en
quelque chose, cela n'appartient point à notre sujet. Si
bien qu'il ne nous reste à considérer que les organes
extérieurs, entre lesquels je comprends toutes les parties
transparentes de l'œil aussi bien que tous les autres corps
qu'on peut mettre entre lui et l'objet. Et je trouve que
toutes les choses auxquelles il est besoin de pourvoir

---

* *Qu'il n'y a que quatre choses qui sont requises pour rendre la vision
toute parfaite.*

avec ces organes extérieurs peuvent être réduites à quatre
points. Dont le premier est, que tous les rayons qui se
vont rendre vers chacune des extrémités du nerf optique
ne viennent, autant qu'il est possible, que d'une même
partie de l'objet, et qu'ils ne reçoivent aucun changement
en l'espace qui est entre deux; car, sans cela, les images
qu'ils forment ne sauraient être ni bien semblables à
leur original ni bien distinctes. Le second, que ces images
soient fort grandes, non pas en étendue de lieu, car elles
ne sauraient occuper que le peu d'espace qui se trouve
au fond de l'œil, mais en l'étendue de leurs linéaments
ou de leurs traits, car il est certain qu'ils seront d'autant
plus aisés à discerner qu'ils seront plus grands. Le troisième, que les rayons qui les forment soient assez forts
pour mouvoir les petits filets du nerf optique, et par ce
moyen être sentis, mais qu'ils ne le soient pas tant qu'ils
blessent la vue. Et le quatrième, qu'il y ait le plus d'objets
qu'il sera possible dont les images se forment dans l'œil
en même temps, afin qu'on en puisse voir le plus qu'il
sera possible tout d'une vue.

* Or la Nature a employé plusieurs moyens à pourvoir
à la première de ces choses. Car premièrement, remplis-
sant l'œil de liqueurs fort transparentes et qui ne sont
teintes d'aucune couleur, elle a fait que les actions qui
viennent de dehors peuvent passer jusques au fond sans
se changer. Et par les réfractions que causent les superficies de ces liqueurs elle a fait qu'entre les rayons, suivant lesquels ces actions se conduisent, ceux qui viennent
d'un même point se rassemblent en un même point contre
le nerf; et ensuite que ceux qui viennent des autres
points s'y rassemblent aussi en autant d'autres divers
points, le plus exactement qu'il est possible. Car nous
devons supposer que la Nature a fait en ceci tout ce qui
est possible, d'autant que l'expérience ne nous y fait
rien apercevoir au contraire. Et même nous voyons que,
pour rendre d'autant moindre le défaut qui ne peut en
ceci être totalement évité, elle a fait qu'on puisse rétrécir
la prunelle quasi autant que la force de la lumière le
permet. Puis, par la couleur noire dont elle a teint toutes
les parties de l'œil opposées au nerf, qui ne sont point
transparentes, elle a empêché qu'il n'allât aucun autre
rayon vers ces mêmes points. Et enfin, par le changement

---

* *Comment la Nature a pourvu à la première de ces choses, et ce qui
reste à l'art à y ajouter.*

de la figure du corps de l'œil, elle a fait qu'encore que les
objets en puissent être plus ou moins éloignés une fois
que l'autre, les rayons qui viennent de chacun de leurs
points ne laissent pas de s'assembler, toujours aussi
exactement qu'il se peut, en autant d'autres points au
*fond de l'œil. Toutefois elle n'a pas si entièrement pourvu
à cette dernière partie qu'il ne se trouve encore quelque
chose à y ajouter : car, outre que, communément à tous,
elle ne nous a pas donné le moyen de courber tant les
superficies de nos yeux, que nous puissions voir distinctement les objets qui en sont fort proches, comme à un
doigt ou un demi-doigt de distance, elle y a encore man-
qué davantage en quelques uns, à qui elle a fait les yeux
de telle figure qu'ils ne leur peuvent servir qu'à regarder
les choses éloignées, ce qui arrive principalement aux
vieillards; et aussi en quelques autres à qui, au contraire,
elle les a fait tels qu'ils ne leur servent qu'à regarder les
choses proches, ce qui est plus ordinaire aux jeunes gens.
En sorte qu'il semble que les yeux se forment, au commencement, un peu plus longs et plus étroits qu'ils ne
doivent être et que par après, pendant qu'on vieillit,
**ils deviennent plus plats et plus larges. Or, afin que nous
puissions remédier par art à ces défauts, il sera premièrement besoin que nous cherchions les figures que les
superficies d'une pièce de verre ou de quelque autre
corps transparent doivent avoir, pour courber les rayons
qui tombent sur elles en telle sorte que tous ceux qui
viennent d'un certain point de l'objet, se disposent, en
les traversant, tout de même que s'ils étaient venus d'un
autre point qui fût plus proche ou plus éloigné, à savoir,
qui fût plus proche pour servir à ceux qui ont la vue
courte, et qui fût plus éloigné tant pour les vieillards
que généralement pour tous ceux qui veulent voir des
objets plus proches que la figure de leurs yeux ne le
permet...

* Quelle différence il y a entre les yeux des jeunes gens et ceux des
vieillards.
** Comment il faut pourvoir à ce que la Nature a omis aux yeux de ceux
qui ont la vue courte, et comment à ce qu'elle a omis aux yeux des vieillards.

DISCOURS DIXIÈME

DE LA FAÇON DE TAILLER LES VERRES

* ... Enfin, la dernière et principale chose à quoi
je voudrais qu'on s'exerçât, c'est à polir les verres
convexes des deux côtés pour les lunettes qui servent à
voir les objets accessibles, et que, s'étant premièrement
exercé à en faire de ceux qui rendent ces lunettes fort
courtes, à cause que ce seront les plus aisés, on tâchât
après, par degrés, à en faire de ceux qui les rendent plus
longues, jusques à ce qu'on soit parvenu aux plus longues
**dont on se puisse servir. Et afin que la difficulté que vous
pourrez trouver en la construction de ces dernières
lunettes ne vous dégoûte, je vous veux avertir qu'encore
que d'abord leur usage n'attire pas tant que celui de ces
autres qui semblent promettre de nous élever dans les
cieux, et de nous y montrer sur les astres des corps aussi
particuliers et peut-être aussi divers que ceux qu'on voit
sur la terre, je les juge toutefois beaucoup plus utiles,
à cause qu'on pourra voir par leur moyen les divers
mélanges et arrangements des petites parties dont les
animaux et les plantes, et peut-être aussi les autres corps
qui nous environnent, sont composés, et de là tirer beaucoup d'avantage pour venir à la connaissance de leur
nature. Car déjà, selon l'opinion de plusieurs philosophes,
tous ces corps ne sont faits que des parties des éléments
diversement mêlées ensemble ; et, selon la mienne, toute
leur nature et leur essence, au moins de ceux qui sont
inanimés, ne consiste qu'en la grosseur, la figure, l'arran-
gement et les mouvements de leurs parties...

---

* *Que les verres convexes qui servent aux plus longues lunettes ont
besoin d'être taillés plus exactement que les autres.*
** *Quelle est la principale utilité des lunettes à puce.*

LES MÉTÉORES

DE LA NATURE DES CORPS TERRESTRES

Nous avons naturellement plus d'admiration [1] pour les choses qui sont au-dessus de nous, que pour celles qui sont à pareille hauteur ou au-dessous. Et quoique les nues n'excèdent guère les sommets de quelques montagnes, et qu'on en voie même souvent de plus basses que les pointes de nos clochers, toutefois, à cause qu'il faut tourner les yeux vers le ciel pour les regarder, nous les imaginons si relevées, que même les poètes et les peintres en composent le trône de Dieu, et font que là il emploie ses propres mains à ouvrir et fermer les portes des vents, à verser la rosée sur les fleurs et à lancer la foudre sur les rochers. Ce qui me fait espérer que si j'explique ici leur nature, en telle sorte qu'on n'ait plus occasion d'admirer rien de ce qui s'y voit ou qui en descend, on croira facilement qu'il est possible en même façon de trouver les causes de tout ce qu'il y a de plus admirable dessus la terre.

Je parlerai, en ce premier discours, de la nature des corps terrestres en général, afin de pouvoir mieux expliquer dans le suivant celle des exhalaisons et des vapeurs. Puis à cause que ces vapeurs, s'élevant de l'eau de la mer, forment quelquefois du sel au-dessus de sa superficie, je prendrai de là occasion de m'arrêter un peu à le décrire et d'essayer en lui, si on peut connaître les formes de ces corps, que les philosophes disent être composés des éléments par un mélange parfait, aussi bien que celles des météores, qu'ils disent n'en être

---

1. « L'admiration est une subite surprise de l'âme, qui fait qu'elle se porte à considérer avec attention les objets qui lui semblent rares et extraordinaires. » (*Passions*, § 70.)

composés que par un mélange imparfait [1]. Après cela, conduisant les vapeurs par l'air, j'examinerai d'où viennent les vents. Et les faisant assembler en quelques endroits, je décrirai la nature des nues. Et faisant dissoudre ces nues, je dirai ce qui cause la pluie, la grêle et la neige, où je n'oublierai pas celle dont les parties ont la figure de petites étoiles à six pointes très parfaitement compassées [2], et qui, bien qu'elle n'ait point été observée par les anciens, ne laisse pas d'être l'une des plus rares merveilles de la nature. Je n'oublierai pas aussi les tempêtes, le tonnerre, la foudre et les divers feux qui s'allument en l'air, ou les lumières qui s'y voient. Mais surtout je tâcherai de bien dépeindre l'arc-en-ciel et de rendre raison de ses couleurs, en telle sorte qu'on puisse aussi entendre la nature de toutes celles qui se trouvent en d'autres sujets. A quoi j'ajouterai la cause de celles qu'on voit communément dans les nues, et des cercles qui environnent les astres, et enfin la cause des soleils ou des lunes qui paraissent quelquefois plusieurs ensemble.

Il est vrai que la connaissance de ces choses dépendant des principes généraux de la Nature, qui n'ont point encore été, que je sache, bien expliqués, il faudra que je me serve au commencement de quelques suppositions, ainsi que j'ai fait en la Dioptrique; mais je tâcherai de les rendre si simples et si faciles que vous ne ferez peut-être pas difficulté de les croire, encore que je ne les aie point démontrées.

*   Je suppose premièrement que l'eau, la terre, l'air et tous les autres tels corps qui nous environnent sont composés de plusieurs petites parties de diverses figures et grosseurs, qui ne sont jamais si bien arrangées ni si justement jointes ensemble, qu'il ne reste plusieurs inter-
**valles autour d'elles; et que ces intervalles ne sont pas vides, mais remplis de cette matière fort subtile, par

---

1. Descartes suit les distinctions des commentateurs scolastiques d'Aristote, et donne le plan de son ouvrage : vapeurs, discours 2; vents, d. 4; nues, d. 5; neige, pluie, grêle, d. 6; tempêtes, foudre..., d. 7; arc-en-ciel, d. 8; cercles ou couronnes..., d. 9; de l'apparition de plusieurs soleils, d. 10.

2. Cf. ci-dessous, p. 177, note 1.

   * *Que l'eau, la terre, l'air, et tous les autres tels corps sont composés de plusieurs parties.*
   ** *Qu'il y a des pores en tous ces corps qui sont remplis d'une matière fort subtile.*

l'entremise de laquelle j'ai dit ci-dessus [1] que se commu-
*niquait l'action de la lumière. Puis en particulier, je
suppose que les petites parties, dont l'eau est composée,
sont longues, unies et glissantes, ainsi que de petites
anguilles, qui, quoiqu'elles se joignent et s'entrelacent,
ne se nouent ni ne s'accrochent jamais pour cela en telle
façon qu'elles ne puissent aisément être séparées ; et,
**au contraire, que presque toutes celles tant de la terre que
même de l'air et de la plupart des autres corps ont des
figures fort irrégulières et inégales, en sorte qu'elles ne
peuvent être si peu entrelacées qu'elles ne s'accrochent
et se lient les unes aux autres, ainsi que font les diverses
branches des arbrisseaux, qui croissent ensemble dans
***une haie. Et lorsqu'elles se lient en cette sorte, elles
composent des corps durs, comme de la terre, du bois,
ou autres semblables ; au lieu que, si elles sont simplement
posées l'une sur l'autre, sans être que fort peu ou point
du tout entrelacées, et qu'elles soient avec cela si petites,
qu'elles puissent être mues et séparées par l'agitation de
la matière subtile qui les environne, elles doivent occuper
beaucoup d'espace, et composer des corps liquides fort
rares et fort légers, comme des huiles ou de l'air.
****   De plus il faut penser que la matière subtile qui remplit
les intervalles qui sont entre les parties de ces corps est
de telle nature qu'elle ne cesse jamais de se mouvoir çà
et là grandement vite, non point toutefois exactement de
même vitesse en tous lieux et en tous temps, mais qu'elle
se meut communément un peu plus vite vers la superficie de la terre, qu'elle ne fait au haut de l'air où sont les

---

1. *Dioptrique*, disc. 1, p. 103. Cette matière subtile joue un grand
rôle dans la physique cartésienne : « Ces petits corps qui entrent lorsqu'une chose se raréfie, et qui sortent lorsqu'elle se condense, et qui
passent au travers des choses les plus dures, sont de même substance
que ceux qui se voient et qui se touchent ; mais il ne les faut pas imaginer comme des atomes..., mais comme une substance extrêmement
fluide et subtile, qui remplit les pores des autres corps » (à Mersenne,
15 avril 1630).

* *Que les parties de l'eau sont longues, unies et glissantes.*
** *Que celles de la plupart des autres corps sont comme des branches
d'arbres et ont diverses figures irrégulières.*
*** *Que ces branches, étant jointes ou entrelacées, composent des corps
durs. Que lorsqu'elles ne sont point ainsi entrelacées, ni si grosses qu'elles
ne puissent être agitées par la matière subtile, elles composent des huiles
ou de l'air.*
**** *Que cette matière subtile ne cesse jamais de se mouvoir. Qu'elle se
meut ordinairement plus vite contre la terre que vers les nues, vers l'équateur que vers les pôles, l'été que l'hiver, et le jour que la nuit.*

nues, et plus vite vers les lieux proches de l'équateur que vers les pôles, et au même lieu plus vite l'été que l'hiver et le jour que la nuit. Dont la raison est évidente, en supposant que la lumière n'est autre chose qu'un certain mouvement ou une action, dont les corps lumineux poussent cette matière subtile de tous côtés autour d'eux en ligne droite, ainsi qu'il a été dit en la Dioptrique. Car il suit de là que les rayons du soleil, tant droits que réfléchis, la doivent agiter davantage le jour que la nuit, et l'été que l'hiver, et sous l'équateur que sous les pôles, et contre la terre que vers les nues.

* Puis il faut aussi penser que cette matière subtile est composée de diverses parties, qui, bien qu'elles soient toutes très petites, le sont toutefois beaucoup moins les unes que les autres, et que les plus grosses, ou pour mieux parler, les moins petites, ont toujours le plus de force, ainsi que généralement tous les grands corps en ont plus que les moindres quand il sont autant ébranlés. Ce qui fait que, moins cette matière est subtile, c'est-à-dire composée de parties moins petites, plus elle peut agiter les parties des autres corps. Et ceci fait aussi qu'elle est ordinairement le moins subtile aux lieux et aux temps où elle est le plus agitée, comme vers la superficie de la terre que vers les nues, et sous l'équateur que sous les pôles, et en été qu'en hiver, et de jour que de nuit. Dont la raison est que les plus grosses de ces parties, ayant le plus de force, peuvent le mieux aller vers les lieux où, l'agitation étant plus grande, il leur est plus aisé de continuer leur mouvement. Toutefois, il y en a toujours quantité de fort petites qui se coulent parmi ces plus grosses.

** Et il est à remarquer que tous les corps terrestres ont bien des pores, par où ces plus petites peuvent passer, mais qu'il y en a plusieurs qui les ont si étroits, ou tellement disposés qu'ils ne reçoivent point les plus grosses; et que ce sont ordinairement ceux-ci qui se sentent les plus froids quand on les touche, ou seulement quand on s'en approche. Comme, d'autant que les marbres et les métaux se sentent plus froids que le bois, on doit penser que leurs pores ne reçoivent pas si facilement les parties subtiles de cette matière, et que les pores de la glace les

---

* *Qu'elle est composée de parties inégales. Que les plus petites de ses parties ont le moins de force pour mouvoir les autres corps. Que les moins petites se trouvent le plus aux lieux où elle est le plus agitée.*
** *Que ces moins petites ne peuvent passer au travers de plusieurs corps, et que cela rend ces corps froids.*

reçoivent encore moins facilement que ceux des marbres
ou des métaux, d'autant qu'elle est encore plus froide.
*Car je suppose ici que, pour le froid et le chaud, il n'est
pas besoin de concevoir autre chose sinon que les petites
parties des corps que nous touchons étant agitées plus
ou moins fort que de coutume, soit par les petites parties
de cette matière subtile, soit par telle autre cause que ce
puisse être, agitent aussi plus ou moins les petits filets
de ceux de nos nerfs qui sont les organes de l'attouchement; et que, lorsqu'elles les agitent plus fort que de
coutume, cela cause en nous le sentiment de la chaleur,
au lieu que lorsqu'elles les agitent moins fort, cela cause
**le sentiment de la froideur. Et il est bien aisé à com-
prendre, qu'encore que cette matière subtile ne sépare pas
les parties des corps durs, qui sont comme des branches
entrelacées, en même façon qu'elle fait celles de l'eau
et de tous les autres corps qui sont liquides, elle ne laisse
pas de les agiter et faire trembler plus ou moins, selon
que son mouvement est plus ou moins fort, et que ses
parties sont plus ou moins grosses; ainsi que le vent
peut agiter toutes les branches des arbrisseaux dont une
palissade est composée sans les ôter pour cela de leurs
places.
***   Au reste, il faut penser qu'il y a telle proportion entre
la force de cette matière subtile et la résistance des parties
des autres corps, que lorsqu'elle est autant agitée, et
qu'elle n'est pas plus subtile qu'elle a coutume d'être
en ces quartiers contre la terre, elle a la force d'agiter et
de faire mouvoir séparément l'une de l'autre et même
de plier la plupart des petites parties de l'eau entre lesquelles elle se glisse, et ainsi de la rendre liquide; mais
que, lorsqu'elle n'est pas plus agitée, ni moins subtile,
qu'elle a coutume d'être en ces quartiers au haut de l'air,
ou qu'elle y est quelquefois en hiver contre la terre, elle
n'a point assez de force pour les plier et agiter en cette
façon, ce qui est cause qu'elles s'arrêtent confusément
jointes et posées l'une sur l'autre, et ainsi qu'elles composent un corps dur, à savoir de la glace. En sorte que
vous pouvez imaginer même différence entre de l'eau et
de la glace, que vous feriez entre un tas de petites
anguilles, soit vives soit mortes, flottantes dans un

Ce qu'on peut concevoir pour le chaud et pour le froid.
** *Comment les corps durs peuvent être échauffés.*
*** *D'où vient que l'eau est communément liquide, et comment le froid
la rend dure.*

bateau de pêcheur tout plein de trous par lesquels passe
l'eau d'une rivière qui les agite, et un tas des mêmes
anguilles, toutes sèches et raides de froid sur le rivage.
*Et pour ce que l'eau ne se gèle jamais, que la matière qui
est entre ses parties ne soit plus subtile qu'à l'ordinaire,
de là vient que les pores de la glace qui se forment pour
lors, ne s'accommodant qu'à la grosseur des parties de
cette matière plus subtile, se disposent en telle sorte
qu'ils ne peuvent recevoir celle qui l'est moins, et ainsi
que la glace est toujours grandement froide, nonobstant
qu'on la garde jusques à l'été, et même qu'elle retient
alors sa dureté, sans s'amollir peu à peu comme la cire,
à cause que la chaleur ne pénètre au-dedans qu'à mesure
que le dessus devient liquide.
**   Il y a ici de plus à remarquer qu'entre les parties
longues et unies dont j'ai dit que l'eau était composée,
il y en a véritablement la plupart qui se plient ou cessent
de se plier selon que la matière subtile qui les environne
a quelque peu plus ou moins de force qu'à l'ordinaire,
ainsi que je viens d'expliquer; mais qu'il y en a aussi de
plus grosses, qui ne pouvant ainsi être pliées, composent
les sels, et de plus petites, qui le pouvant être toujours,
composent les esprits ou eaux-de-vie, qui ne se gèlent
jamais [1]; et que, lorsque celles de l'eau commune cessent
du tout [2] de se plier, leur figure la plus naturelle n'est
pas en toutes d'être droites comme des joncs, mais, en
plusieurs, d'être courbées en diverses sortes : d'où vient
qu'elles ne peuvent pour lors se ranger en si peu d'espace
que lorsque la matière subtile, étant assez forte pour les
plier, leur fait accommoder leurs figures les unes aux
autres.
***   Il est vrai aussi que, lorsqu'elle est plus forte qu'il
n'est requis à cet effet, elle est cause derechef qu'elles
s'étendent en plus d'espace : ainsi qu'on pourra voir
par expérience, si, ayant rempli d'eau chaude un matras [3]

---

1. L'alcool éthylique ne gèle qu'à — 112°.
2. Tout à fait.
3. Vase de verre à col long et étroit employé en chimie et en phar-
macie.

---

*Comment la glace conserve toujours sa froideur, même en été, et
pourquoi elle ne s'amollit pas peu à peu comme la cire.*
**Quelles sont les parties des sels. Quelles sont les parties des esprits ou
eaux-de-vie.*
***Pourquoi l'eau s'enfle en se gelant. Pourquoi elle s'enfle aussi en
s'échauffant. Pourquoi l'eau bouillie se gèle plus tôt que l'autre.*

ou autre tel vase dont le col soit assez long et étroit, on l'expose à l'air lorsqu'il gèle; car cette eau s'abaissera visiblement peu à peu jusqu'à ce qu'elle soit parvenue à certain degré de froideur, puis s'enflera et se rehaussera aussi peu à peu, jusqu'à ce qu'elle soit toute gelée, en sorte que le même froid qui l'aura condensée ou resserrée au commencement, la raréfiera par après. Et on peut voir aussi par expérience que l'eau qu'on a tenue longtemps sur le feu se gèle plus tôt que d'autre; dont la raison est que celles de ses parties qui peuvent le moins cesser de se plier s'évaporent pendant qu'on la chauffe.

*   Mais, afin que vous receviez toutes ces suppositions avec moins de difficulté, sachez que je ne conçois pas les petites parties des corps terrestres comme des atomes ou particules indivisibles, mais que, les jugeant toutes d'une même matière, je crois que chacune pourrait être redivisée en une infinité de façons, et qu'elles ne diffèrent entre elles que comme des pierres de plusieurs diverses figures, qui auraient été coupées d'un même rocher. Puis sachez aussi que, pour ne point rompre la paix avec les philosophes, je ne veux rien du tout nier de ce qu'ils imaginent dans les corps de plus que je n'ai dit, comme leurs formes substantielles [1], leurs qualités réelles, et choses semblables, mais qu'il me semble que mes raisons devront être d'autant plus approuvées, que je les ferai dépendre de moins de choses.

---

1. Cf. *Discours*, 5e partie, p. 69, note 1. Ici Descartes, sans engager la critique, se contente de montrer que toutes ces entités sont superflues.

* *Que les plus petites parties des corps ne doivent point être conçues comme des atomes, mais comme celles qu'on voit à l'œil, excepté qu'elles sont incomparablement plus petites; et qu'il n'est point besoin de rien rejeter de la philosophie ordinaire pour entendre ce qui est en ce traité.*

DE LA NEIGE,
DE LA PLUIE, ET DE LA GRÊLE

* ... Mais les diverses figures de cette grêle n'ont encore rien de curieux ni de remarquable à comparaison de celles de la neige qui se fait de ces petits nœuds ou pelotons de glace arrangés par le vent en forme de feuilles, en la façon que j'ai tantôt décrite. Car lorsque la chaleur commence à fondre les petits poils de ces feuilles, elle abat premièrement ceux du dessus et du dessous à cause que ce sont les plus exposés à son action, et fait que le peu de liqueur qui en sort se répand sur leurs superficies, où il remplit aussitôt les petites inégalités qui s'y trouvent, et ainsi les rend aussi plates et polies que sont celles des corps liquides; nonobstant qu'il s'y regèle tout aussitôt, à cause que, si la chaleur n'est point plus grande qu'il est besoin pour faire que ces petits poils étant environnés d'air tout autour se dégèlent, sans qu'il se fonde rien davantage, elle ne l'est pas assez pour empêcher que leur matière ne se regèle quand elle est sur ces superficies qui sont de glace. Après cela, cette chaleur ramollissant et fléchissant aussi les petits poils qui restent autour de chaque nœud dans le circuit où il est environné de six autres semblables à lui, elle fait que ceux de ces poils qui sont les plus éloignés des six nœuds voisins, se pliant indifféremment çà et là, se vont tous joindre à ceux qui sont vis-à-vis de ces six nœuds; car ceux-ci étant refroidis par la proximité de ces nœuds ne peuvent se fondre, mais tout au contraire font geler derechef la matière des autres sitôt qu'elle est mêlée parmi la leur. Au moyen de

* *Comment les petites parties de la neige prennent la figure des roues ou étoiles qui ont chacune six pointes.*

quoi il se forme six pointes ou rayons autour de chaque
nœud, qui peuvent avoir diverses figures selon que les
nœuds sont plus ou moins gros et pressés, et leurs poils
plus ou moins forts et longs, et la chaleur qui les assemble
plus ou moins lente et modérée, et selon aussi que le
vent qui accompagne cette chaleur, si au moins elle est
accompagnée de quelque vent, est plus ou moins fort.
Et ainsi la face extérieure de la nue, qui était auparavant
telle qu'on voit vers Z, ou vers M, devient par après telle
qu'on voit vers O, ou vers Q, et chacune des parcelles
de glace dont elle est composée a la figure d'une petite
rose ou étoile fort bien taillée.

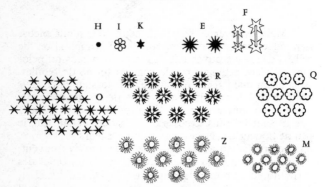

*   Mais, afin que vous ne pensiez pas que je n'en parle
que par opinion, je vous veux faire ici le rapport d'une
observation que j'en ai faite l'hiver passé 1635. Le quatrième de février, l'air ayant été auparavant extrêmement
froid, il tomba le soir à Amsterdam, où j'étais pour lors,
un peu de verglas, c'est-à-dire de pluie qui se gelait en
arrivant contre la terre; et après, il suivit une grêle fort
menue, dont je jugeai que les grains, qui n'étaient qu'à
peu près de la grosseur qu'ils sont représentés vers H,
étaient des gouttes de la même pluie qui s'étaient gelées
au haut de l'air. Toutefois, au lieu d'être exactement
ronds, comme sans doute ces gouttes avaient été, ils
avaient un côté notablement plus plat que l'autre, en
sorte qu'ils ressemblaient presque en figure < à > la
partie de notre œil qu'on nomme l'humeur cristalline.

*D'où vient qu'il tombe aussi de petites lames transparentes qui sont
hexagones.*

D'où je connus que le vent, qui était lors très grand et très froid, avait eu la force de changer ainsi la figure des *gouttes en les gelant. Mais ce qui m'étonna le plus de tout, fut qu'entre ceux de ces grains qui tombèrent les derniers, j'en remarquai quelques-uns qui avaient autour de soi six petites dents semblables à celles des roues des horloges, ainsi que vous voyez vers I; et ces dents étant fort blanches comme du sucre, au lieu que les grains qui étaient de glace transparente semblaient presque noirs, elles paraissaient manifestement être faites d'une neige fort subtile qui s'était attachée autour d'eux depuis qu'ils étaient formés, ainsi que s'attache la gelée blanche autour des plantes. Et je connus ceci d'autant plus clairement de ce que tout à la fin j'en rencontrai un ou deux qui avaient autour de soi plusieurs petits poils sans nombre, composés d'une neige plus pâle et plus subtile que celle des petites dents qui étaient autour des autres, en sorte qu'elle lui pouvait être comparée en même façon que la cendre non foulée dont se couvrent les charbons en se consumant, à celle qui est recuite et entassée dans le foyer. Seulement avais-je de la peine à imaginer qui pouvait avoir formé et compassé [1] si justement ces six dents autour de chaque grain dans le milieu d'un air libre, et pendant l'agitation d'un fort grand vent, jusques à ce qu'enfin je considérai que ce vent avait pu facilement emporter quelques uns de ces grains au-dessous ou au-delà de quelque nue, et les y soutenir, à cause qu'ils étaient assez petits ; et que là ils avaient dû s'arranger en telle sorte que chacun d'eux fût environné de six autres situés en un même plan, suivant l'ordre ordinaire de la nature ; et de plus qu'il était bien vraisemblable que la chaleur qui avait dû être un peu auparavant au haut de l'air pour causer la pluie que j'avais observée, y avait aussi ému [2] quelques vapeurs que ce même vent avait chassées contre ces grains, où elles s'étaient gelées en forme de petits poils fort déliés, et avaient même peut-être aidé à les soutenir ; en sorte qu'ils avaient pu facilement demeurer là suspendus, jusques à ce qu'il fût derechef survenu quelque chaleur. Et que cette chaleur fondant d'abord tous les poils qui étaient autour de chaque

1. Proportionné comme au compas.
2. Mis en mouvement.

* Et d'autres qui semblent des roses ou des roues d'horloge qui ont seulement six dents arrondies en demi-cercle.

grain, excepté ceux qui s'étaient trouvés vis-à-vis du milieu de quelqu'un des six autres grains qui l'environnaient, à cause que leur froideur avait empêché son action, la matière de ces poils fondus s'était mêlée aussitôt parmi les six tas de ceux qui étaient demeurés, et les ayant par ce moyen fortifiés et rendus d'autant moins pénétrables à la chaleur, elle s'était gelée parmi eux, et ils avaient ainsi composé ces six dents. Au lieu que les poils sans nombre que j'avais vus autour de quelques uns des derniers grains qui étaient tombés, n'avaient point du tout été atteints par cette chaleur. Le lendemain matin sur les huit heures j'observai encore une autre sorte de grêle, ou plutôt de neige, dont je n'avais jamais ouï parler : c'étaient de petites lames de glace, toutes plates, fort polies, fort transparentes, environ de l'épaisseur d'une feuille d'assez gros papier, et de la grandeur qu'elles se voient vers K, mais si parfaitement taillées en hexagones, et dont les six côtés étaient si droits, et les six angles si égaux, qu'il est impossible aux hommes de rien faire de si exact. Je vis bien incontinent que ces lames avaient dû être premièrement de petits pelotons de glace arrangés comme j'ai tantôt dit, et pressés par un vent très fort accompagné d'assez de chaleur, en sorte que cette chaleur avait fondu tous leurs poils, et avait tellement rempli tous leurs pores de l'humidité qui en était sortie, que, de blancs qu'ils avaient été auparavant, ils étaient devenus transparents ; et que ce vent les avait à même temps si fort pressés les uns contre les autres, qu'il n'était demeuré aucun espace entre deux, et qu'il avait aussi aplani leurs superficies en passant par-dessus et par-dessous, et ainsi leur avait justement donné la figure de ces lames. Seulement restait-il un peu de difficulté en ce que ces pelotons de glace ayant été ainsi demi-fondus, et à même temps pressés l'un contre l'autre, ils ne s'étaient point collés ensemble pour cela, mais étaient demeurés tous séparés ; car, quoique j'y prisse garde expressément, je n'en pus jamais rencontrer deux qui tinssent l'un à l'autre. Mais je me satisfis bientôt là-dessus en considérant de quelle façon le vent agite toujours et fait plier successivement toutes les parties de la superficie de l'eau, en coulant par-dessus sans la rendre pour cela rude ou inégale. Car je connus de là qu'infailliblement il fait plier et ondoyer en même sorte les superficies des nues, et qu'y remuant continuellement chaque parcelle de glace un peu autrement que ses voisines, il ne leur permet pas de se coller ensemble tout-à-fait, encore qu'il ne les désarrange point pour cela, et qu'il ne laisse pas cependant d'aplanir et de polir leurs petites superficies, en même façon que nous voyons quelquefois qu'il polit celles des ondes qu'il fait en la poussière d'une campagne. Après cette nue il en vint une autre qui ne produisait que de petites roses ou roues à six dents arrondies en demi-cercles, telles qu'on les voit vers Q, et qui étaient toutes transparentes et toutes plates, à peu près de même épaisseur que les lames qui avaient précédé, et les mieux taillées et compassées qu'il soit possible d'imaginer. *Même j'aperçus au milieu de quelques-unes un point blanc fort petit qu'on eût pu dire être la marque du pied du compas dont on s'était servi pour les arrondir. Mais il me fut aisé de juger qu'elles s'étaient formées de la même façon que ces lames, excepté que le vent les ayant beaucoup moins pressées et la chaleur ayant peut-être aussi été un peu moindre, leurs pointes ne s'étaient pas fondues tout-à-fait, mais seulement un peu raccourcies et arrondies par le bout en forme de dents. Et pour le point blanc qui paraissait au milieu de quelques-unes, je ne doutais point qu'il ne procédât de ce que la chaleur, qui de blanches les avait rendues transparentes, avait été si médiocre qu'elle n'avait pas du tout pénétré jusques à leur **centre. Il suivit, après, plusieurs autres telles roues jointes deux à deux par un essieu, ou plutôt, à cause que du commencement ces essieux étaient fort gros, on eût pu dire que c'étaient autant de petites colonnes de cristal dont chaque bout était orné d'une rose à six feuilles un peu plus larges que leur base. Mais il en tomba par après de plus déliés, et souvent les roses ou étoiles qui étaient à leurs extrémités étaient inégales. Puis il en tomba aussi de plus courts, et encore de plus courts par degrés, jusques à ce qu'enfin ces étoiles se joignirent tout-à-***fait; et il en tomba de doubles à douze pointes ou rayons assez longs et parfaitement bien compassés, aux unes tous égaux et aux autres alternativement inégaux, comme on les voit vers F et vers E. Et tout ceci me donna occa-

---

* Pourquoi quelques unes de ces roues ont un petit point blanc au milieu.

** D'où vient qu'elles sont quelquefois jointes deux à deux par un essieu ou une petite colonne de glace. Et d'où vient que l'une de celles qui sont ainsi jointes est quelquefois plus grande que l'autre.

*** Pourquoi il tombe quelquefois de petites étoiles de glace qui ont douze rayons.

sion de considérer que les parcelles de glace, qui sont de deux divers plans ou feuilles posées l'une sur l'autre dans les nues, se peuvent attacher ensemble plus aisément que celles d'une même feuille. Car bien que le vent, agissant d'ordinaire plus fort contre les plus basses de ces feuilles que contre les plus hautes, les fasse mouvoir un peu plus vite, ainsi qu'il a été tantôt remarqué, néanmoins il peut aussi quelquefois agir contre elles d'égale force et les faire ondoyer de même façon : principalement lorsqu'il n'y en a que deux ou trois l'une sur l'autre, et lors, se criblant par les environs des pelotons qui les composent, il fait que ceux de ces pelotons qui se correspondent en diverses feuilles se tiennent toujours comme immobiles vis-à-vis les uns des autres, nonobstant l'agitation et ondoiement de ces feuilles, à cause que par ce moyen le passage lui est plus aisé. Et cependant la chaleur, n'étant pas moins empêchée, par la proximité des pelotons de deux diverses feuilles, de fondre ceux de leurs poils qui se regardent, que par la proximité de ceux d'une même, ne fond que les autres poils d'alentour, qui, se mêlant aussitôt parmi ceux qui demeurent, et s'y regelant, composent les essieux ou colonnes qui joignent ces petits pelotons au même temps qu'ils se changent en roses ou en étoiles. Et je ne m'étonnai point de la grosseur que j'avais remarquée au commencement en ces colonnes, encore que je connusse bien que la matière des petits poils qui avait été autour de deux pelotons n'avait pu suffire pour les composer; car je pensai qu'il y avait eu peut-être quatre ou cinq feuilles l'une sur l'autre, et que la chaleur, ayant agi plus fort contre les deux ou trois du milieu que contre la première et la dernière, à cause qu'elles étaient moins exposées au vent, avait presque entièrement fondu les pelotons qui les composaient, et en avait formé ces colonnes. Je ne m'étonnai point non plus de voir souvent deux étoiles d'inégale grandeur jointes ensemble; car, prenant garde que les rayons de la plus grande étaient toujours plus longs et plus pointus que ceux de l'autre, je jugeais que la cause en était que la chaleur, ayant été plus forte autour de la plus petite que de l'autre, avait davantage fondu et émoussé les pointes de ces rayons; ou bien que cette plus petite pouvait aussi avoir été composée d'un peloton de glace plus petit. Enfin, je ne m'étonnai point de ces étoiles doubles à douze rayons qui tombèrent après, car je jugeai que chacune avait été composée de deux simples à six rayons,

par la chaleur qui, étant plus forte entre les deux feuilles
où elles étaient qu'au dehors, avait entièrement fondu
les petits filets de glace qui les conjoignaient, et ainsi les
avait collés ensemble; comme aussi elle avait accourci
ceux qui conjoignaient les autres, que j'avais vues tomber immédiatement auparavant. Or, entre plusieurs mil-
liers de ces petites étoiles que je considérai ce jour-là,
quoique j'y prisse garde expressément, je n'en pus jamais
remarquer aucune qui eût plus ou moins de six rayons,
excepté un fort petit nombre de ces doubles qui en avaient
*douze, et quatre ou cinq autres qui en avaient huit. Et
celles-ci n'étaient pas exactement rondes, ainsi que toutes
les autres, mais un peu en ovale, et entièrement telles
qu'on les peut voir vers O; d'où je jugeai qu'elles s'étaient
formées en la conjonction des extrémités de deux feuilles
que le vent avait poussées l'une contre l'autre au même
temps que la chaleur convertissait leurs petits pelotons
en étoiles. Car elles avaient exactement la figure que cela
doit causer. Et cette conjonction, se faisant suivant une
ligne toute droite, ne peut être tant empêchée par l'ondoiement que causent les vents que celle des parcelles
d'une même feuille; outre que la chaleur peut aussi
être plus grande entre les bords de ces feuilles, quand
elles s'approchent l'une de l'autre, qu'aux autres lieux,
et cette chaleur ayant à demi fondu les parcelles de glace
qui y sont, le froid qui lui succède au moment qu'elles
commencent à se toucher les peut aisément coller
**ensemble. Au reste, outre les étoiles dont j'ai parlé
jusques ici, qui étaient transparentes, il en tomba une infinité d'autres ce jour-là qui étaient toutes blanches
comme du sucre, et dont quelques unes avaient à peu
près même figure que les transparentes; mais la plupart
avaient leurs rayons plus pointus et plus déliés, et souvent
divisés tantôt en trois branches dont les deux côtés
étaient repliés en dehors de part et d'autre, et celle du
milieu demeurait droite, en sorte qu'elles représentaient
une fleur de lis, comme on peut voir vers R; et tantôt en
plusieurs qui représentaient des plumes, ou des
feuilles de fougère, ou choses semblables. Et il tombait
aussi parmi ces étoiles plusieurs autres parcelles de glace

---

* *Pourquoi il en tombe aussi, bien que fort rarement, qui en ont huit.*
** *Pourquoi les unes de ces étoiles sont blanches et les autres transpa-*
rentes, et les rayons des unes sont courts et ronds en forme de dents, les
autres longs et pointus, et souvent divisés en plusieurs branches qui repré-
sentent des plumes, ou des feuilles de fougère, ou des fleurs de lis.

en forme de filets, er sans autre figure déterminée. Dont
toutes les causes sont aisées à entendre ; car pour la blan-
cheur de ces étoiles elle ne procédait que de ce que la
chaleur n'avait point pénétré jusques au fond de leur
matière, ainsi qu'il était manifeste de ce que toutes celles
qui étaient fort minces étaient transparentes. Et si
quelquefois les rayons des blanches n'étaient pas moins
courts et mousses que ceux des transparentes, ce n'était
pas qu'ils se fussent autant fondus à la chaleur, mais
qu'ils avaient été davantage pressés par les vents : et
communément ils étaient plus longs et pointus, à cause
qu'ils s'étaient moins fondus. Et lorsque ces rayons
étaient divisés en plusieurs branches, c'était que la chaleur avait abandonné les petits poils qui les composaient
sitôt qu'ils avaient commencé à s'approcher les uns des
autres pour s'assembler. Et lorsqu'ils étaient seulement
divisés en trois branches, c'était qu'elle les avait aban-
donnés un peu plus tard ; et les deux branches des côtés
se repliaient de part et d'autre en dehors lorsque cette
chaleur se retirait, à cause que la proximité de la branche
du milieu les rendait incontinent plus froides et moins
flexibles de son côté, ce qui formait chaque rayon en
fleur de lis. Et les parcelles de glace qui n'avaient
aucune figure déterminée m'assuraient que toutes les
nues n'étaient pas composées de petits nœuds ou pelotons, mais qu'il y en avait aussi qui n'étaient faites que
*de filets confusément entremêlés. Pour la cause qui fai-
sait descendre ces étoiles, la violence du vent qui continua tout ce jour-là me la rendait fort manifeste ; car je
jugeais qu'il pouvait aisément les désarranger et rompre
les feuilles qu'elles composaient après les avoir faites ;
et que, sitôt qu'elles étaient ainsi désarrangées, penchant
quelqu'un de leurs côtés vers la terre, elles pouvaient
facilement fendre l'air, à cause qu'elles étaient toutes
plates et se trouvaient assez pesantes pour descendre.
**Mais s'il tombe quelquefois de ces étoiles en temps
calme, c'est que l'air de dessous en se resserrant attire à
soi toute la nue, ou que celui de dessus en se dilatant
le pousse en bas, et par même moyen les désarrange ;
d'où vient que pour lors elles ont coutume d'être suivies
de plus de neige, ce qui n'arriva point ce jour-là. Le

* Comment ces étoiles de glace descendent des nues.
** Pourquoi, lorsqu'elles tombent en temps calme, elles ont coutume
d'être suivies de plus de neige, mais que ce n'est pas le même quand il fait
vent.

matin suivant, il tomba des flocons de neige qui semblaient être composés d'un nombre infini de fort petites étoiles jointes ensemble : toutefois, en y regardant de plus près, je trouvai que celles du dedans n'étaient pas si régulièrement formées que celles du dessus, et qu'elles pouvaient aisément procéder de la dissolution d'une nue semblable à celle qui a été ci-dessus marquée G [1]. Puis, cette neige ayant cessé, un vent subit en forme d'orage fit tomber un peu de grêle blanche, fort longue et menue, dont chaque grain avait la figure d'un pain de sucre; et l'air devenant clair et serein tout aussitôt, je jugeai que cette grêle s'était formée de la plus haute partie des nues, dont la neige était fort subtile et composée de filets fort déliés, en la façon que j'ai tantôt décrite. Enfin, à trois jours de là, voyant tomber de la neige toute composée de petits nœuds ou pelotons environnés d'un grand nombre de poils entremêlés et qui n'avaient aucune forme d'étoile, je me confirmai en la créance de tout ce que j'avais imaginé touchant cette matière...

1. Il s'agit d'une nuée « fort plate et étendue ».

DE L'ARC-EN-CIEL

L'arc-en-ciel est une merveille de la Nature si remarquable, et sa cause a été de tout temps si curieusement recherchée par les bons esprits, et si peu connue, que je ne saurais choisir de matière plus propre à faire voir comment, par la méthode dont je me sers, on peut venir à des connaissances que ceux dont nous avons les écrits
*n'ont point eues. Premièrement, ayant considéré que cet arc ne peut pas seulement paraître dans le ciel, mais aussi en l'air proche de nous, toutes fois et quantes [1] qu'il s'y trouve plusieurs gouttes d'eau éclairées par le soleil, ainsi que l'expérience fait voir en quelques fontaines, il m'a été aisé de juger qu'il ne procède que de la façon que les rayons de la lumière agissent contre ces gouttes, et de là tendent vers nos yeux. Puis, sachant que ces gouttes sont rondes, ainsi qu'il a été prouvé ci-dessus [2], et voyant que, pour être plus grosses ou

---

1. Chaque fois et autant de fois.
2. *Discours* 5, Des nues : « Et pour les gouttes d'eau, elles se forment lorsque la matière subtile qui est autour des petites parties de vapeurs, n'ayant plus assez de force pour faire qu'elles s'étendent et se chassent les unes les autres, en a encore assez pour faire qu'elles se plient, et ensuite, que toutes celles qui se rencontrent se joignent et s'accumulent ensemble en une boule. Et la superficie de cette boule... devient exactement ronde. Car, comme vous pouvez souvent avoir vu que l'eau des rivières tournoie et fait des cercles, aux endroits où il y a quelque chose qui l'empêche de se mouvoir en ligne droite aussi vite que son agitation le requiert, ainsi faut-il penser que la matière subtile coulant par les pores des autres corps en même façon qu'une rivière par les intervalles des herbes qui croissent en son lit... doit tournoyer au dedans de cette goutte, et aussi au dehors en l'air qui l'environne, mais d'autre mesure qu'au dedans, et, par ce moyen, disposer en rond toutes les parties de sa superficie. »

* Que ce n'est point dans les vapeurs ni dans les nues, mais seulement dans les gouttes de la pluie que se forme l'arc-en-ciel.

plus petites, elles ne font point paraître cet arc d'autre
façon, je me suis avisé d'en faire une fort grosse, afin
*de la pouvoir mieux examiner. Et ayant rempli d'eau,
à cet effet, une grande fiole de verre toute ronde et fort
transparente, j'ai trouvé que le soleil venant, par exemple,
de la partie du ciel marquée AFZ, et mon œil étant au
point E, lorsque je mettais cette boule en l'endroit BCD,

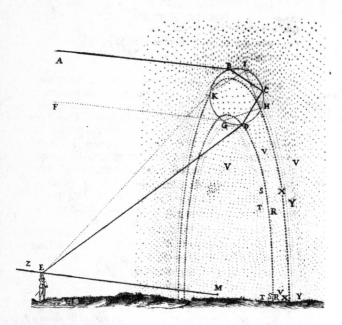

sa partie D me paraissait toute rouge et incomparablement plus éclatante que le reste; et que, soit que je
l'approchasse, soit que je la reculasse, et que je la misse
à droite ou à gauche, ou même la fisse tourner en rond
autour de ma tête, pourvu que la ligne DE fît toujours
un angle d'environ 42 degrés avec la ligne EM, qu'il
faut imaginer tendre du centre de l'œil vers celui du
soleil, cette partie D paraissait toujours également rouge;
mais que, sitôt que je faisais cet angle DEM tant soit

---

* Comment on peut considérer ce qui le cause dans une fiole de verre
toute ronde et pleine d'eau.

peu plus grand, cette rougeur disparaissait; et que, si je le faisais un peu moindre, elle ne disparaissait pas du tout si à coup, mais se divisait auparavant comme en deux parties moins brillantes, et dans lesquelles on voyait du jaune, du bleu, et d'autres couleurs. Puis, regardant aussi vers l'endroit de cette boule qui est marqué K, j'ai aperçu que, faisant l'angle KEM d'environ 52 degrés, cette partie K paraissait aussi de couleur rouge, mais non pas si éclatante que D; et que, le faisant quelque peu plus grand, il y paraissait d'autres couleurs plus faibles; mais que, le faisant tant soit peu moindre, ou beaucoup plus grand, il n'y en paraissait plus aucune. D'où j'ai connu manifestement que, tout l'air qui est vers M étant rempli de telles boules, ou en leur place de gouttes d'eau, il doit paraître un point fort rouge et fort éclatant en chacune de celles de ces gouttes dont les lignes tirées vers l'œil E font un angle d'environ 42 degrés avec EM, comme je suppose celles qui sont marquées R; et que ces points, étant regardés tous ensemble, sans qu'on remarque autrement le lieu où ils sont que par l'angle sous lequel ils se voient, doivent paraître comme un cercle continu de couleur rouge; et qu'il doit y avoir tout de même des points en celles qui sont marquées S et T, dont les lignes tirées vers E font des angles un peu plus aigus avec EM, qui composent des cercles de couleurs plus faibles, et que c'est en ceci que consiste le premier et principal arc-en-ciel; puis, derechef, que, l'angle MEX étant de 52 degrés, il doit paraître un cercle rouge dans les gouttes marquées X, et d'autres cercles de couleurs plus faibles dans les gouttes marquées Y, et que c'est en ceci que consiste le second et moins principal arc-en-ciel; et enfin, qu'en toutes les autres gouttes marquées V, il ne doit paraître *aucunes couleurs. Examinant, après cela, plus particulièrement en la boule BCD ce qui faisait que la partie D paraissait rouge, j'ai trouvé que c'étaient les rayons du soleil qui, venant d'A vers B, se courbaient en entrant dans l'eau au point B, et allaient vers C, d'où ils se réfléchissaient vers D, et là se courbant derechef en sortant de l'eau, tendaient vers E : car, sitôt que je mettais un

---

* Que l'intérieur est causé par des rayons qui parviennent à l'œil après deux réfractions et une réflexion; et l'extérieur par des rayons qui n'y parviennent qu'après deux réfractions et deux réflexions, ce qui le rend plus faible que l'autre.

corps opaque ou obscur en quelque endroit des lignes
AB, BC, CD, ou DE, cette couleur rouge disparaissait.
Et quoique je couvrisse toute la boule, excepté les deux
points B et D, et que je misse des corps obscurs partout
ailleurs, pourvu que rien n'empêchât l'action des rayons
ABCDE, elle ne laissait pas de paraître. Puis, cherchant
aussi ce qui était cause du rouge qui paraissait vers K,
j'ai trouvé que c'étaient les rayons qui venaient d'F
vers G, où ils se courbaient vers H, et en H se réfléchissaient vers I, et en I se réfléchissaient derechef
vers K, puis enfin se courbaient au point K et tendaient
vers E. De façon que le premier arc-en-ciel est causé
par des rayons qui parviennent à l'œil après deux réfractions et une réflexion, et le second par d'autres rayons
qui n'y parviennent qu'après deux réfractions et deux
réflexions; ce qui empêche qu'il ne paraisse tant que le
premier.

Mais la principale difficulté restait encore, qui était
de savoir pourquoi, y ayant plusieurs autres rayons qui,
après deux réfractions et une ou deux réflexions, peuvent
tendre vers l'œil quand cette boule est en autre situation,
il n'y a toutefois que ceux dont j'ai parlé, qui fassent
*paraître quelques couleurs. Et pour la résoudre, j'ai
cherché s'il n'y avait point quelque autre sujet où elles
parussent en même sorte, afin que, par la comparaison
de l'un et de l'autre, je pusse mieux juger de leur cause.
Puis, me souvenant qu'un prisme ou triangle de cristal
en fait voir de semblables, j'en ai considéré un qui était
tel qu'est ici MNP, dont les deux superficies MN et NP
sont toutes plates, et inclinées l'une sur l'autre selon un
angle d'environ 30 ou 40 degrés, en sorte que, si les
rayons du soleil ABC traversent MN à angles droits ou
presque droits, et ainsi n'y souffrent aucune sensible
réfraction, ils en doivent souffrir une assez grande en
sortant par NP. Et couvrant l'une de ces deux superficies d'un corps obscur, dans lequel il y avait une ouverture assez étroite comme DE, j'ai observé que les rayons,
passant par cette ouverture et de là s'allant rendre sur
un linge ou papier blanc FGH, y peignent toutes les
couleurs de l'arc-en-ciel; et qu'ils y peignent toujours le
rouge vers F, et le bleu ou le violet vers H. D'où j'ai
appris, premièrement, que la courbure des superficies

---

* Comment, par le moyen d'un prisme ou triangle de cristal, on voit
les mêmes couleurs qu'en l'arc-en-ciel.

*des gouttes d'eau n'est point nécessaire à la production de ces couleurs, car celles de ce cristal sont toutes plates ; ni la grandeur de l'angle sous lequel elles paraissent, car il peut ici être changé sans qu'elles changent, et bien qu'on puisse faire que les rayons qui vont vers F se courbent tantôt plus ou tantôt moins que ceux qui vont vers H, ils ne laissent pas de peindre toujours du rouge, et ceux qui vont vers H toujours du bleu ; ni aussi la réflexion, car il n'y en a ici aucune ; ni enfin la pluralité **des réfractions, car il n'y en a ici qu'une seule. Mais j'ai

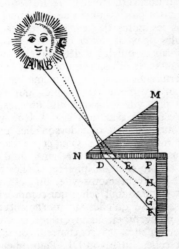

jugé qu'il y en fallait pour le moins une, et même une dont l'effet ne fût point détruit par une contraire ; car l'expérience montre que, si les superficies MN et NP étaient parallèles, les rayons, se redressant autant en l'une qu'ils se pourraient courber en l'autre, ne produiraient point ces couleurs. Je n'ai pas douté qu'il n'y fallût aussi de la lumière ; car sans elle on ne voit rien. Et, outre cela, j'ai observé qu'il y fallait de l'ombre, ou de la limitation à cette lumière ; car, si on ôte le corps obscur qui est sur NP, les couleurs FGH cessent de

* *Que ni la figure des corps transparents, ni la réflexion des rayons, ni la pluralité de leurs réfractions, ne servent point à la production de ces couleurs.*

** *Que rien n'y sert qu'une réfraction, et la lumière et l'ombre qui limite cette lumière.*

paraître; et si on fait l'ouverture DE assez grande, le
rouge, l'orangé et le jaune, qui sont vers F, ne s'étendent
pas plus loin pour cela, non plus que le vert, le bleu et
le violet, qui sont vers H, mais tout le surplus de l'espace
*qui est entre deux vers G demeure blanc[1]. En suite de
quoi, j'ai tâché de connaître pourquoi ces couleurs sont
autres vers H que vers F, nonobstant que la réfraction
et l'ombre et la lumière y concourent en même sorte.
Et concevant la nature de la lumière telle que je l'ai
décrite en la Dioptrique, à savoir comme l'action ou le
mouvement d'une certaine matière fort subtile, dont il
faut imaginer les parties ainsi que de petites boules qui
roulent dans les pores des corps terrestres, j'ai connu
que ces boules peuvent rouler en diverses façons, selon
les diverses causes qui les y déterminent; et, en particulier, que toutes les réfractions qui se font vers un même
côté les déterminent à tourner en même sens; mais que,
lorsqu'elles n'ont point de voisines qui se meuvent
notablement plus vite ou moins vite qu'elles, leur tournoiement n'est qu'à peu près égal à leur mouvement
en ligne droite; au lieu que, lorsqu'elles en ont d'un
côté qui se meuvent moins vite, et de l'autre qui se
meuvent plus ou également vite, ainsi qu'il arrive aux
confins de l'ombre et de la lumière, si elles rencontrent
celles qui se meuvent moins vite, du côté vers lequel
elles roulent, comme font celles qui composent le rayon
EH, cela est cause qu'elles ne tournoient pas si vite
qu'elles se meuvent en ligne droite; et c'est tout le
contraire, lorsqu'elles les rencontrent de l'autre côté,
comme font celles du rayon DF. Pour mieux entendre
ceci, pensez que la boule 1234 est poussée de V vers X,
en telle sorte qu'elle ne va qu'en ligne droite, et que
ses deux côtés 1 et 3 descendent également vite jusques
à la superficie de l'eau YY, où le mouvement du côté
marqué 3, qui la rencontre le premier, est retardé, pendant que celui du côté marqué 1 continue encore, ce qui
est cause que toute la boule commence infailliblement
à tournoyer suivant l'ordre des chiffres 123. Puis, ima-

---

1. « Descartes a donc fait l'expérience que la superposition des
spectres résultant de l'agrandissement de l'ouverture du passage de
la lumière donne de la lumière blanche. » (Note due au P. Costabel,
Œuvres de Descartes, Adam-Tannery, t. VI, réédition 1965,
Appendice.)

* *D'où vient la diversité qui est entre ces couleurs.*

ginez qu'elle est environnée de quatre autres, Q, R, S, T, dont les deux Q et R tendent, avec plus de force qu'elle, à se mouvoir vers X, et les deux autres S et T y tendent avec moins de force. D'où il est évident que Q, pressant sa partie marquée 1, et S, retenant celle qui est marquée 3, augmentent son tournoiement; et que R et T n'y nuisent point, parce que R est disposée à se mouvoir vers X plus vite qu'elle ne la suit, et T n'est pas disposée à la suivre si vite qu'elle la précède. Ce qui explique l'action du rayon DF. Puis, tout au contraire, si Q et R tendent plus lentement qu'elle vers X, et S et T y tendent plus

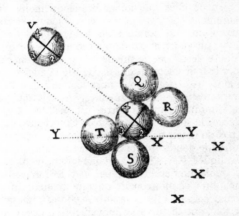

fort, R empêche le tournoiement de la partie marquée 1, et T celui de la partie 3, sans que les deux autres Q et S y fassent rien. Ce qui explique l'action du rayon EH. Mais il est à remarquer que, cette boule 1234 étant fort ronde, il peut aisément arriver que, lorsqu'elle est pressée un peu fort par les deux R et T, elle se revire en pirouettant autour de l'essieu 42, au lieu d'arrêter son tournoiement à leur occasion, et ainsi que, changeant en un moment de situation, elle tournoie après suivant l'ordre des chiffres 321; car les deux R et T, qui l'ont fait commencer à se détourner, l'obligent à continuer jusques à ce qu'elle ait achevé un demi-tour en ce sens-là, et qu'elles puissent augmenter son tournoiement, au lieu de le retarder. Ce qui m'a servi à résoudre la principale de toutes les difficultés que j'ai eues en cette matière. Et il se démontre, ce me semble, très évidemment de

tout ceci, que la nature des couleurs qui paraissent vers
F ne consiste qu'en ce que les parties de la matière
subtile, qui transmet l'action de la lumière, tendent à
tournoyer avec plus de force qu'à se mouvoir en ligne
*droite; en sorte que celles qui tendent à tourner beau-
coup plus fort causent la couleur rouge, et celles qui n'y
tendent qu'un peu plus fort causent la jaune. Comme,
au contraire, la nature de celles qui se voient vers H
ne consiste qu'en ce que ces petites parties ne tournoient
pas si vite qu'elles ont de coutume, lorsqu'il n'y a point
de cause particulière qui les en empêche; en sorte que
le vert paraît où elles ne tournoient guère moins vite,
et le bleu où elles tournoient beaucoup moins vite. Et
**ordinairement aux extrémités de ce bleu, il se mêle de
l'incarnat, qui, lui donnant de la vivacité et de l'éclat,
le change en violet ou couleur de pourpre. Ce qui vient
sans doute de ce que la même cause, qui a coutume de
retarder le tournoiement des parties de la matière subtile,
étant alors assez forte pour faire changer de situation à
quelques-unes, le doit augmenter en celles-là, pendant
qu'elle diminue celui des autres. Et, en tout ceci, la raison s'accorde si parfaitement avec l'expérience, que je ne
crois pas qu'il soit possible, après avoir bien connu l'une
et l'autre, de douter que la chose ne soit telle que je viens
de l'expliquer. Car, s'il est vrai que le sentiment que nous
avons de la lumière soit causé par le mouvement ou
l'inclination à se mouvoir de quelque matière qui touche
nos yeux, comme plusieurs autres choses témoignent, il
est certain que les divers mouvements de cette matière
doivent causer en nous divers sentiments. Et comme il
ne peut y avoir d'autre diversité en ces mouvements que
celle que j'ai dite, aussi n'en trouvons-nous point d'autre
par expérience, dans les sentiments que nous en avons,
que celle des couleurs. Et il n'est pas possible de trouver
aucune chose dans le cristal MNP qui puisse produire
des couleurs, que la façon dont il envoie les petites parties de la matière subtile vers le linge FGH, et de là
vers nos yeux; d'où il est, ce me semble, assez évident
qu'on ne doit chercher autre chose non plus dans les
couleurs que les autres objets font paraître : car l'expérience ordinaire témoigne que la lumière ou le blanc,

* En quoi consiste la nature du rouge et celle du jaune qu'on voit par
le moyen de ce prisme de cristal, et en quoi celle du vert et celle du bleu.
** Comment il se mêle de l'incarnat avec ce bleu, qui en compose du
violet.

et l'ombre ou le noir, avec les couleurs de l'iris qui ont
été ici expliquées, suffisent pour composer toutes les
*autres. Et je ne saurais goûter la distinction des philo-
sophes, quand ils disent qu'il y en a qui sont vraies, et
d'autres qui ne sont que fausses ou apparentes. Car
toute leur vraie nature n'étant que de paraître, c'est, ce
me semble, une contradiction de dire qu'elles sont fausses
et qu'elles paraissent. Mais j'avoue bien que l'ombre et
la réfraction ne sont pas toujours nécessaires pour les
produire; et qu'en leur place, la grosseur, la figure, la

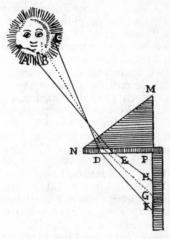

situation et le mouvement des parties des corps qu'on
nomme colorés, peuvent concourir diversement avec la
lumière, pour augmenter ou diminuer le tournoiement
**des parties de la matière subtile. En sorte que, même
en l'arc-en-ciel, j'ai douté d'abord si les couleurs s'y
produisaient tout à fait en même façon que dans le cristal MNP; car je n'y remarquais point d'ombre qui ter-
minât la lumière, et ne connaissais point encore pourquoi
elles n'y paraissaient que sous certains angles, jusques
à ce qu'ayant pris la plume et calculé par le menu tous
les rayons qui tombent sur les divers points d'une goutte

---

* En quoi consiste la nature des couleurs que font paraître les autres
objets, et qu'il n'y en a point de fausses.
** Comment sont produites celles de l'arc-en-ciel, et comment il s'y
trouve de l'ombre qui limite la lumière.

d'eau, pour savoir sous quels angles, après deux réfractions et une ou deux réflexions, ils peuvent venir vers
*nos yeux, j'ai trouvé qu'après une réflexion et deux
réfractions, il y en a beaucoup plus qui peuvent être vus
sous l'angle de 41 à 42 degrés, que sous aucun moindre;
et qu'il n'y en a aucun qui puisse être vu sous un plus
grand. Puis, j'ai trouvé aussi qu'après deux réflexions et
deux réfractions, il y en a beaucoup plus qui viennent
vers l'œil sous l'angle de 51 à 52 degrés, que sous aucun
plus grand; et qu'il n'y en a point qui viennent sous un
moindre. De façon qu'il y a de l'ombre de part et d'autre,
qui termine la lumière, laquelle, après avoir passé par
une infinité de gouttes de pluie éclairées par le soleil,
vient vers l'œil sous l'angle de 42 degrés, ou un peu au-
dessous, et ainsi cause le premier et principal arc-en-ciel.
Et il y en a aussi qui termine celle qui vient sous l'angle
de 51 degrés ou un peu au-dessus, et cause l'arc-en-ciel
extérieur; car, ne recevoir point de rayons de lumière
en ses yeux, ou en recevoir notablement moins d'un
objet que d'un autre qui lui est proche, c'est voir de
**l'ombre. Ce qui montre clairement que les couleurs de
ces arcs sont produites par la même cause que celles
qui paraissent par l'aide du cristal MNP, et que le demi-
diamètre de l'arc intérieur ne doit point être plus grand
que de 42 degrés, ni celui de l'extérieur plus petit que
de 51; et enfin, que le premier doit être bien plus limité
en sa superficie extérieure qu'en l'intérieure; et le second
tout au contraire, ainsi qu'il se voit par expérience.
***Mais, afin que ceux qui savent les mathématiques
puissent connaître si le calcul que j'ai fait de ces rayons
est assez juste, il faut ici que je l'explique.

Soit AFD une goutte d'eau, dont je divise le demi-
diamètre CD ou AB en autant de parties égales que je
veux calculer de rayons, afin d'attribuer autant de lumière
aux uns qu'aux autres. Puis je considère un de ces rayons
en particulier, par exemple EF, qui, au lieu de passer
tout droit vers G, se détourne vers K, et se réfléchit de K
vers N, et de là va vers l'œil P; ou bien se réfléchit
encore une fois de N vers Q, et de là se détourne vers

---

* *Pourquoi le demi-diamètre de l'arc intérieur ne doit point être plus
grand que de quarante-deux degrés, ni celui de l'extérieur plus petit que
de cinquante-et-un.*
** *Pourquoi le premier est plus limité en sa superficie extérieure qu'en
l'intérieure, et le second tout au contraire.*
*** *Comment tout ceci se démontre exactement par le calcul.*

l'œil R. Et ayant tiré CI à angles droits sur FK, je connais, de ce qui a été dit en la Dioptrique, qu'AE, ou HF, et CI

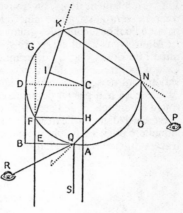

ont entre elles la proportion par laquelle la réfraction de l'eau se mesure. De façon que, si HF contient 8 000 parties, telles qu'AB en contient 10 000, CI en contiendra environ de 5984, parce que la réfraction de l'eau est tant soit peu plus grande que de trois à quatre, et pour le plus justement que j'aie pu la mesurer, elle est comme de 187 à 250 [1]...

... Et je vois ici que le plus grand angle ONP peut être de 41 degrés 30 minutes, et le plus petit SQR de 51.54, à quoi ajoutant ou ôtant environ 17 minutes pour le demi-diamètre du soleil, j'ai 41.47 pour le plus grand demi-diamètre de l'arc-en-ciel intérieur, et 51.37 pour le plus petit de l'extérieur.

* Il est vrai que, l'eau étant chaude, sa réfraction est tant soit peu moindre que lorsqu'elle est froide, ce qui peut changer quelque chose en ce calcul. Toutefois, cela ne saurait augmenter le demi-diamètre de l'arc-en-ciel intérieur, que d'un ou deux degrés tout au plus; et lors, celui de l'extérieur sera de presque deux fois autant plus petit. Ce qui est digne d'être remarqué, parce que, par là, on peut démontrer que la réfraction de l'eau ne peut être moindre, ni plus grande, que je la suppose. Car, pour peu qu'elle fût plus grande, elle rendrait le demi-diamètre de l'arc-en-ciel intérieur moindre que 41

---

1. Appliquant la loi de la réfraction, Descartes calcule alors les divers arcs de la figure.

* *Que l'eau étant chaude, sa réfraction est un peu moindre, et qu'elle cause l'arc intérieur un peu plus grand, et l'extérieur plus petit que lorsqu'elle est froide. Comment on démontre que la réfraction de l'eau à l'air est à peu près comme cent quatre-vingt-sept à deux cent cinquante, et que le demi-diamètre de l'arc-en-ciel ne peut être de quarante-cinq degrés.*

degrés au lieu que, par la créance commune, on lui en
donne 45; et si on la suppose assez petite pour faire qu'il
soit véritablement de 45, on trouvera que celui de l'extérieur ne sera aussi guère plus que de 45, au lieu qu'il
paraît à l'œil beaucoup plus grand que celui de l'intérieur.
Et Maurolycus [1], qui est, je crois, le premier qui a déterminé l'un de 45 degrés, détermine l'autre d'environ 56.
Ce qui montre le peu de foi qu'on doit ajouter aux observations qui ne sont pas accompagnées de la vraie raison.
*Au reste, je n'ai pas eu de peine à connaître pourquoi le
rouge est en dehors de l'arc-en-ciel intérieur, ni pourquoi
il est en dedans en l'extérieur; car la même cause pour
laquelle c'est vers F, plutôt que vers H, qu'il paraît au
travers du cristal MNP, fait que si, ayant l'œil en la place

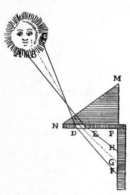

du linge blanc FGH, on
regarde ce cristal, on y verra
le rouge vers sa partie plus
épaisse MP, et le bleu vers
N, parce que le rayon teint
de rouge qui va vers F, vient
de C, la partie du soleil la
plus avancée vers MP. Et
cette même cause fait aussi
que le centre des gouttes
d'eau, et par conséquent leur
plus épaisse partie, étant en
dehors au respect des points
colorés qui forment l'arc-
en-ciel intérieur, le rouge y
doit paraître en dehors; et

qu'étant en dedans au respect de ceux qui forment l'extérieur, le rouge y doit aussi paraître en dedans.
**   Ainsi je crois qu'il ne reste plus aucune difficulté en
cette matière, si ce n'est peut-être touchant les irrégu-
larités qui s'y rencontrent : comme lorsque l'arc n'est
pas exactement rond, ou que son centre n'est pas en la
ligne droite qui passe par l'œil et le soleil, ce qui peut

---

1. Maurolyci (*i. e.* Fr. Maurolico, abbé de Messine, 1494-1575),
Photismi de lumine et umbra... Problemata ad... iridem pertinentia,
Naples 1611 (avec calculs, erronés, sur la proportionnalité de l'angle
d'incidence et de l'angle de réfraction).

* *Pourquoi c'est la partie extérieure de l'arc intérieur qui est rouge,
et l'intérieure de l'extérieur.*
** *Comment il peut arriver que cet arc ne soit pas exactement rond.*

arriver si les vents changent la figure des gouttes de pluie; car elles ne sauraient perdre si peu de leur rondeur, que cela ne fasse une notable différence en l'angle *sous lequel les couleurs doivent paraître. On a vu aussi quelquefois, à ce qu'on m'a dit, un arc-en-ciel tellement renversé que ses cornes étaient tournées vers en haut, comme est ici représenté FF. Ce que je ne saurais juger être arrivé que par la réflexion des rayons du soleil donnant sur l'eau de la mer, ou de quelque lac. Comme si, venant de la partie du ciel SS, ils tombent sur l'eau DAE, et de là, se réfléchissent vers la pluie CF, l'œil B verra l'arc FF, dont le centre est au point C, en sorte que,

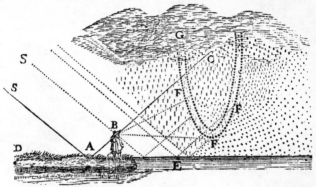

CB étant prolongée jusques à A, et AS passant par le centre du soleil, les angles SAD et BAE soient égaux, et que l'angle CBF soit d'environ 42 degrés. Toutefois, il est aussi requis à cet effet, qu'il n'y ait point du tout de vent qui trouble la face de l'eau vers E, et peut-être avec cela qu'il y ait quelque nue, comme G, qui empêche que la lumière du soleil, allant en ligne droite vers la pluie, n'efface celle que cette eau E y envoie : d'où vient qu'il n'arrive que rarement. Outre cela, l'œil peut être en telle situation, au respect du soleil et de la pluie, qu'on verra la partie inférieure qui achève le cercle de l'arc-en-ciel, sans voir la supérieure; et ainsi qu'on la prendra pour un arc renversé, nonobstant qu'on ne la verra pas vers le ciel, mais vers l'eau, ou vers la terre.
** On m'a dit aussi avoir vu quelquefois un troisième

---

* *Comment il peut paraître renversé.*
** *Comment il en peut paraître trois l'un sur l'autre.*

arc-en-ciel au dessus des deux ordinaires, mais qui était beaucoup plus faible, et environ autant éloigné du second que le second du premier. Ce que je ne juge pas pouvoir être arrivé, si ce n'est qu'il y ait eu des grains de grêle fort ronds et fort transparents, mêlés parmi la pluie, dans lesquels la réfraction étant notablement plus grande que dans l'eau, l'arc-en-ciel extérieur aura dû y être beaucoup plus grand, et ainsi paraître au-dessus de l'autre. Et pour l'intérieur, qui par même raison aura dû être plus petit que l'intérieur de la pluie, il se peut faire qu'il n'aura point été remarqué, à cause du grand lustre de celui-ci; ou bien que, leurs extrémités s'étant jointes,

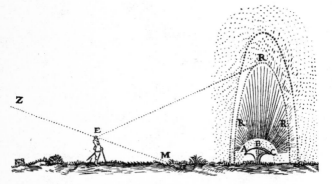

on ne les aura comptés tous deux que pour un, mais pour un dont les couleurs auront été autrement disposées qu'à l'ordinaire.

* Et ceci me fait souvenir d'une invention pour faire paraître des signes dans le ciel, qui pourraient causer grande admiration à ceux qui en ignoreraient les raisons. Je suppose que vous savez déjà la façon de faire voir l'arc-en-ciel par le moyen d'une fontaine. Comme, si l'eau qui sort par les petits trous ABC, sautant assez haut, s'épand en l'air de tous côtés vers R, et que le soleil soit vers Z, en sorte que, ZEM étant ligne droite, l'angle MER puisse être d'environ 42 degrés, l'œil E ne manquera pas de voir l'iris vers R, tout semblable à celui qui paraît dans le ciel. A quoi il faut maintenant ajouter qu'il y a des huiles, des eaux-de-vie, et d'autres

* *Comment on peut faire paraître des signes dans le ciel qui semblent des prodiges.*

liqueurs, dans lesquelles la réfraction se fait notablement plus grande ou plus petite qu'en l'eau commune,
et qui ne sont pas pour cela moins claires et transparentes. En sorte qu'on pourrait disposer par ordre plusieurs fontaines, dans lesquelles y ayant diverses de ces
liqueurs, on y verrait par leur moyen toute une grande
partie du ciel pleine des couleurs de l'iris : à savoir en
faisant que les liqueurs dont la réfraction serait la plus
grande, fussent les plus proches des spectateurs, et
qu'elles ne s'élevassent point si haut, qu'elles empêchassent la vue de celles qui seraient derrière. Puis, à
cause que, fermant une partie des trous ABC, on peut
faire disparaître telle partie de l'iris RR qu'on veut,
sans ôter les autres, il est aisé à entendre que, tout de
même, ouvrant et fermant à propos les trous de ces
diverses fontaines, on pourra faire que ce qui paraîtra
coloré ait la figure d'une croix, ou d'une colonne, ou de
quelque autre chose qui donne sujet d'admiration. Mais
j'avoue qu'il y faudrait de l'adresse et de la dépense,
afin de proportionner ces fontaines, et faire que les
liqueurs y sautassent si haut, que ces figures pussent
être vues de fort loin par tout un peuple, sans que l'artifice s'en découvrît.

APPENDICE

I

EXTRAITS DE LA
VIE DE M. DESCARTES
par Baillet

1. LES ÉTUDES A LA FLÈCHE.

Les Jésuites furent installés dans cette maison royale dès le mois de Janvier de l'an mille six cent quatre et M. Descartes ne différa d'y envoyer son fils, que pour le garantir des rigueurs de la saison, auxquelles il craignait de l'exposer dans un âge si tendre, et dans un lieu si éloigné des douceurs de la maison paternelle. L'hiver et le Carême écoulés, il l'envoya pour commencer le semestre de Pâques, et le recommanda particulièrement aux soins du Père Charlet qui était parent de la maison [1]. Ce Père, qui fut longtemps Recteur de la maison de la Flèche avant que de passer aux autres emplois de la Compagnie conçut une affection si tendre pour le jeune Descartes, qu'il voulut se charger de tous les soins qui regardaient le corps aussi bien que l'esprit, et il lui tint lieu de Père et de Gouverneur pendant huit ans et plus, qu'il demeura dans le Collège. Le jeune Ecolier ne fut point insensible à tant de bontés, et il en eut toute sa vie une reconnaissance dont il a laissé des marques publiques dans ses Lettres. Le Père Charlet, de son côté ne tarda point de joindre l'estime à l'affection : et après avoir été son Directeur pour ses études et la conduite de ses mœurs, il s'en fit un ami qu'il conserva jusqu'à la mort, et qu'il entretint par un commerce mutuel de lettres et de recommandations.

Le jeune Descartes avait apporté en venant au Collège

---

1. Baillet suppose que Descartes entra au Collège l'année même de son ouverture et y resta jusqu'en 1612. Les historiens modernes, notant que le P. Charlet ne fut recteur qu'à partir de 1606, retardent ce cycle d'études pour admettre les dates : Pâques 1605 ou 1606 à 1613 ou 1614 (et parfois même 1607-1615).

une passion plus qu'ordinaire pour apprendre les sciences,
et cette passion se trouvant appuyée d'un esprit solide,
mais vif et déjà tout ouvert, il répondit toujours avantageu-
sement aux intentions de son Père et aux soins de ses
Maîtres. Dans tout le cours de ses Humanités qui fut de
cinq ans et demi, on n'aperçut en lui aucune affectation de
singularité [1]*, sinon celle que pouvait produire l'émulation*
avec laquelle il se piquait de laisser derrière lui ceux de ses
camarades qui passaient les autres. Ayant un bon naturel
et une humeur facile et accommodante, il ne fut jamais gêné
dans la soumission parfaite qu'il avait pour la volonté de
ses Régents et de ses Préfets : et l'assiduité scrupuleuse qu'il
apportait à ses devoirs de classe et de chambre ne lui coû-
tait rien...

(L. I, c. IV, pp. 18-19.)

M. Descartes était dans la première année de son cours
de Philosophie, lorsque la nouvelle de la mort du roi fit
cesser les exercices du Collège. Ce bon Prince en donnant
sa maison de la Flèche aux Jésuites, avait souhaité que son
cœur, celui de la Reine, et de tous ses Successeurs y fussent
portés après leur mort, et conservés dans leur Eglise [2]*...*
Cette cérémonie se fit le 4 de juin, et il fut arrêté dans
l'Hôtel de Ville de la Flèche, qu'à pareil jour il se ferait tous
les ans une Procession solennelle depuis l'Eglise de S. Tho-
mas jusqu'aux Jésuites; qu'au retour l'on ferait un Service
aussi solennel pour l'âme du Roi; et que ce jour serait
chômé dorénavant comme les Fêtes, en fermant les audiences
de la plaidoirie, les classes du Collège, et les boutiques de la
Ville.
Le Lundi suivant qui était le 7. de juin, on ouvrit les
classes pour reprendre les exercices ordinaires du Collège :
et M. Descartes continua l'étude de la Philosophie Morale,
que son Professeur avait commencé de dicter vers le mois
d'Avril [3]*. La logique, qu'il avait étudiée pendant tout*

---

1. Baillet se réfère ici à la *Vie de Descartes* par Lipstorp, Leyde,
1653.
2. Baillet décrit toutes les cérémonies, dont la procession à laquelle
participaient « vingt-quatre gentilshommes pensionnaires... du nombre
desquels était M. Descartes ». Même si celui-ci n'était pas encore
en première année de Philosophie, ce fut là l'événement majeur de
ses années de collège.
3. Baillet ne donne pas ses sources pour le détail des trois années
de Philosophie : en fait le programme des collèges de Jésuites pré-
voyait : logique en première année; physique et mathématiques
(surtout appliquées) en deuxième année; enfin métaphysique et morale.

*l'hiver précédent, était de toutes les parties de la Philosophie
celle à laquelle il a témoigné depuis avoir donné le plus
d'application dans le Collège.*

(L. I, c. v, pp. 22-24.)

M. Descartes fut encore moins satisfait de la Physique
et de la Métaphysique qu'on lui enseigna l'année suivante,
qu'il ne l'avait été de la Logique et de la Morale. Il était
fort éloigné d'en accuser ses Maîtres, lui qui se vantait
d'être alors dans l'une des plus célèbres Ecoles de l'Europe,
où il se devait trouver de savants hommes, s'il y en avait
en aucun endroit de la terre : et où les Jésuites avaient pro-
bablement ramassé ce qu'ils avaient de meilleur dans leur
Compagnie, pour mettre le nouveau Collège dans la réputation où il est parvenu. Il ne pouvait aussi s'en prendre
à lui-même, n'ayant rien à désirer de plus que ce qu'il apportait à cette étude, soit pour l'application, soit pour l'ouverture d'esprit, soit enfin pour l'inclination. Car il aimait
la Philosophie avec encore plus de passion qu'il n'avait fait
les Humanités [1]...

Malgré les obstacles qui arrêtaient son esprit pendant
tout le cours de sa Philosophie, il fallut finir cette carrière
en même temps que le reste de ses compagnons qui n'avaient
trouvé ni doutes à former, ni difficultés à lever dans les
cahiers du Maître. On le fit passer ensuite à l'étude des
Mathématiques, auxquelles il donna la dernière année de
son séjour à la Flèche : et il semble que cette étude devait
être pour lui la récompense de celles qu'il avait faites jusqu'alors. Le plaisir qu'il y prit le paya avec usure des peines
que la Philosophie scolastique lui avait données; et les progrès qu'il y fit ont été si extraordinaires, que le Collège de
la Flèche s'est acquis par son moyen la gloire d'avoir produit le plus grand Mathématicien que Dieu eût encore mis au
jour... Et la dispense qu'il avait obtenue du Père Principal
du Collège pour n'être pas obligé à toutes les pratiques de la
discipline scolastique, lui fournit les moyens nécessaires
pour s'enfoncer dans cette étude aussi profondément qu'il
pouvait le souhaiter. Le Père Charlet, Recteur de la Maison,
qui était son Directeur perpétuel, lui avait pratiqué entre
autres privilèges [2] celui de demeurer longtemps au lit les

---

1. Tandis que le début de l'alinéa se réfère au *Discours de la Méthode*,
cette fin s'inspire d'un écrit de jeunesse disparu, le *Studium bonae
mentis*.
2. Baillet se réfère à Lipstorp.

matins, tant à cause de sa santé infirme, que parce qu'il remarquait en lui un esprit porté naturellement à la méditation. Descartes qui à son réveil trouvait toutes les forces de son esprit recueillies, et tous ses sens rassis par le repos de la nuit, profitait de ces favorables conjonctures pour méditer. Cette pratique lui tourna tellement en habitude, qu'il s'en fit une manière d'étudier pour toute sa vie : et l'on peut dire que c'est aux matinées de son lit, que nous sommes redevables de ce que son esprit a produit de plus important dans la Philosophie, et dans les Mathématiques.

(L. I, c. VI, pp. 26-28.)

Etant encore à la Flèche, il s'était formé une méthode singulière de disputer en Philosophie, qui ne déplaisait pas au Père Charlet, Recteur du Collège, son directeur particulier, ni au Père Dinet son Préfet, quoiqu'elle donnât un peu d'exercice à son Régent. Lorsqu'il était question de proposer un argument dans la dispute, il faisait d'abord plusieurs demandes touchant les définitions des noms. Après, il voulait savoir ce que l'on entendait par certains principes reçus dans l'école. Ensuite, il demandait si l'on ne convenait pas de certaines vérités connues, dont il faisait demeurer d'accord : d'où il formait enfin un seul argument, dont il était fort difficile de se débarrasser. C'est une singularité de ses études que le P. Poisson demeurant à Saumur en 1663, avait apprise d'un homme qui avait porté le portefeuille à la Flèche avec M. Descartes, et qui en avait été témoin pendant tout le cours de philosophie qu'ils avaient fait sous le même maître. Il ne se défit jamais de sa méthode dans la suite, mais il se contenta de la perfectionner : et il la jugeait si naturelle, que jamais il n'aurait trouvé à redire à celle des scolastiques, s'il l'eût trouvée aussi courte et aussi commode.

(L. VIII, c. IV, t. II, pp. 483-484.)

2. LE COMMENCEMENT DE L'HIVER 1619 : LES SONGES DU 10 NOVEMBRE.

Il nous apprend que, le dixième de novembre mille six cent dix neuf, s'étant couché tout rempli de son enthousiasme, et tout occupé de la pensée d'avoir trouvé ce jour-

là les fondements de la science admirable [1], *il eut trois
songes consécutifs en une seule nuit, qu'il s'imagina ne pouvoir être venus que d'en haut. Après s'être endormi, son
imagination se sentit frappée de la représentation de quelques
fantômes qui se présentèrent à lui, et qui l'épouvantèrent
de telle sorte que, croyant marcher par les rues, il était
obligé de se renverser sur le côté gauche pour pouvoir avancer au lieu où il voulait aller, parce qu'il sentait une grande
faiblesse au côté droit dont il ne pouvait se soutenir. Etant
honteux de marcher de la sorte, il fit un effort pour se
redresser; mais il sentit un vent impétueux qui, l'emportant
dans une espèce de tourbillon, lui fit faire trois ou quatre
tours sur le pied gauche. Ce ne fut pas encore ce qui l'épou-
vanta. La difficulté qu'il avait de se traîner faisait qu'il
croyait tomber à chaque pas, jusqu'à ce qu'ayant aperçu un
collège ouvert sur son chemin, il entra dedans pour y trouver
une retraite et un remède à son mal. Il tâcha de gagner
l'église du collège, où sa première pensée était d'aller faire
sa prière; mais s'étant aperçu qu'il avait passé un homme de
sa connaissance sans le saluer, il voulut retourner sur ses pas
pour lui faire civilité, et il fut repoussé avec violence par le
vent qui soufflait contre l'église. Dans le même temps il vit
au milieu de la cour du collège une autre personne, qui
l'appela par son nom en des termes civils et obligeants, et
lui dit que, s'il voulait aller trouver Monsieur N., il avait
quelque chose à lui donner. M. Descartes s'imagina que
c'était un melon qu'on avait apporté de quelque pays étranger. Mais ce qui le surprit davantage fut de voir que ceux qui
se rassemblaient avec cette personne autour de lui pour
s'entretenir étaient droits et fermes sur leurs pieds : quoiqu'il
fût toujours courbé et chancelant sur le même terrain, et que
le vent qui avait pensé le renverser plusieurs fois eût beaucoup diminué. Il se réveilla sur cette imagination, et il sentit
à l'heure même une douleur effective, qui lui fit craindre que
ce ne fût l'opération de quelque mauvais génie qui l'aurait
voulu séduire. Aussitôt il se retourna sur le côté droit; car
c'était sur le gauche qu'il s'était endormi et qu'il avait eu le
songe. Il fit une prière à Dieu pour demander d'être garanti*

---

1. Baillet traduit ici le début du manuscrit perdu intitulé *Olympica*.
Leibniz a recopié la même phrase : *X Novembris 1619, cum plenus
forem Enthousiasmo, et mirabilis scientiae fundamenta reperirem* (c'est-à-
dire : « alors que j'étais plein d'enthousiasme, et en train de découvrir
les fondements d'une science admirable... »). Le récit des songes et leur
interprétation par Descartes ont la même source, mais Baillet para-
phrase plus souvent qu'il ne traduit.

du mauvais effet de son songe, et d'être préservé de tous les malheurs qui pourraient le menacer en punition de ses péchés qu'il reconnaissait pouvoir être assez griefs pour attirer les foudres du ciel sur sa tête : quoiqu'il eût mené jusque là une vie assez irréprochable aux yeux des hommes.

Dans cette situation, il se rendormit, après un intervalle de près de deux heures dans des pensées diverses sur les biens et les maux de ce monde. Il lui vint aussitôt un nouveau songe, dans lequel il crut entendre un bruit aigu et éclatant, qu'il prit pour un coup de tonnerre. La frayeur qu'il en eut le réveilla sur l'heure même; et ayant ouvert les yeux, il aperçut beaucoup d'étincelles de feu répandues par la chambre. La chose lui était déjà souvent arrivée en d'autres temps, et il ne lui était pas fort extraordinaire, en se réveillant au milieu de la nuit, d'avoir les yeux assez étincelants pour lui faire entrevoir les objets les plus proches de lui. Mais, en cette dernière occasion, il voulut recourir à des raisons prises de la philosophie; et il en tira des conclusions favorables pour son esprit, après avoir observé, en ouvrant puis en fermant les yeux alternativement, la qualité des espèces qui lui étaient représentées[1]. *Ainsi sa frayeur se dissipa et il se rendormit dans un assez grand calme.*

Un moment après, il eut un troisième songe, qui n'eut rien de terrible comme les deux premiers. Dans ce dernier, il trouva un livre sur sa table, sans savoir qui l'y avait mis. Il l'ouvrit et voyant que c'était un Dictionnaire, il en fut ravi dans l'espérance qu'il pourrait lui être fort utile. Dans le même instant, il se rencontra un autre livre sous sa main, qui ne lui était pas moins nouveau, ne sachant d'où il lui était venu. Il trouva que c'était un recueil des Poésies de différents auteurs, intitulé Corpus Poëtarum *etc. Il eut la curiosité d'y vouloir lire quelque chose : et à l'ouverture du livre, il tomba sur le vers* Quod vitæ sectabor iter ? *etc.*[2] *Au même moment il aperçut un homme qu'il ne connaissait pas, mais qui lui présenta une pièce de vers, commençant par* Est et Non, *et qui la lui vantait comme une pièce excellente. M. Descartes lui dit qu'il savait ce que c'était*

1. Descartes vérifie si ces apparences (espèces) sont visibles en état de veille ou imaginaires (subsistant les yeux fermés).

2. « Quelle voie suivrai-je en la vie ? », début d'un poème d'Ausone recueilli dans le *Corpus omnium veterum Poëtarum latinorum* (Lyon, 1603; sans gravures), utilisé par Descartes à La Flèche. Sur la même page commence l'idylle XVII : *Est et Non...* (Le Oui et Non de Pythagore »). Le titre de l'idylle XV évoque la même inspiration : « Imité du grec, d'après les pythagoriciens : sur l'incertitude où l'on est de choisir un état » (trad. Nisard).

et que cette pièce était parmi les Idylles *d'Ausone, qui se trouvait dans le gros* Recueil des Poètes *qui était sur sa table. Il voulut la montrer lui-même à cet homme, et il se mit à feuilleter le livre, dont il se vantait de connaître parfaitement l'ordre et l'économie. Pendant qu'il cherchait l'endroit, l'homme lui demanda où il avait pris ce livre, et M. Descartes lui répondit qu'il ne pouvait lui dire comment il l'avait eu ; mais qu'un moment auparavant il en avait manié encore un autre, qui venait de disparaître, sans savoir qui le lui avait apporté, ni qui le lui avait repris. Il n'avait pas achevé qu'il revit paraître le livre à l'autre bout de la table. Mais il trouva que ce* Dictionnaire *n'était plus entier comme il l'avait vu la première fois. Cependant il en vint aux* Poésies d'Ausone, *dans le Recueil des Poètes qu'il feuilletait ; et ne pouvant trouver la pièce qui commence par* Est *et* Non, *il dit à cet homme qu'il en connaissait une du même Poète encore plus belle que celle-là et qu'elle commençait par* Quod vitæ sectabor iter ? *La personne le pria de la lui montrer, et M. Descartes se mettait en devoir de la chercher, lorsqu'il tomba sur divers petits portraits gravés en taille douce, ce qui lui fit dire que ce livre était fort beau, mais qu'il n'était pas de la même impression que celui qu'il connaissait. Il en était là, lorsque les livres et l'homme disparurent et s'effacèrent de son imagination, sans néanmoins le réveiller. Ce qu'il y a de singulier à remarquer, c'est que, doutant si ce qu'il venait de voir était songe ou vision, non seulement il décida en dormant que c'était un songe, mais il en fit encore l'interprétation avant que le sommeil le quittât. Il jugea que le* Dictionnaire *ne voulait dire autre chose que toutes les Sciences ramassées ensemble et que le Recueil de Poésies, intitulé* Corpus poëtarum, *marquait en particulier, et d'une manière plus distincte, la Philosophie et la Sagesse jointes ensemble. Car il ne croyait pas* [1] *qu'on dût s'étonner si fort de voir que les poètes, même ceux qui ne font que niaiser, fussent pleins de sentences plus graves, plus sensées, et mieux exprimées que celles qui se trouvent dans les écrits des Philosophes. Il attribuait cette merveille à la divinité de l'enthousiasme, et à la force de l'imagination, qui fait sortir les semences de la sagesse (qui se trouvent dans l'esprit de tous les hommes, comme les étincelles de feu dans les cailloux) avec beaucoup plus de facilité, et beaucoup plus de brillant même, que ne peut faire la Raison dans les Philosophes. M. Descartes, continuant*

---

1. Leibniz a aussi recopié cette pensée.

*d'interpréter son songe dans le sommeil, estimait que la
pièce de vers sur l'incertitude du genre de vie qu'on doit
choisir, et qui commence par* Quod vitæ sectabor iter, *marquait le bon conseil d'une personne sage, ou même la Théologie Morale.*

*Là-dessus, doutant s'il rêvait ou s'il méditait, il se réveilla
sans émotion et continua, les yeux ouverts, l'interprétation
de son songe sur la même idée. Par les poètes rassemblés
dans le Recueil il entendait la révélation et l'enthousiasme
dont il ne désespérait pas de se voir favorisé. Par la pièce
de vers* Est et Non, *qui est le Oui et le Non de Pythagore,
il comprenait la vérité et la fausseté dans les connaissances
humaines et les sciences profanes. Voyant que l'application
de toutes ces choses réussissait si bien à son gré, il fut assez
hardi pour se persuader que c'était l'Esprit de Vérité qui
avait voulu lui ouvrir les trésors de toutes les sciences par
ce songe. Et comme il ne lui restait plus à expliquer que les
petits portraits de taille douce, qu'il avait trouvés dans le
second livre, il n'en chercha plus l'explication après la visite
qu'un peintre italien lui rendit dès le lendemain.*

*Ce dernier songe, qui n'avait eu rien que de fort doux et
de fort agréable, marquait l'avenir selon lui; et il n'était que
pour ce qui devait lui arriver dans le reste de sa vie. Mais
il prit les deux précédents pour des avertissements menaçants
touchant sa vie passée, qui pouvait n'avoir pas été aussi
innocente devant Dieu que devant les hommes. Et il crut
que c'était la raison de la terreur et de l'effroi dont ces deux
songes étaient accompagnés. Le melon, dont on voulait lui
faire présent dans le premier songe, signifiait, disait-il,
les charmes de la solitude, mais présentés par des sollicitations purement humaines. Le vent qui le poussait vers
l'église du collège, lorsqu'il avait mal au côté droit, n'était
autre chose que le mauvais Génie* [1] *qui tâchait de le jeter par
force dans un lieu où son dessein était d'aller volontairement. C'est pourquoi Dieu ne permit pas qu'il avançât
plus loin et qu'il se laissât emporter, même en un lieu saint,
par un esprit qu'il n'avait pas envoyé : quoiqu'il fût très
persuadé que c'eût été l'Esprit de Dieu qui lui avait fait
faire les premières démarches vers cette église. L'épouvante
dont il fut frappé dans le second songe, marquait, à son
sens, sa syndérèse, c'est-à-dire les remords de sa conscience
touchant les péchés qu'il pouvait avoir commis pendant le*

---

1. Baillet note ici la phrase originale de Descartes : *A malo Spiritu
ad Templum propellebar.*

*cours de sa vie jusqu'alors. La foudre, dont il entendit
l'éclat, était le signal de l'Esprit de Vérité qui descendit sur
lui pour le posséder.*

*Cette dernière imagination tenait assurément quelque
chose de l'enthousiasme, et elle nous porterait volontiers à
croire que M. Descartes aurait bu le soir avant de se coucher.
En effet, c'était la veille de Saint-Martin, au soir de laquelle
on avait coutume de faire la débauche au lieu où il était,
comme en France. Mais il nous assure qu'il avait passé le
soir et toute la journée dans une grande sobriété, et qu'il y
avait trois mois entiers qu'il n'avait bu de vin. Il ajoute que
le Génie, qui excitait en lui l'enthousiasme dont il se sentait
le cerveau échauffé depuis quelques jours, lui avait prédit
ces songes avant que de se mettre au lit, et que l'esprit humain
n'y avait aucune part...*

*Son enthousiasme le quitta peu de jours après, et quoique
son esprit eût repris son assiette ordinaire, et fût rentré dans
son premier calme, il n'en devint pas plus décisif sur les
résolutions qu'il avait à prendre. Le temps de son quartier
d'hiver s'écoulait peu à peu dans la solitude de son poêle et,
pour la rendre moins ennuyeuse, il se mit à composer un
traité, qu'il espérait achever avant Pâques de l'an 1620.
Dès le mois de février [1], il songeait à chercher des libraires
pour traiter avec eux de l'impression de cet ouvrage. Mais
il y a beaucoup d'apparence que ce traité fut interrompu pour
lors et qu'il est toujours demeuré imparfait depuis ce temps
là : On a ignoré, jusqu'ici, ce que pouvait être ce traité qui
n'a peut-être jamais eu de titre.*

(L. II, c. 1, t. 1, pp. 81-86.)

*... Il passa le reste de l'hiver et le carême sur les fron-
tières de Bavière dans ses irrésolutions, se croyant bien délivré des préjugés de son éducation et des livres, et s'entretenant
toujours du dessein de bâtir tout de neuf. Mais quoique
cet état d'incertitude dont son esprit était agité, lui rendît
les difficultés de son dessein plus sensibles que s'il eût pris
d'abord sa résolution, il ne se laissa jamais tomber dans
le découragement. Il se soutenait toujours par le succès avec
lequel il savait ajuster les secrets de la Nature aux règles
de la Mathématique à mesure qu'il faisait quelque nouvelle
découverte dans la Physique. Ces occupations le garan-*

---

1. Baillet se réfère à une Note des mêmes *Olympica*, datée du
23 février. Il doute que ce recueil disparate commencé par le récit
des songes ait constitué le traité en question.

*tirent des chagrins et des autres mauvais effets de l'oisiveté,
et elles le menèrent jusqu'au temps que le Duc de Bavière fit
avancer ses troupes vers la Souabe. Il les suivit, comme nous
l'avons rapporté ailleurs, et il les quitta pour venir à Ulm,
où il passa les mois de juillet et d'août avec une partie de
ceux de juin et de septembre. De là il fut en Autriche voir la
Cour de l'Empereur, après quoi il alla rejoindre l'armée du
Duc de Bavière en Bohême, et entra avec elle dans la ville
de Prague, où il demeura jusqu'au milieu du mois de décembre.*

*Il prit ensuite son quartier d'hiver avec une partie des
troupes que le Duc de Bavière laissa sur les extrémités de
la Bohême méridionale en retournant à Munich. Il se
remit à ses méditations ordinaires sur la Nature, s'exerçant
aux préludes de ses grands desseins, et profitant de l'avantage qu'il avait de pouvoir vivre seul au milieu de ceux à
qui il ne pouvait envier la liberté de boire et de jouer, tant
qu'ils lui laissaient celle d'étudier en retraite.*

(L. II, c. II, pp. 91-92.)

3. LES VOYAGES : UNE « EXPÉRIENCE » DE DESCARTES.

*... Il entreprit [1] donc de voyager dans ce qui lui restait
à voir des pays du Nord : mais ce n'est pas la peine de dire
qu'il fut obligé de changer d'état. Ce qu'il entreprenait
n'était dans le fond qu'une continuation de voyages qu'il
voulait faire, sans s'assujettir dorénavant à suivre les armées,
parce qu'il croyait avoir suffisamment envisagé et découvert
le genre humain par l'endroit de ses hostilités. Il avait toujours parlé de sa profession militaire, d'une manière si
indifférente et si froide, qu'on jugeait aisément qu'il consi-
dérait ses campagnes comme de simples voyages, et qu'il
ne se servait de la bandoulière [2] que comme d'un passeport
qui lui donnait accès jusqu'au fond des tentes et des tranchées,
pour mieux satisfaire sa curiosité.*

(L. II, c. IV, pp. 98-99.)

*Etant sur le point de partir pour se rendre en Hollande
avant la fin de novembre de la même année, il se défit de ses*

1. En 1621 : « Ce fut immédiatement après la campagne de Hongrie
que M. Descartes exécuta la résolution qu'il avait prise depuis longtemps de ne plus porter le mousquet » *(ibid.)*.
2. Baudrier servant souvent d'insigne distinctif aux militaires.

*chevaux et d'une bonne partie de son équipage : et il ne
retint qu'un valet avec lui. Il s'embarqua sur l'Elbe... sur
un vaisseau qui devait lui laisser prendre terre dans la
Frise orientale, parce que son dessein était de visiter les
côtes de la mer d'Allemagne à son loisir. Il se remit sur mer
peu de jours après, avec résolution de débarquer en West-
Frise, dont il était curieux de voir aussi quelques endroits.
Pour le faire avec plus de liberté, il retint un petit bateau à
lui seul d'autant plus volontiers que le trajet était court
depuis Emden jusqu'au premier abord de West-Frise.*

*Mais cette disposition[1], qu'il n'avait prise que pour mieux
pourvoir à sa commodité, pensa lui être fatale. Il avait
affaire à des mariniers qui étaient des plus rustiques et des
plus barbares qu'on pût trouver parmi les gens de cette
profession. Il ne fut pas longtemps sans reconnaître que
c'étaient des scélérats; mais après tout ils étaient les maîtres
du bateau. M. Descartes n'avait point d'autre conversation que celle de son valet, avec lequel il parlait français.
Les mariniers, qui le prenaient plutôt pour un marchand
forain que pour un cavalier, jugèrent qu'il devait avoir de
l'argent. C'est ce qui leur fit prendre des résolutions qui
n'étaient nullement favorables à sa bourse. Mais il y a cette
différence entre les voleurs de mer et ceux des bois, que ceux-
ci peuvent en assurance laisser la vie à ceux qu'ils volent,
et se sauver sans être reconnus ; au lieu que ceux-là ne
peuvent mettre à bord une personne qu'ils auront volée,
sans s'exposer au danger d'être dénoncés par la même personne. Aussi les mariniers de M. Descartes prirent-ils des
mesures plus sûres pour ne pas tomber dans un pareil incon-
vénient. Ils voyaient que c'était un étranger venu de loin,
qui n'avait nulle connaissance dans le pays, et que personne
ne s'aviserait de réclamer, quand il viendrait à manquer.
Ils le trouvaient d'une humeur fort tranquille, fort patiente,
et jugeant à la douceur de sa mine, et à l'honnêteté qu'il
avait pour eux, que ce n'était qu'un jeune homme qui
n'avait pas encore beaucoup d'expérience, ils conclurent
qu'ils en auraient meilleur marché de sa vie. Ils ne firent
point de difficulté de tenir leur conseil en sa présence, ne
croyant pas qu'il sût d'autre langue que celle dont il s'entre-
tenait avec son valet ; et leurs délibérations allaient à l'as-
sommer, à le jeter dans l'eau et à profiter de ses dépouilles.*

M. Descartes, voyant que c'était tout de bon, se leva

---

1. Baillet se réfère au recueil de jeunesse perdu, intitulé *Experimenta*, « Expériences ».

tout d'un coup, changea de contenance, tira l'épée d'une fierté imprévue, leur parla en leur langue d'un ton qui les saisit, et les menaça de les percer sur l'heure, s'ils osaient lui faire insulte. Ce fut en cette rencontre qu'il s'aperçut de l'impression que peut faire la hardiesse d'un homme sur une âme basse ; je dis une hardiesse qui s'élève beaucoup au-dessus des forces et du pouvoir dans l'exécution : une hardiesse qui, en d'autres occasions, pourrait passer pour une pure rodomontade. Celle qu'il fit paraître pour lors eut un effet merveilleux sur l'esprit de ces misérables. L'épouvante qu'ils en eurent fut suivie d'un étourdissement qui les empêcha de considérer leur avantage, et ils le conduisirent aussi paisiblement qu'il pût souhaiter.

(L. II, c. IV, pp. 102-103.)

4. DESCARTES EST ENGAGÉ « A TRAVAILLER TOUT DE BON A SA PHILOSOPHIE »[1].

Peu de jours après que M. Descartes fut arrivé à Paris, il se tint une assemblée de personnes savantes et curieuses chez le Nonce du Pape, qui avait voulu procurer des auditeurs d'importance au sieur de Chandoux, qui devait débiter des sentiments nouveaux sur la Philosophie.
... Il fit un grand discours pour réfuter la manière d'enseigner la Philosophie qui est ordinaire dans l'Ecole. Il proposa même un Système assez suivi de la Philosophie qu'il prétendait établir, et qu'il voulait passer pour nouvelle.
L'agrément dont il accompagna son discours imposa tellement à la compagnie qu'il en reçut des applaudissements presque universels. Il n'y eut que M. Descartes qui affecta de ne point faire éclater au dehors les signes d'une satisfaction qu'il n'avait pas effectivement reçue du discours du sieur de Chandoux. Le Cardinal de Bérulle qui l'observait particulièrement s'aperçut de son silence. Ce fut ce qui l'obligea à lui demander son sentiment sur un discours qui

---

1. Extrait du sous-titre du c. 14 : Baillet date l' « Assemblée de Savants chez M. le Nonce » de novembre 1628, au retour du siège de La Rochelle, où ses premiers biographes avaient, sans raison, envoyé Descartes. Il est très probable que cette séance décisive pour la retraite de Descartes remonte à l'automne 1627. En tout cas, le Journal de Beeckman témoigne de l'arrivée de Descartes à Dordrecht le 8 octobre 1628.

*avait paru si beau à la compagnie. M. Descartes fit ce qu'il
put pour s'en excuser, témoignant qu'il n'avait rien à dire
après les approbations de tant de savants hommes qu'il
estimait plus capables que lui de juger du discours qu'on
venait d'entendre... Mais il prit occasion de ce discours
pour faire remarquer la force de la vraisemblance qui occupe
la place de la Vérité, et qui dans cette rencontre paraissait
avoir triomphé du jugement de tant de personnes graves et
judicieuses. Il ajouta que lorsqu'on a affaire à des gens assez
faciles pour vouloir bien se contenter du vraisemblable,
comme venait de faire l'illustre compagnie devant laquelle
il avait l'honneur de parler, il n'était pas difficile de débiter
le faux pour le vrai, et de faire réciproquement passer le
vrai pour le faux à la faveur de l'apparent. Pour en faire
l'épreuve sur le champ, il demanda à l'assemblée que quelqu'un de la compagnie voulût prendre la peine de lui proposer telle vérité qu'il lui plairait, et qui fût du nombre de
celles qui paraissent les plus incontestables. On le fit, et
avec douze arguments tous plus vraisemblables l'un que
l'autre, il vint à bout de prouver à la compagnie qu'elle
était fausse. Il se fit ensuite proposer une fausseté de celles
que l'on a coutume de prendre pour les plus évidentes, et
par le moyen d'une douzaine d'autres arguments vraisemblables, il porta ses auditeurs à la reconnaître pour une
vérité plausible. L'assemblée fut surprise de la force et de
l'étendue de génie que M. Descartes faisait paraître dans ses
raisonnements: mais elle fut encore plus étonnée de se voir si
clairement convaincue de la facilité avec laquelle notre
esprit devient la dupe de la vraisemblance. On lui demanda
ensuite s'il ne connaissait pas quelque moyen infaillible pour
éviter les sophismes. Il répondit qu'il n'en connaissait point
de plus infaillible que celui dont il avait coutume de se
servir, ajoutant qu'il l'avait tiré du fond des Mathématiques,
et qu'il ne croyait pas qu'il y eût de vérité qu'il ne pût
démontrer clairement avec ce moyen suivant ses propres
principes. Ce moyen n'était autre que sa règle universelle,
qu'il appelait autrement sa Méthode naturelle, sur laquelle
il mettait à l'épreuve toutes sortes de propositions de quelque
nature et de quelque espèce qu'elles pussent être* [1]. *Le premier fruit de cette Méthode était de faire voir d'abord si la
proposition était possible ou non, parce qu'elle l'examinait*

---

1. Alors que le début du récit se réfère à l'Abrégé de la Vie de Descartes par P. Borel (Castres, 1653), Baillet mentionne ici la lettre
manuscrite à Villebressieu, dont il cite plus bas un extrait (été 1631).

et qu'elle l'assurait (pour me servir de ses termes) avec une connaissance et une certitude égale à celle que peuvent produire les règles de l'Arithmétique. L'autre fruit consistait à lui faire soudre[1] *infailliblement la difficulté de la même proposition. Il n'eut jamais d'occasion plus éclatante que celle qui se présentait dans cette assemblée pour faire valoir ce moyen infaillible qu'il avait trouvé d'éviter les sophismes. C'est ce qu'il reconnut lui-même quelques années depuis dans une lettre qu'il écrivit d'Amsterdam à M. de Ville- bressieu à qui il fit revenir la mémoire de ce qui s'était passé en cette rencontre.*

« Vous avez vu, *dit-il*, ces deux fruits de ma belle règle ou Méthode naturelle au sujet de ce que je fus obligé de faire dans l'entretien que j'eus avec le Nonce du Pape, le Cardinal de Bérulle, le Père Mersenne, et toute cette grande et savante compagnie qui s'était assemblée chez ledit Nonce pour entendre le discours de Monsieur de Chandoux touchant sa nouvelle Philosophie. Ce fut là que je fis confesser à toute la troupe ce que l'art de bien raisonner peut sur l'esprit de ceux qui sont médio- crement savants, et combien mes principes sont mieux établis, plus véritables, et plus naturels qu'aucuns des autres qui sont déjà reçus parmi les gens d'étude. Vous en restâtes convaincu comme tous ceux qui prirent la peine de me conjurer de les écrire et de les enseigner au Public. »

... Le Cardinal de Bérulle[2] *sur tous les autres goûta mer- veilleusement tout ce qu'il en avait entendu, et pria M. Des- cartes qu'il pût l'entendre encore une autre fois sur le même sujet en particulier. M. Descartes sensible à l'honneur qu'il recevait d'une proposition si obligeante lui rendit visite peu de jours après, et l'entretint des premières pensées qui lui étaient venues sur la Philosophie, après qu'il se fut aperçu de l'inutilité des moyens qu'on emploie communément pour la traiter. Il lui fit entrevoir les suites que ces pensées pour- raient avoir si elles étaient bien conduites, et l'utilité que le Public en retirerait si l'on appliquait sa manière de philo- sopher à la Médecine et à la Mécanique, dont l'une pro- duirait le rétablissement et la conservation de la santé, l'autre la diminution et le soulagement des travaux des hommes. Le Cardinal n'eut pas de peine à comprendre l'importance du dessein : et le jugeant très propre pour*

1. Résoudre.
2. Ici Baillet suit une relation manuscrite de Clerselier.

*l'exécuter, il employa l'autorité qu'il avait sur son esprit
pour le porter à entreprendre ce grand ouvrage. Il lui en fit
même une obligation de conscience, sur ce qu'ayant reçu
de Dieu une force et une pénétration d'esprit avec des
lumières sur cela qu'il n'avait point accordées à d'autres,
il lui rendrait un compte exact de l'emploi de ses talents, et
serait responsable devant ce Juge souverain des hommes du
tort qu'il ferait au genre humain en le privant du fruit de
ses méditations. Il alla même jusqu'à l'assurer qu'avec des
intentions aussi pures et une capacité d'esprit aussi vaste que
celle qu'il lui connaissait, Dieu ne manquerait pas de bénir
son travail et de le combler de tout le succès qu'il en pourrait
attendre.*

*L'impression que les exhortations de ce pieux Cardinal
firent sur lui se trouvant jointe à ce que son naturel et sa
raison lui dictaient depuis longtemps acheva de le déterminer. Jusque là il n'avait encore embrassé aucun parti dans
la Philosophie, et n'avait point pris de secte, comme nous
l'apprenons de lui-même. Il se confirma dans la résolution
de conserver sa liberté, et de travailler sur la nature même
sans s'arrêter à voir en quoi il s'approcherait ou s'éloigne-
rait de ceux qui avaient traité la Philosophie avant lui.
Les instances que ses amis redoublèrent pour le presser de
communiquer ses lumières au Public, ne lui permirent pas
de reculer plus loin. Il ne délibéra plus que sur les moyens
d'exécuter son dessein plus commodément : et ayant remarqué deux principaux obstacles qui pourraient l'empêcher de
réussir, savoir la chaleur du climat et la foule du grand
monde, il résolut de se retirer pour toujours du lieu de ses
habitudes, et de se procurer une solitude parfaite dans un
pays médiocrement froid, où il ne serait pas connu.*

(L. II, c. xiv, pp. 160-163, 165-166.)

5. QUELQUES MACHINERIES CARTÉSIENNES.

*M. de Villebressieu... vint se renfermer avec lui dans
Amsterdam [1] pour continuer ses études et ses expériences
auprès d'un maître si affectionné. Depuis l'an 1627 qu'il*

---

1. On ignore la date exacte de ce séjour, que Baillet date de 1634.
On sait que Villebressieu séjourna près de Descartes en 1631, et en
1643-1644.

s'était donné à M. Descartes, il avait fait des progrès merveilleux dans la Mécanique et dans la Perspective. Il avait un génie tout particulier pour appliquer heureusement les réflexions que M. Descartes lui faisait faire sur les règles qu'il lui donnait pour travailler. Sur l'observation qu'il lui avait fait faire à Paris avant que de quitter la France touchant la Perspective naturelle, il avait ingénieusement imaginé l'instrument pour redresser les objets qui paraissent tracés et peints mais renversés dans une chambre bien fermée, lorsque la lumière les pousse dedans par le moyen d'un trou, au bout duquel est le verre, sur une feuille de papier opposé, qui les reçoit tous renversés. Cela ne fut pas inutile à la Dioptrique de M. Descartes, qui en composa le cinquième discours sur cette observation, pour expliquer les images qui se forment sur le fond de l'œil. Il en prit occasion pour faire voir que l'on s'était trompé jusque là de croire que l'œil allât prendre les images dans les objets et que les objets s'approchassent de l'œil: mais que cela se fait par la lumière qui frappe l'objet. Cette lumière étant réfléchie peint ou imprime dans le fond de l'œil cette image qui se représente au fond de l'œil, de même qu'elle paraît dans la chambre fermée, et qu'on la voyait dans l'instrument de M. de Villebressieu avant qu'on y mît le miroir qui la redressait contre la superficie d'un plan de couleur blanche. M. Descartes estimait d'autant plus cette observation de M. de Villebressieu, que sa Machine tendait à faire deux offices à la fois. Le premier était de redresser l'objet, qui était un effet que M. Descartes ne lui avait proposé d'abord que comme possible, M. de Villebressieu ayant fait le reste par sa propre industrie. Le second était que sa machine se portait partout où le point de vue était plus agréable à voir. C'est ce qu'il jugeait digne du plus grand Prince de la terre, mais d'un Prince Philosophe et perfectionné dans le raisonnement. C'est pourquoi il voulut persuader à M. de Villebressieu de tenir son instrument secret.

... Parmi les autres inventions particulières que M. de Villebressieu avait imaginées auprès de M. Descartes, nous trouvons : 1. La Spirale double pour descendre d'une tour en bas sans danger; 2. Les Tenailles de bois pour monter par une corde menue; 3. Le Tour fait avec deux bâtons ou morceaux de bois pour monter et pour descendre; 4. Le Pont roulant pour escalader une place qui a un profond et large fossé; 5. Le Bateau à passer les rivières fait de quatre ais de bois, qui se pliait et se portait sous le bras. 6. Mais surtout M. Descartes l'exhortait à donner au public son

Chariot-Chaise, *jugeant cette machine fort utile à tout le monde, et particulièrement aux soldats blessés. La structure n'en était ni difficile, ni d'une grande dépense. Elle se pouvait faire partout où il y avait des cerceaux de tonneau, et les deux roues ne pouvaient en aucune manière incommoder la personne qui était dans le chariot. Sa principale commodité consistait en ce qu'on y pouvait être mené en santé et en maladie dans toutes sortes de chemins par un seul homme avec moins de peine que n'en ont deux qui portent une chaise, et qu'on y était aussi mollement que dans une chaise ou une litière.*

M. Borel qui avait appris de M. de Villebressieu, son ami particulier, ce qu'il écrit touchant M. Descartes, remarque que pendant qu'ils furent ensemble ils ne s'occupèrent à rien tant qu'à des expériences de Dioptrique. Il prétend que M. Descartes fit voir à M. de Villebressieu une infinité de choses qui passaient de loin la portée des autres mathématiciens, principalement en ce qui regarde l'usage des lunettes et des miroirs. Il faisait devant lui toutes ses épreuves, tantôt avec de la glace, tantôt avec du marbre noir artificiel. *Il lui en faisait polir et creuser de toutes grandeurs et de toutes figures; et après en avoir produit tous les effets qu'il en pouvait souhaiter, il les lui faisait briser, et lui en faisait faire de nouveaux de la même matière. Toutes simples et toutes naturelles que fussent ces merveilles qu'il opérait de jour en jour dans l'Optique, elles ne laissaient pas de causer beaucoup d'étonnement dans l'esprit de M. de Villebressieu. Mais jamais il ne parut plus surpris que lorsque M. Descartes lui fit passer devant les yeux une compagnie de soldats au travers de sa chambre en apparence. L'artifice ne consistait qu'en de petites figures de soldats qu'il avait soin de cacher ; et par le moyen d'un miroir il faisait grossir et augmenter ces petites figures jusqu'à la juste grandeur de l'homme au naturel, et semblait les faire entrer, passer et sortir de la chambre.*

(L. III, c. XIII, pp. 256-259).

II

LE MONDE
ou
TRAITÉ DE LA LUMIÈRE

Chapitre Premier

*De la différence qui est entre nos sentiments
et les choses qui les produisent.*

Me proposant de traiter ici de la lumière, la première chose dont je veux vous avertir est qu'il peut y avoir de la différence entre le sentiment que nous en avons, c'est-à-dire l'idée qui s'en forme en notre imagination par l'entremise de nos yeux, et ce qui est dans les objets qui produit en nous ce sentiment, c'est-à-dire ce qui est dans la flamme ou dans le Soleil, qui s'appelle du nom de Lumière. Car encore que chacun se persuade communément que les idées que nous avons en notre pensée sont entièrement semblables aux objets dont elles procèdent, je ne vois point toutefois de raison qui nous assure que cela soit; mais je remarque, au contraire, plusieurs expériences qui nous en doivent faire douter.

Vous savez bien que les paroles, n'ayant aucune ressemblance avec les choses qu'elles signifient, ne laissent pas de nous les faire concevoir, et souvent même sans que nous prenions garde au son des mots, ni à leurs syllabes; en sorte qu'il peut arriver qu'après avoir ouï un discours, dont nous aurons fort bien compris le sens, nous ne pourrons pas dire en quelle langue il aura été prononcé. Or, si des mots, qui ne signifient rien que par l'institution des hommes, suffisent pour nous faire concevoir des choses avec lesquelles ils n'ont aucune ressemblance, pourquoi la Nature ne pourra-t-elle pas aussi avoir établi certain signe, qui nous fasse avoir le sentiment de la lumière, bien que ce signe n'ait en soi rien qui soit semblable à ce sentiment ? Et n'est-ce pas ainsi qu'elle a établi les ris et les larmes, pour nous faire lire la joie et la tristesse sur le visage des hommes ?

Mais vous direz, peut-être, que nos oreilles ne nous font véritablement sentir que le son des paroles, ni nos yeux que la contenance de celui qui rit ou qui pleure, et que c'est notre esprit qui, ayant retenu ce que signifient ces paroles et cette contenance, nous le représente en même temps. A cela je pourrais répondre que c'est notre esprit tout de même qui nous représente l'idée de la lumière, toutes les fois que l'action qui la signifie touche notre œil. Mais sans perdre le temps à disputer, j'aurai plus tôt fait d'apporter un autre exemple.

Pensez-vous, lors même que nous ne prenons pas garde à la signification des paroles, et que nous oyons seulement leur son, que l'idée de ce son, qui se forme en notre pensée, soit quelque chose de semblable à l'objet qui en est la cause ? Un homme ouvre la bouche, remue la langue, pousse son haleine ; je ne vois rien, en toutes ces actions, qui ne soit fort différent de l'idée du son, qu'elles nous font imaginer. Et la plupart des Philosophes [1] assurent que le son n'est autre chose qu'un certain tremblement d'air, qui vient frapper nos oreilles, en sorte que, si le sens de l'ouïe rapportait à notre pensée la vraie image de son objet, il faudrait, au lieu de nous faire concevoir le son, qu'il nous fît concevoir le mouvement des parties de l'air qui tremble pour lors contre nos oreilles. Mais, parce que tout le monde ne voudra peut-être pas croire ce que disent les Philosophes, j'apporterai encore un autre exemple.

L'attouchement est celui de tous nos sens que l'on estime le moins trompeur et le plus assuré ; de sorte que, si je vous montre que l'attouchement même nous fait concevoir plusieurs idées, qui ne ressemblent en aucune façon aux objets qui les produisent, je ne pense pas que vous deviez trouver étrange, si je dis que la vue peut faire le semblable. Or il n'y a personne qui ne sache que les idées du chatouillement et de la douleur, qui se forment en notre pensée à l'occasion des corps de dehors qui nous touchent, n'ont aucune ressemblance avec eux.

---

1. La physique aristotélicienne reconnaissait que « le son est un mouvement » ; « est donc sonore le corps capable d'ébranler une masse d'air, en continuité jusqu'à l'organe de l'ouïe » (*De l'âme*, II, 8).

On passe doucement une plume sur les lèvres d'un enfant qui s'endort, et il sent qu'on le chatouille : pensez-vous que l'idée du chatouillement, qu'il conçoit, ressemble à quelque chose de ce qui est en cette plume ? Un gendarme [1] revient d'une mêlée : pendant la chaleur du combat, il aurait pu être blessé sans s'en apercevoir; mais maintenant qu'il commence à se refroidir, il sent de la douleur, il croit être blessé : on appelle un chirurgien, on ôte ses armes, on le visite, et on trouve enfin que ce qu'il sentait n'était autre chose qu'une boucle ou une courroie qui, s'étant engagée sous ses armes, le pressait et l'incommodait. Si son attouchement, en lui faisant sentir cette courroie, en eût imprimé l'image en sa pensée, il n'aurait pas eu besoin d'un chirurgien pour l'avertir de ce qu'il sentait.

Or je ne vois point de raison qui nous oblige à croire que ce qui est dans les objets, d'où nous vient le sentiment de la lumière, soit plus semblable à ce sentiment que les actions d'une plume et d'une courroie le sont au chatouillement et à la douleur. Et toutefois je n'ai point apporté ces exemples pour vous faire croire absolument que cette lumière est autre dans les objets que dans nos yeux; mais seulement afin que vous en doutiez, et que, vous gardant d'être préoccupé du contraire, vous puissiez maintenant mieux examiner avec moi ce qui en est.

1. Homme de guerre.

Chapitre VI

Description d'un nouveau Monde ; et des qualités de la matière dont il est composé.

Permettez donc pour un peu de temps à votre pensée de sortir hors de ce Monde pour en venir voir un autre tout nouveau que je ferai naître en sa présence dans les espaces imaginaires [1]. Les philosophes nous disent que ces espaces sont infinis et ils doivent bien en être crus puisque ce sont eux-mêmes qui les ont faits. Mais afin que cette infinité ne nous empêche et ne nous embarrasse point, ne tâchons pas d'aller jusques au bout, entrons-y seulement si avant que nous puissions perdre de vue toutes les créatures que Dieu fit il y a cinq ou six mille ans [2]; et après nous être arrêtés là en quelque lieu déterminé, supposons que Dieu crée de nouveau tout autour de nous tant de matière que, de quelque côté que notre imagination se puisse étendre, elle n'y aperçoive plus aucun lieu qui soit vide.

Bien que la mer ne soit pas infinie, ceux qui sont au milieu sur quelque vaisseau peuvent étendre leur vue, ce semble, à l'infini; et toutefois il y a encore de l'eau au delà de ce qu'ils voient. Ainsi, encore que notre imagination semble se pouvoir étendre à l'infini et que cette nouvelle matière ne soit pas supposée être infinie, nous pouvons bien toutefois supposer qu'elle remplit des espaces beaucoup plus grands que tous ceux que nous aurons imaginés. Et même afin qu'il n'y ait rien en tout ceci où vous puissiez trouver à redire, ne permettons pas à notre imagination de s'étendre si loin qu'elle pourrait; mais retenons-la tout à dessein dans un espace

---

1. Espaces extérieurs au monde fini et plein des Anciens, et dits par les scolastiques « imaginaires » parce qu'ils ne contiennent aucun corps, par opposition aux espaces réels. Descartes raille cette imagination.
2. Estimation de l'âge du monde habituelle au XVIIᵉ siècle.

déterminé, qui ne soit pas plus grand, par exemple, que la distance qui est depuis la Terre jusques aux principales étoiles du firmament, et supposons que la matière que Dieu aura créée s'étend bien loin au delà de tous côtés, jusques à une distance indéfinie. Car il y a bien plus d'apparence et nous avons bien mieux le pouvoir de prescrire des bornes à l'action de notre pensée, que non pas aux œuvres de Dieu.

Or puisque nous prenons la liberté de feindre cette matière à notre fantaisie, attribuons lui, s'il vous plaît, une nature en laquelle il n'y ait rien du tout que chacun ne puisse connaître aussi parfaitement qu'il est possible. Et pour cet effet, supposons expressément qu'elle n'a point la forme de la Terre, ni du Feu, ni de l'Air, ni aucune autre plus particulière comme du bois, d'une pierre ou d'un métal, non plus que les qualités d'être chaude ou froide, sèche ou humide, légère ou pesante, ou d'avoir quelque goût ou odeur ou son ou couleur ou lumière ou autre semblable, en la nature de laquelle on puisse dire qu'il y ait quelque chose qui ne soit pas évidemment connu de tout le monde.

Et ne pensons pas aussi d'autre côté qu'elle soit cette Matière première des Philosophes [1] qu'on a si bien dépouillée de toutes ses formes et qualités qu'il n'y est rien demeuré de reste, qui puisse être clairement entendu. Mais concevons-la comme un vrai corps parfaitement solide qui remplit également toutes les longueurs, largeurs et profondeurs de ce grand espace au milieu duquel nous avons arrêté notre pensée; en sorte que chacune de ses parties occupe toujours une partie de cet espace, tellement proportionnée à sa grandeur qu'elle n'en saurait remplir une plus grande ni se resserrer en une moindre, ni souffrir que, pendant qu'elle y demeure, quelque autre y trouve place.

Ajoutons à cela que cette matière peut être divisée en toutes les parties et selon toutes les figures que nous pouvons imaginer; et que chacune de ses parties est capable de recevoir en soi tous les mouvements que nous pouvons aussi concevoir. Et supposons de plus que Dieu la divise véritablement en plusieurs telles parties, les unes plus grosses, les autres plus petites, les unes d'une figure,

---

1. Pour les scolastiques, cette « matière première », antérieure à toute information, est « pure puissance » : elle n'a pas d'existence séparée, mais conditionne l'actualisation par une forme. Elle n'est donc conçue que négativement et confusément (Suarez).

les autres d'une autre, telles qu'il nous plaira de les
feindre. Non pas qu'il les sépare pour cela l'une de l'autre,
en sorte qu'il y ait quelque vide entre deux : mais pensons
que toute la distinction qu'il y met consiste dans la diversité des mouvements qu'il leur donne, faisant que, dès
le premier instant qu'elles sont créées, les unes commencent à se mouvoir d'un côté, les autres d'un autre ;
les unes plus vite, les autres plus lentement (ou même,
si vous voulez, point du tout) et qu'elles continuent par
après leur mouvement suivant les lois ordinaires de la
Nature. Car Dieu a si merveilleusement établi ces Lois
qu'encore que nous supposions qu'il ne crée rien de plus
que ce que j'ai dit et même qu'il ne mette en ceci aucun
ordre ni proportion, mais qu'il en compose un chaos
le plus confus et le plus embrouillé que les Poètes
puissent décrire : elles sont suffisantes pour faire que les
parties de ce chaos se démêlent d'elles-mêmes et se
disposent en si bon ordre qu'elles auront la forme d'un
Monde très parfait et dans lequel on pourra voir non
seulement de la lumière, mais aussi toutes les autres
choses, tant générales que particulières, qui paraissent
dans ce vrai Monde [1].

Mais avant que j'explique ceci plus au long, arrêtez-
vous encore un peu à considérer ce chaos et remarquez
qu'il ne contient aucune chose qui ne vous soit si parfaitement connue que vous ne sauriez pas même feindre
de l'ignorer. Car pour les qualités que j'y ai mises, si
vous y avez pris garde, je les ai seulement supposées
telles que vous les pouviez imaginer. Et pour la matière
dont je l'ai composé, il n'y a rien de plus simple, ni de
plus facile à connaître dans les créatures inanimées ; et
son idée est tellement comprise en toutes celles que notre
imagination peut former qu'il faut nécessairement que
vous la conceviez ou que vous n'imaginiez jamais aucune
chose.

Toutefois, parce que les Philosophes sont si subtils
qu'ils savent trouver des difficultés dans les choses qui
semblent extrêmement claires aux autres hommes, et
que le souvenir de leur matière première, qu'ils savent
être assez mal aisée à concevoir, les pourrait divertir
de la connaissance de celle dont je parle, il faut que je
leur dise en cet endroit que, si je ne me trompe, toute la
difficulté qu'ils éprouvent en la leur ne vient que de ce

---

1. Le nôtre : le détail de l'hypothèse rejoint ce monde réel.

qu'ils la veulent distinguer de sa propre quantité et de son étendue extérieure, c'est-à-dire de la propriété qu'elle a d'occuper de l'espace. En quoi toutefois je veux bien qu'ils croient avoir raison, car je n'ai pas dessein de m'arrêter à les contredire. Mais ils ne doivent pas aussi trouver étrange si je suppose que la quantité de la matière que j'ai décrite ne diffère non plus de sa substance que le nombre fait des choses nombrées, et si je conçois son étendue ou la propriété qu'elle a d'occuper de l'espace non point comme un accident, mais comme sa vraie forme et son essence [1]; car ils ne sauraient nier qu'elle ne soit très facile à concevoir en cette sorte. Et mon dessein n'est pas d'expliquer, comme eux, les choses qui sont en effet dans le vrai monde, mais seulement d'en feindre un à plaisir, dans lequel il n'y ait rien que les plus grossiers esprits ne soient capables de concevoir, et qui puisse toutefois être créé tout de même que je l'aurai feint.

Si j'y mettais la moindre chose qui fût obscure, il se pourrait faire que parmi cette obscurité il y aurait quelque répugnance cachée dont je ne me serais pas aperçu, et ainsi que, sans y penser, je supposerais une chose impossible; au lieu que, pouvant distinctement imaginer tout ce que j'y mets, il est certain qu'encore qu'il n'y eût rien de tel dans l'ancien monde, Dieu le peut toutefois créer dans un nouveau : car il est certain qu'il peut créer toutes les choses que nous pouvons imaginer.

---

1. Dans les *Disputes métaphysiques* (XI, 2), Suarez se demande longuement si la « quantité » se confond avec la *situalis extensio*, ou étendue du corps dans son rapport au lieu, et si cette extension ne se sépare pas de la substance (« essence ») ou bien en est un mode séparable (« accident »), ce qui entraînerait certaines absurdités (« répugnance »).

Chapitre VII

Des lois de la Nature de ce nouveau Monde.

Mais je ne veux pas différer plus longtemps à vous dire par quel moyen la Nature seule pourra démêler la confusion du Chaos dont j'ai parlé, et quelles sont les lois que Dieu lui a imposées.

Sachez donc, premièrement, que par la Nature je n'entends point ici quelque Déesse, ou quelque autre sorte de puissance imaginaire, mais que je me sers de ce mot pour signifier la Matière même en tant que je la considère avec toutes les qualités que je lui ai attribuées comprises toutes ensemble, et sous cette condition que Dieu continue de la conserver en la même façon qu'il l'a créée. Car de cela seul qu'il continue ainsi de la conserver, il suit de nécessité qu'il doit y avoir plusieurs changements en ses parties, lesquels ne pouvant, ce me semble, être proprement attribués à l'action de Dieu, parce qu'elle ne change point, je les attribue à la Nature ; et les règles suivant lesquelles se font ces changements, je les nomme les lois de la Nature.

Pour mieux entendre ceci, souvenez-vous qu'entre les qualités de la matière nous avons supposé que ses parties avaient eu divers mouvements dès le commencement qu'elles ont été créées, et outre cela qu'elles s'entretouchaient toutes de tous côtés, sans qu'il y eût aucun vide entre deux. D'où il suit, de nécessité, que dès lors, en commençant à se mouvoir, elles ont commencé aussi à changer et diversifier leurs mouvements par la rencontre l'une de l'autre : et ainsi que, si Dieu les conserve par après en la même façon qu'il les a créées, il ne les conserve pas en même état : c'est-à-dire que Dieu agissant toujours de même, et par conséquent produisant toujours le même effet en substance [1],

---

1. La doctrine de la création continuée (cf. *Discours*, 5e partie, p. 70) assure la permanence de la substance, sans exclure la diversité de ses modifications ou « accidents ».

il se trouve, comme par accident, plusieurs diversités en cet effet. Et il est facile à croire que Dieu qui, comme chacun doit savoir, est immuable, agit toujours de même façon. Mais, sans m'engager plus avant dans ces considérations métaphysiques, je mettrai ici deux ou trois des principales règles, suivant lesquelles il faut penser que Dieu fait agir la Nature de ce nouveau Monde et qui suffiront, comme je crois, pour vous faire connaître toutes les autres [1].

... Mais encore que tout ce que nos sens ont jamais expérimenté dans le vrai Monde semblât manifestement être contraire à ce qui est contenu dans ces deux Règles, la raison qui me les a enseignées me semble si forte, que je ne laisserais pas de croire être obligé de les supposer dans le nouveau que je vous décris. Car quel fondement plus ferme et plus solide pourrait-on trouver pour établir une vérité, encore qu'on le voulût choisir à souhait, que de prendre la fermeté même et l'immutabilité qui est en Dieu ?

Or est-il que ces deux Règles suivent manifestement de cela seul que Dieu est immuable, et qu'agissant toujours en même sorte il produit toujours le même effet. Car, supposant qu'il a mis certaine quantité de mouvements dans toute la matière en général, dès le premier instant qu'il l'a créée, il faut avouer qu'il y en conserve toujours autant, ou ne pas croire qu'il agisse toujours en même sorte. Et supposant avec cela que dès ce premier instant les diverses parties de la matière, en qui ces mouvements se sont trouvés inégalement dispersés, ont commencé à les retenir, ou à les transférer de l'une à l'autre selon qu'elles en ont pu avoir la force, il faut nécessairement penser qu'il leur fait toujours continuer la même chose. Et c'est ce que contiennent ces deux Règles.

J'ajouterai pour la troisième : Que lorsqu'un corps se meut, encore que son mouvement se fasse le plus souvent en ligne courbe et qu'il ne s'en puisse jamais faire aucun, qui ne soit en quelque façon circulaire, ainsi qu'il a été dit ci-dessus, toutefois chacune de ses parties en particulier tend toujours à continuer le sien en ligne

---

1. Descartes énonce et commente ici deux règles : « que chaque partie de la matière, en particulier, continue toujours d'être en un même état, pendant que la rencontre des autres ne la contraint point de le changer »; puis « que, quand un corps en pousse un autre, il ne saurait lui donner aucun mouvement, qu'il n'en perde en même temps autant du sien; ni lui en ôter, que le sien ne s'augmente d'autant ».

droite. Et ainsi leur action, c'est-à-dire l'inclination qu'elles ont à se mouvoir, est différente de leur mouvement.

Par exemple, si l'on fait tourner une roue sur son essieu, encore que toutes ses parties aillent en rond parce qu'étant jointes l'une à l'autre elles ne sauraient aller autrement, toutefois leur inclination est d'aller droit, ainsi qu'il paraît clairement si par hasard quelqu'une se détache des autres; car aussitôt qu'elle est en liberté, son mouvement cesse d'être circulaire et se continue en ligne droite.

De même, quand on fait tourner une pierre dans une fronde, non seulement elle va tout droit aussitôt qu'elle en est sortie, mais de plus, pendant tout le temps qu'elle y est, elle presse le milieu de la fronde, et fait tendre la corde; montrant évidemment par là qu'elle a toujours inclination d'aller en droite ligne et qu'elle ne va en rond que par contrainte.

Cette Règle est appuyée sur le même fondement que les deux autres et ne dépend que de ce que Dieu conserve chaque chose par une action continue et par conséquent qu'il ne la conserve point telle qu'elle peut avoir été quelque temps auparavant, mais précisément telle qu'elle est au même instant qu'il la conserve. Or est-il que, de tous les mouvements, il n'y a que le droit qui soit entièrement simple et dont toute la nature soit comprise en un instant[1]. Car pour le concevoir, il suffit de penser qu'un corps est en action pour se mouvoir vers un certain côté, ce qui se trouve en chacun des instants qui peuvent être déterminés pendant le temps qu'il se meut. Au lieu que, pour concevoir le mouvement circulaire, ou quelque autre que ce puisse être, il faut au moins considérer deux de ses instants, ou plutôt deux de ses parties, et le rapport qui est entre elles.

---

1. Descartes s'oppose ici au privilège du mouvement circulaire pour les Anciens.

III

L'HOMME

Ces hommes seront composés, comme nous, d'une Ame et d'un Corps. Et il faut que je vous décrive, premièrement, le corps à part, puis après l'âme aussi à part; et enfin, que je vous montre comment ces deux natures doivent être jointes et unies, pour composer des hommes qui nous ressemblent.

Je suppose que le corps n'est autre chose qu'une statue ou machine de terre, que Dieu forme tout exprès, pour la rendre la plus semblable à nous qu'il est possible : en sorte que, non seulement il lui donne au dehors la couleur et la figure de tous nos membres, mais aussi qu'il met au dedans toutes les pièces qui sont requises pour faire qu'elle marche, qu'elle mange, qu'elle respire, et enfin qu'elle imite toutes celles de nos fonctions qui peuvent être imaginées procéder de la matière, et ne dépendre que de la disposition des organes.

Nous voyons des horloges, des fontaines artificielles, des moulins, et autres semblables machines, qui n'étant faites que par des hommes, ne laissent pas d'avoir la force de se mouvoir d'elles-mêmes en plusieurs diverses façons; et il me semble que je ne saurais imaginer tant de sortes de mouvements en celle-ci, que je suppose être faite des mains de Dieu, ni lui attribuer tant d'artifice, que vous n'ayez sujet de penser, qu'il y en peut avoir encore davantage...

Pour ce qui est des parties du sang qui pénètrent jusqu'au cerveau, elles n'y servent pas seulement à nourrir et entretenir sa substance, mais principalement aussi à y produire un certain vent très subtil, ou plutôt une flamme très vive et très pure, qu'on nomme les *Esprits animaux* [1]. Car il faut savoir que les artères qui les appor-

1. Cf. *Discours*, 5ᵉ partie, p. 77, note 4.

tent du cœur, après s'être divisées en une infinité de
petites branches, et avoir composé ces petits tissus, qui
sont étendus comme des tapisseries au fond des concavités du cerveau, se rassemblent autour d'une certaine
petite *glande* [1], située environ le milieu de la substance
de ce cerveau, tout à l'entrée de ses concavités; et ont
en cet endroit un grand nombre de petits trous, par où
les plus subtiles parties du sang qu'elles contiennent se
peuvent écouler dans cette glande, mais qui sont si
étroits, qu'ils ne donnent aucun passage aux plus grossières.

Il faut aussi savoir que ces artères ne s'arrêtent pas
là, mais que, s'y étant assemblées plusieurs en une,
elles montent tout droit, et se vont rendre dans ce grand
vaisseau qui est comme un Euripe [2], dont toute la superficie extérieure de ce cerveau est arrosée. Et de plus il
faut remarquer que les plus grosses parties du sang
peuvent perdre beaucoup de leur agitation, dans les
détours des petits tissus par où elles passent : d'autant
qu'elles ont la force de pousser les plus petites qui sont
parmi elles, et ainsi de la leur transférer; mais que ces
plus petites ne peuvent pas en même façon perdre la
leur, d'autant qu'elle est même augmentée par celle que
leur transfèrent les plus grosses, et qu'il n'y a point
d'autres corps autour d'elles, auxquels elles puissent si
aisément la transférer.

D'où il est facile à concevoir que, lorsque les plus
grosses montent tout droit vers la superficie extérieure
du cerveau, où elles servent de nourriture à sa substance,
elles sont cause que les plus petites et les plus agitées
se détournent, et entrent toutes en cette glande : qui doit
être imaginée comme une source fort abondante, d'où
elles coulent en même temps de tous côtés dans les concavités du cerveau. Et ainsi, sans autre préparation, ni
changement, sinon qu'elles sont séparées des plus grossières, et qu'elles retiennent encore l'extrême vitesse que
la chaleur du cœur leur a donnée, elles cessent d'avoir
la forme du sang, et se nomment les Esprits animaux.

Or, à mesure que ces esprits entrent ainsi dans les

1. Seule la correspondance de Descartes (à Meyssonnier, 29 janvier 1640, à Mersenne, 1er avril et 30 juillet 1640) précise que c'est
« la glande nommée *conarium* » (ou pinéale, à cause de sa forme de
pomme de pin).
2. Détroit entre la Béotie et l'île d'Eubée, où les courants alternés
sont très violents.

concavités du cerveau, ils passent de là dans les pores de sa substance, et de ces pores dans les nerfs ; où selon qu'ils entrent, ou même seulement qu'ils tendent à entrer, plus ou moins dans les uns que dans les autres, ils ont la force de changer la figure des muscles en qui ces nerfs sont insérés, et par ce moyen de faire mouvoir tous les membres. Ainsi que vous pouvez avoir vu, dans les grottes et les fontaines qui sont aux jardins de nos Rois, que la seule force dont l'eau se meut, en sortant de sa source, est suffisante pour y mouvoir diverses machines, et même pour les y faire jouer de quelques instruments, ou prononcer quelques paroles, selon la diverse disposition des tuyaux qui la conduisent.

Et véritablement l'on peut fort bien comparer les nerfs de la machine que je vous décris aux tuyaux des machines de ces fontaines ; ses muscles et ses tendons, aux autres divers engins et ressorts qui servent à les mouvoir ; ses esprits animaux, à l'eau qui les remue, dont le cœur est la source, et les concavités du cerveau sont les regards [1]. De plus, la respiration, et autres telles actions qui lui sont naturelles et ordinaires, et qui dépendent du cours des esprits, sont comme les mouvements d'une horloge, ou d'un moulin, que le cours ordinaire de l'eau peut rendre continus. Les objets extérieurs, qui par leur seule présence agissent contre les organes de ses sens, et qui par ce moyen la déterminent à se mouvoir en plusieurs diverses façons, selon que les parties de son cerveau sont disposées, sont comme des étrangers qui, entrant dans quelques-unes des grottes de ces fontaines, causent eux-mêmes sans y penser les mouvements qui s'y font en leur présence : car ils n'y peuvent entrer qu'en marchant sur certains carreaux tellement disposés, que, par exemple, s'ils approchent d'une Diane qui se baigne, ils la feront cacher dans des roseaux ; et s'ils passent plus outre pour la poursuivre, ils feront venir vers eux un Neptune qui les menacera de son trident ; ou s'ils vont de quelque autre côté, ils en feront sortir un monstre marin qui leur vomira de l'eau contre la face ; ou choses semblables, selon le caprice des ingénieurs qui les ont faites. Et enfin quand l'*âme raisonnable* [2] sera en cette machine, elle y aura

1. Ouvertures espacées le long d'une conduite d'eau et où se trouvent des robinets de distribution.
2. Cf. *Discours*, 5ᵉ partie, p. 71, note 2.

son siège principal dans le cerveau, et sera là comme
le fontenier, qui doit être dans les regards où se vont
rendre tous les tuyaux de ces machines, quand il veut
exciter, ou empêcher, ou changer en quelque façon
leurs mouvements.

IV

LETTRES

Au P. Mersenne

Fin novembre 1633.

... Je m'étais proposé de vous envoyer mon Monde pour ces étrennes, et il n'y a pas plus de quinze jours que j'étais encore tout résolu de vous en envoyer au moins une partie, si le tout ne pouvait être transcrit en ce temps-là; mais je vous dirai que, m'étant fait enquérir ces jours à Leyde et à Amsterdam si le *Système du Monde* [1] de Galilée n'y était point, à cause qu'il me semblait avoir appris qu'il avait été imprimé en Italie l'année passée, on m'a mandé qu'il était vrai qu'il avait été imprimé, mais que tous les exemplaires en avaient été brûlés à Rome au même temps, et lui condamné à quelque amende : ce qui m'a si fort étonné, que je me suis quasi résolu de brûler tous mes papiers ou du moins de ne les laisser voir à personne. Car je ne me suis pu imaginer que lui, qui est Italien et même bien voulu du Pape, ainsi que j'entends, ait pu être criminalisé pour autre chose, sinon qu'il aura sans doute voulu établir le mouvement de la Terre; lequel je sais bien avoir été autrefois censuré par quelques Cardinaux, mais je pensais avoir ouï dire que depuis on ne laissait pas de l'enseigner publiquement, même dans Rome; et je confesse que, s'il est faux, tous les fondements de ma Philosophie le

---

1. *Dialogo... sopra i due massimi sistemi del mondo tolemaïco e copernicano*, Florence, 1632 : Galilée y compare les deux systèmes du monde, pour conclure en faveur de Copernic, contre Ptolémée. La diffusion de l'ouvrage, paru en février, fut interdite en août; convoqué devant le Saint-Office en 1633, Galilée fut condamné à une résidence surveillée, l'empêchant de rien enseigner ni publier.

sont aussi, car il se démontre par eux évidemment. Et il est tellement lié avec toutes les parties de mon Traité, que je ne l'en saurais détacher, sans rendre le reste tout défectueux. Mais comme je ne voudrais pour rien du monde qu'il sortît de moi un discours, où il se trouvât le moindre mot qui fût désapprouvé de l'Eglise, aussi aimé-je mieux le supprimer, que de le faire paraître estropié. Je n'ai jamais eu l'humeur portée à faire des livres, et si je ne m'étais engagé de promesse envers vous et quelques autres de mes amis, afin que le désir de vous tenir parole m'obligeât d'autant plus à étudier, je n'en fusse jamais venu à bout. Mais, après tout, je suis assuré que vous ne m'enverriez point de sergent, pour me contraindre à m'acquitter de ma dette, et vous serez peut-être bien aise d'être exempt de la peine de lire de mauvaises choses. Il y a déjà tant d'opinions en Philosophie qui ont de l'apparence, et qui peuvent être soutenues en dispute, que si les miennes n'ont rien de plus certain et ne peuvent être approuvées sans controverse, je ne les veux jamais publier...

Au P. Mersenne

Avril 1634.

... Pour le mouvement de la Terre, je m'étonne qu'un homme d'Eglise en ose écrire, en quelque façon qu'il s'excuse; car j'ai vu une Patente sur la condamnation de Galilée, imprimée à Liége le 20 septembre 1633, où sont ces mots : *quamvis hypothetice a se illam proponi simularet* [1], en sorte qu'ils semblent même défendre qu'on se serve de cette hypothèse en l'Astronomie; ce qui me retient que je n'ose lui mander de mes pensées sur ce sujet. Aussi que, ne voyant point encore que cette censure ait été autorisée par le Pape ni par le Concile, mais

---

1. « Même s'il feignait de ne le proposer que comme hypothèse » : l'héliocentrisme et le mouvement de la terre, censurés en 1616, avaient été autorisés en 1620 par la Congrégation des Cardinaux, à condition de les présenter comme une simple hypothèse et non une vérité indubitable. La publication de l'ouvrage de Galilée durcit les choses. Le décret vu par Descartes date du 22 juin 1633. Mais depuis novembre, la position de Descartes s'est bien affermie : sa renonciation à publier *ses* raisons n'est que provisoire.

seulement par une Congrégation particulière des Cardinaux Inquisiteurs, je ne perds pas tout à fait espérance qu'il n'en arrive ainsi que des Antipodes, qui avaient été quasi en même sorte condamnés autrefois, et ainsi que mon Monde ne puisse voir le jour avec le temps ; auquel cas j'aurai besoin moi-même de me servir de mes raisons...

A HUYGENS

1er novembre 1635.

Monsieur,

Vous m'obligez au delà de tout ce que je saurais exprimer, et j'admire que, parmi tant d'occupations importantes, vous daigniez étendre vos soins jusques aux plus particulières circonstances qui concernent l'impression de la *Dioptrique*. C'est un excès de courtoisie et une franchise qui vous causera peut-être plus d'importunité que vous ne craignez. Car pour paiement de ce que je tâcherai de suivre de point en point les instructions que vous m'avez fait la faveur de me donner touchant ces choses extérieures, j'aurai l'effronterie de vous demander aussi vos corrections touchant le dedans de mes écrits avant que je les abandonne à un imprimeur, au moins si je puis vous trouver cet hiver en quelque séjour plus accessible que celui où vous êtes, et où j'aie moyen d'avoir audience. Trois matinées que j'ai eu l'honneur de converser avec vous m'ont laissé telle impression de l'excellence de votre esprit et de la solidité de vos jugements, que, sans rien déguiser de la vérité, je ne sache personne au reste du monde à qui je me fie tant qu'à vous, pour bien découvrir toutes mes fautes ; et votre bienveillance et la docilité que vous éprouverez en moi me font espérer que vous aimerez mieux que je les sache et que je les ôte, que non pas qu'elles soient vues par le public.

J'ai dessein d'ajouter les *Météores* à la *Dioptrique*, et j'y ai travaillé assez diligemment les deux ou trois premiers mois de cet été, à cause que j'y trouvais plusieurs difficultés que je n'avais encore jamais examinées, et que je démêlais avec plaisir. Mais il faut que je vous fasse

des plaintes de mon humeur; sitôt que je n'ai plus espéré
d'y rien apprendre, ne restant plus qu'à les mettre au net,
il m'a été impossible d'en prendre la peine, non plus que
de faire une Préface [1] que j'y veux joindre; ce qui sera
cause que j'attendrai encore deux ou trois mois, avant que
de parler au libraire...

Au P. Mersenne

Mars 1636.

Mon Révérend Père,

Il y a environ cinq semaines que j'ai reçu vos dernières du 18 janvier, et je n'avais reçu les précédentes
que quatre ou cinq jours auparavant. Ce qui m'a fait
différer de vous faire réponse, a été que j'espérais de
vous mander bientôt que j'étais occupé à faire imprimer.
Car je suis venu à ce dessein en cette ville [2]; mais les
Elzeviers qui témoignaient auparavant avoir fort envie
d'être mes libraires, s'imaginant, je crois, que je ne leur
échapperais pas lorsqu'ils m'ont vu ici, ont eu envie de
se faire prier, ce qui est cause que j'ai résolu de me passer
d'eux; et quoique je puisse trouver ici assez d'autres
libraires, toutefois je ne résoudrai rien avec aucun,
que je n'aie reçu de vos nouvelles, pourvu que je ne
tarde point trop à en recevoir. Et si vous jugez que mes
écrits puissent être imprimés à Paris plus commodément qu'ici, et qu'il vous plût d'en prendre soin, comme
vous m'avez obligé autrefois de m'offrir, je vous les
pourrai envoyer incontinent après la vôtre reçue. Seulement y a-t-il en cela de la difficulté, que ma copie n'est
pas mieux écrite que cette lettre, que l'orthographe ni
les virgules n'y sont pas mieux observées, et que les
figures n'y sont tracées que de ma main, c'est-à-dire très
mal; en sorte que, si vous n'en tirez l'intelligence du
texte pour les interpréter après au graveur, il lui serait
impossible de les comprendre. Outre cela, je serais bien

---

1. C'est la première mention du futur *Discours de la Méthode*. Il n'est
pas encore question de la *Géométrie* parmi les « essais ».
2. Leyde, ville des Elzevier. Descartes s'adressera finalement à un
autre imprimeur de Leyde, Jan Maire.

aise que le tout fût imprimé en fort beau caractère, et
de fort beau papier, et que le libraire me donnât du moins
deux cents exemplaires, à cause que j'ai envie d'en distribuer à quantité de personnes. Et afin que vous sachiez
ce que j'ai envie de faire imprimer, il y aura quatre
Traités, tous français, et le titre en général sera : *Le
Projet d'une Science universelle, qui puisse élever notre
nature à son plus haut degré de perfection. Plus, la Dioptrique, les Météores, et la Géométrie, où les plus curieuses
matières que l'auteur ait pu choisir, pour rendre preuve de
la Science universelle qu'il propose, sont expliquées en telle
sorte, que ceux mêmes qui n'ont point étudié les peuvent
entendre.* En ce *Projet* je découvre une partie de ma
Méthode, je tâche à démontrer l'existence de Dieu et de
l'âme séparée du corps, et j'y ajoute plusieurs autres
choses qui ne seront pas, je crois, désagréables au lecteur. En la *Dioptrique*, outre la matière des réfractions et
l'invention des lunettes, j'y parle aussi fort particulièrement de l'œil, de la lumière, de la vision, et de tout ce qui
appartient à la Catoptrique et à l'Optique [1]. Aux *Météores*,
je m'arrête principalement sur la nature du sel, les causes
des vents et du tonnerre, les figures de la neige, les couleurs de l'arc-en-ciel, où je tâche aussi à démontrer généralement quelle est la nature de chaque couleur, et les
couronnes ou *Halones*, et les Soleils ou *Parhelia*, semblables à ceux qui parurent à Rome il y a six ou sept ans [2].
Enfin, en la *Géométrie*, je tâche à donner une façon générale pour soudre tous les problèmes qui ne l'ont encore
jamais été. Et tout ceci ne fera pas, je crois, un volume
plus grand que de cinquante ou soixante feuilles [3]. Au
reste, je n'y veux point mettre mon nom, suivant mon
ancienne résolution; et je vous prie de n'en rien dire à
personne, si ce n'est que vous jugiez à propos d'en parler à quelque libraire, afin de savoir s'il aura envie de me
servir, sans toutefois achever, s'il vous plaît, de conclure
avec lui, qu'après ma réponse; et sur ce que vous me
ferez la faveur de me mander, je me résoudrai. Je serai

1. Cf. *Dioptrique*, disc. 6, p. 155, note 1.
2. Phénomène observé près de Rome le 20 mars 1629 par le P. Schei-
ner. Vers juillet, Descartes en reçut « une description assez ample »
et se mit aussitôt à « examiner par ordre tous les météores » (à Mersenne, 8 octobre 1629).
3. Feuilles d'impression : chaque feuille in-4° comprend 8 pages.
Le volume de 1637 comporte 78 pages pour le *Discours*, plus 413 pour
les « essais », et une longue table non paginée.

bien aise aussi d'employer tout autre, plutôt que ceux qui ont correspondance avec Elzevier, qui sans doute les en aura avertis, car il sait que je vous en écris...

AU P. MERSENNE

27 février 1637 (?)[1].

Je trouve que vous avez bien mauvaise opinion de moi, et que vous me jugez bien peu ferme et peu résolu en mes actions, de penser que je doive délibérer sur ce que vous me mandez de changer mon dessein, et de joindre mon premier *Discours* à ma Physique, comme si je la devais donner au libraire dès aujourd'hui à lettre vue. Et je n'ai su m'empêcher de rire, en lisant l'endroit où vous dites que j'oblige le monde à me tuer, afin qu'on puisse voir plus tôt mes écrits ; à quoi je n'ai autre chose à répondre, sinon qu'ils sont déjà en lieu et en état que ceux qui m'auraient tué ne les pourraient jamais avoir, et que, si je ne meurs fort à loisir et fort satisfait des hommes qui vivent, ils ne se verront assurément de plus de cent ans après ma mort.

Je vous ai beaucoup d'obligation des objections que vous m'écrivez, et je vous supplie de continuer à me mander toutes celles que vous ouïrez, et ce en la façon la plus désavantageuse pour moi qu'il se pourra ; ce sera le plus grand plaisir que vous me puissiez faire, car je n'ai point coutume de me plaindre pendant qu'on panse mes blessures, et ceux qui me feront la faveur de m'instruire et qui m'enseigneront quelque chose, me trouveront toujours fort docile.

Mais je n'ai su bien entendre ce que vous objectez touchant le titre ; car je ne mets pas *Traité de la Méthode*, mais *Discours de la Méthode*, ce qui est le même que *Préface* ou *Avis touchant la Méthode*, pour montrer que je n'ai pas dessein de l'enseigner, mais seulement d'en parler. Car, comme on peut voir de ce que j'en dis, elle

---

1. Date douteuse : Adam, après avoir proposé mars (éd. Adam-Tannery, t. I, p. 347) a suggéré celle-ci (éd. Adam-Milhaud, t. I, pp. 328-330 : peut-être juxtaposition de passages plus tardifs). C. de Waard (Correspondance de Mersenne, t. VI, p. 232) la repousse au moins jusqu'au 20 avril.

consiste plus en pratique qu'en théorie; et je nomme
les Traités suivants des *Essais* de cette Méthode, parce
que je prétends que les choses qu'ils contiennent n'ont
pu être trouvées sans elle, et qu'on peut connaître par
eux ce qu'elle vaut : comme aussi j'ai inséré quelque
chose de Métaphysique, de Physique et de Médecine
dans le premier *Discours*, pour montrer qu'elle s'étend
à toutes sortes de matières.

Pour votre seconde objection, à savoir que je n'ai pas
expliqué assez au long, d'où je connais que l'âme est
une substance distincte du corps, et dont la nature n'est
que de penser, qui est la seule chose qui rend obscure
la démonstration touchant l'existence de Dieu, j'avoue
que ce que vous en écrivez est très vrai, et aussi que cela
rend ma démonstration touchant l'existence de Dieu
malaisée à entendre. Mais je ne pouvais mieux traiter
cette matière, qu'en expliquant amplement la fausseté
ou l'incertitude qui se trouve en tous les jugements qui
dépendent du sens ou de l'imagination, afin de montrer
ensuite quels sont ceux qui ne dépendent que de l'entendement pur, et combien ils sont évidents et certains.
Ce que j'ai omis à dessein et par considération, et principalement à cause que j'ai écrit en langue vulgaire, de
peur que les esprits faibles, venant à embrasser d'abord
avidement les doutes et scrupules qu'il m'eût fallu proposer, ne pussent après comprendre en même façon les
raisons par lesquelles j'eusse tâché de les ôter, et ainsi
que je les eusse engagés dans un mauvais pas, sans peut-
être les en tirer. Mais il y a environ huit ans que j'ai
écrit en latin un commencement de Métaphysique, où
cela est déduit assez au long; et si l'on fait une version
latine de ce livre, comme on s'y prépare, je l'y pourrai
faire mettre. Cependant je me persuade que ceux qui
prendront bien garde à mes raisons touchant l'existence
de Dieu, les trouveront d'autant plus démonstratives,
qu'ils mettront plus de peine à en chercher les défauts, et
je les prétends plus claires en elles-mêmes qu'aucune des
démonstrations des géomètres; en sorte qu'elles ne me
semblent obscures qu'au regard de ceux qui ne savent
pas *abducere mentem à sensibus* [1] suivant ce que j'ai écrit en
la page 38.

Je vous ai une infinité d'obligations de la peine que

---

1. « Détacher l'esprit des sens » : cf. *Discours*, 4ᵉ partie, p. 64, et
la lettre qui suit.

vous vous offrez de prendre pour l'impression de mes
écrits; mais s'il y fallait quelque dépense, je n'aurais
garde de souffrir que d'autres que moi la fissent, et ne
manquerais pas de vous envoyer tout ce qu'il faudrait.
Il est vrai que je ne crois pas qu'il en fût grand besoin;
au moins y a-t-il eu des libraires qui m'ont fait offrir
un présent, pour leur mettre ce que je ferais entre les
mains, et cela dès auparavant même que je sortisse de
Paris, ni que j'eusse commencé à rien écrire. De sorte
que je juge qu'il y en pourra encore avoir d'assez fous
pour les imprimer à leurs dépens, et qu'il se trouvera
aussi des lecteurs assez faciles pour en acheter les exemplaires, et les relever de leur folie. Car, quoi que je fasse,
je ne m'en cacherai point comme d'un crime, mais seulement pour éviter le bruit, et me retenir la même liberté
que j'ai eue jusques ici; de sorte que je ne craindrai pas
tant, si quelques-uns savent mon nom; mais maintenant
je suis bien aise qu'on n'en parle point du tout, afin que
le monde n'attende rien, et que ce que je ferai ne soit
pas moindre que ce qu'on aurait attendu.

Je me moque avec vous des imaginations de ce chi-
miste dont vous m'écrivez, et crois que semblables chimères ne méritent pas d'occuper un seul moment les
pensées d'un honnête homme. Je suis, *etc.*

A ∗∗∗ 1

Fin mai 1637.

Monsieur,

J'avoue qu'il y a un grand défaut dans l'écrit que vous
avez vu, ainsi que vous le remarquez, et que je n'y ai pas
assez étendu les raisons par lesquelles je pense prouver
qu'il n'y a rien au monde qui soit de soi plus évident
et plus certain que l'existence de Dieu et de l'âme
humaine, pour les rendre faciles à tout le monde. Mais

1. L'édition Adam-Tannery présentait cette lettre comme adressée
à Silhon et datée de mars 1637 (t. I, p. 352), ou à l'abbé Delaunay,
avec date reculée jusqu'à juin. L'édition Adam-Milhaud retient
comme destinataires possibles les abbés Delaunay ou Chambon et
la date de fin mai (t. I, p. 354).

je n'ai osé tâcher de le faire, d'autant qu'il m'eût fallu expliquer bien au long les plus fortes raisons des sceptiques, pour faire voir qu'il n'y a aucune chose matérielle de l'existence de laquelle on soit assuré, et par même moyen accoutumer le lecteur à détacher sa pensée des choses sensibles; puis montrer que celui qui doute ainsi de tout ce qui est matériel, ne peut aucunement pour cela douter de sa propre existence; d'où il suit que celui-là, c'est-à-dire l'âme, est un être, ou une substance qui n'est point du tout corporelle, et que sa nature n'est que de penser, et aussi qu'elle est la première chose qu'on puisse connaître certainement. Même, en s'arrêtant assez longtemps sur cette méditation, on acquiert peu à peu une connaissance très claire, et si j'ose ainsi parler intuitive, de la nature intellectuelle en générale, l'idée de laquelle, étant considérée sans limitation, est celle qui nous représente Dieu, et limitée, est celle d'un Ange ou d'une âme humaine. Or il n'est pas possible de bien entendre ce que j'ai dit après de l'existence de Dieu, si ce n'est qu'on commence par là, ainsi que j'ai assez donné à entendre en la page 38 [1]. Mais j'ai eu peur que cette entrée, qui eût semblé d'abord vouloir introduire l'opinion des sceptiques, ne troublât les plus faibles esprits, principalement à cause que j'écrivais en langue vulgaire; de façon que je n'en ai même osé mettre le peu qui est en la page 32, qu'après avoir usé de préface. Et pour vous, Monsieur, et vos semblables, qui sont des plus intelligents, j'ai espéré que, s'ils prennent la peine, non pas seulement de lire, mais aussi de méditer par ordre les mêmes choses que j'ai dit avoir méditées, en s'arrêtant assez longtemps sur chaque point, pour voir si j'ai failli ou non, ils en tireront les mêmes conclusions que j'ai fait. Je serai bien aise, au premier loisir que j'aurai, de faire un effort pour tâcher d'éclaircir davantage cette matière, et d'avoir eu en cela quelque occasion de vous témoigner que je suis, *etc.*

1. Ci-dessus, *Discours*, p. 64 ; la page 32 de l'édition originale correspond au début de la 4e partie.

A Huygens

12 juin 1637.

Monsieur,

J'ai enfin reçu le Privilège de France que nous attendions, et qui a été cause que le libraire a tant tardé à imprimer la dernière feuille du livre que je vous envoie [1], et que je vous supplie très humblement vouloir présenter à Son Altesse [2], je n'ose dire au nom de l'auteur, à cause que l'auteur n'y est pas nommé et que je ne présume point que mon nom mérite de lui être connu, mais comme ayant été composé par une personne que vous connaissez, et qui est très dévote et affectionnée à son service. En effet, je puis dire que, dès lors que je me résolus de quitter mon pays et de m'éloigner de connaissance [3], afin de passer une vie plus douce et plus tranquille que je n'avais fait auparavant, je ne me fusse point avisé de me retirer en ces Provinces et de les préférer à quantité d'autres endroits où il n'y avait aucune guerre, et où la pureté et sécheresse de l'air semblait plus propre aux productions de l'esprit, si la grande opinion que j'avais de Son Altesse ne m'eût fait extraordinairement fier à sa protection et à sa conduite. Et depuis, ayant parfaitement joui du loisir et du repos que j'avais espéré de trouver ici à l'ombre de ses armes, je lui en ai très grande obligation, et pense que ce livre, qui ne contient que des fruits de ce repos, lui doit plus particulièrement être offert qu'à personne. C'est pourquoi, s'il vous plaît avoir agréable que ce soit par vos mains que je m'acquitte de cette dette, encore que la passion que je sais que vous avez pour son service ne me permette pas d'espérer que vous lui voulussiez présenter de mauvaise monnaie pour de bonne, la parfaite intelligence que vous avez de toutes choses, et la facilité avec

1. Le Privilège est daté du 4 mai 1637. Pour l'édition originale, Descartes en fit supprimer son nom et les éloges, qu'il jugeait excessifs. L'Achevé d'imprimer est du 6 juin.
2. Le Prince d'Orange, auquel Huygens avait promis de présenter l'ouvrage.
3. De mes connaissances (?).

laquelle vous concevez tout ce qu'il y a de plus obscur
en mes écrits, m'assurant que votre recommandation
augmentera de beaucoup leur valeur, je serai toute ma
vie, *etc.*

Au P. Vatier

22 février 1638.

Mon Révérend Père,

Je suis ravi de la faveur que vous m'avez faite, de voir
si soigneusement le livre de mes Essais, et de m'en
mander vos sentiments avec tant de témoignages de bienveillance. Je l'eusse accompagné d'une lettre en vous
l'envoyant, et eusse pris cette occasion de vous assurer
de mon très humble service, n'eût été que j'espérais le
faire passer par le monde sans que le nom de son auteur fût
connu; mais puisque ce dessein n'a pu réussir, je dois
croire que c'est plutôt l'affection que vous avez eue pour
le père, que le mérite de l'enfant, qui est cause du favorable accueil qu'il a reçu chez vous, et je suis très particulièrement obligé de vous en remercier. Je ne sais si
c'est que je me flatte de plusieurs choses extrêmement
à mon avantage, qui sont dans les deux lettres que j'ai
reçues de votre part, mais je vous dirai franchement,
que de tous ceux qui m'ont obligé de m'apprendre le
jugement qu'ils faisaient de mes écrits, il n'y en a aucun,
ce me semble, qui m'ait rendu si bonne justice que vous,
je veux dire si favorable, sans corruption, et avec plus
de connaissance de cause. En quoi j'admire que vos deux
lettres aient pu s'entresuivre de si près; car je les ai
presque reçues en même temps; et voyant la première
je me persuadais ne devoir attendre la seconde, qu'après
vos vacances de la S. Luc.

Mais afin que j'y réponde ponctuellement, je vous
dirai premièrement, que mon dessein n'a point été d'enseigner toute ma *Méthode* dans le discours où je la propose, mais seulement d'en dire assez pour faire juger que
les nouvelles opinions, qui se verraient dans la *Dioptrique* et dans les *Météores*, n'étaient point conçues à la
légère, et qu'elles valaient peut-être la peine d'être examinées. Je n'ai pu aussi montrer l'usage de cette Méthode

dans les trois Traités que j'ai donnés, à cause qu'elle prescrit un ordre pour chercher les choses, qui est assez différent de celui dont j'ai cru devoir user pour les expliquer. J'en ai toutefois montré quelque échantillon en décrivant l'arc-en-ciel, et si vous prenez la peine de le relire, j'espère qu'il vous contentera plus, qu'il n'aura pu faire la première fois; car la matière est de soi assez difficile. Or ce qui m'a fait joindre ces trois Traités au Discours qui les précède, est que je me suis persuadé qu'ils pourraient suffire, pour faire que ceux qui les auront soigneusement examinés, et conférés avec ce qui a été ci-devant écrit des mêmes matières, jugent que je me sers de quelqu'autre Méthode que le commun, et qu'elle n'est peut-être pas des plus mauvaises.

Il est vrai que j'ai été trop obscur en ce que j'ai écrit de l'existence de Dieu dans ce traité de la Méthode, et bien que ce soit la pièce la plus importante, j'avoue que c'est la moins élaborée de tout l'ouvrage; ce qui vient en partie de ce que je ne me suis résolu de l'y joindre que sur la fin, et lorsque le libraire me pressait. Mais la principale cause de son obscurité vient de ce que je n'ai osé m'étendre sur les raisons des sceptiques, ni dire toutes les choses qui sont nécessaires *ad abducendam mentem a sensibus*[1] : car il n'est pas possible de bien connaître la certitude et l'évidence des raisons qui prouvent l'existence de Dieu selon ma façon, qu'en se souvenant distinctement de celles qui nous font remarquer de l'incertitude en toutes les connaissances que nous avons des choses matérielles; et ces pensées ne m'ont pas semblé être propres à mettre dans un livre, où j'ai voulu que les femmes mêmes pussent entendre quelque chose, et cependant que les plus subtils trouvassent aussi assez de matière pour occuper leur attention. J'avoue aussi que cette obscurité vient en partie, comme vous avez fort bien remarqué, de ce que j'ai supposé que certaines notions, que l'habitude de penser m'a rendu familières et évidentes, le devaient être aussi à un chacun; comme par exemple, que nos idées ne pouvant recevoir leurs formes[2] ni leur être que de quelques objets extérieurs, ou de nous-mêmes, ne peuvent représenter aucune réalité

---

1. Pour détacher l'esprit des sens.
2. La *Méditation* III expliquera que la réalité formelle est l'*être* de l'idée comme mode de ma pensée, tandis que sa réalité représentative exige une cause dont le degré d'être, ou *perfection*, soit au moins équivalent à l'objet représenté.

ou perfection, qui ne soit en ces objets, ou bien en nous, et semblables; sur quoi je me suis proposé de donner quelque éclaircissement dans une seconde impression.

J'ai bien pensé que ce que j'ai dit avoir mis en mon Traité de la Lumière, touchant la création de l'Univers, serait incroyable; car il n'y a que dix ans, que je n'eusse pas moi-même voulu croire que l'esprit humain eût pu atteindre jusqu'à de telles connaissances, si quelque autre l'eût écrit. Mais ma conscience, et la force de la vérité m'a empêché de craindre d'avancer une chose, que j'ai cru ne pouvoir omettre sans trahir mon propre parti, et de laquelle j'ai déjà ici assez de témoins. Outre que si la partie de ma *Physique* qui est achevée et mise au net il y a déjà quelque temps, voit jamais le jour, j'espère que nos neveux n'en pourront douter.

Je vous ai obligation du soin que vous avez pris d'examiner mon opinion touchant le mouvement du cœur; si votre Médecin a quelques objections à y faire, je serai très aise de les recevoir, et ne manquerai pas d'y répondre. Il n'y a que huit jours que j'en ai reçu sept ou huit sur la même matière d'un professeur en médecine de Louvain, qui est de mes amis, auquel j'ai renvoyé deux feuilles de réponse, et je souhaiterais que j'en puisse recevoir de même façon, touchant toutes les difficultés qui se rencontrent en ce que j'ai tâché d'expliquer; je ne manquerais pas d'y répondre soigneusement, et je m'assure que ce serait sans désobliger aucun de ceux qui me les auraient proposées. C'est une chose que plusieurs ensemble pourraient plus commodément faire qu'un seul, et il n'y en a point qui le pussent mieux, que ceux de votre Compagnie. Je tiendrais à très grand honneur et faveur, qu'ils voulussent en prendre la peine; ce serait sans doute le plus court moyen pour découvrir toutes les erreurs, ou les vérités de mes écrits.

Pour ce qui est de la Lumière, si vous prenez garde à la troisième page de la *Dioptrique*, vous verrez que j'ai mis là expressément que je n'en parlerai que par hypothèse; et en effet, à cause que le traité qui contient tout le corps de ma physique porte le nom *De la Lumière*, et qu'elle est la chose que j'y explique le plus amplement et le plus curieusement de toutes, je n'ai point voulu mettre ailleurs les mêmes choses que là, mais seulement en représenter quelque idée par des comparaisons et des ombrages, autant qu'il m'a semblé nécessaire pour le sujet de la *Dioptrique*.

Je vous suis obligé de ce que vous témoignez être bien aise, que je ne me sois pas laissé devancer par d'autres en la publication de mes pensées; mais c'est de quoi je n'ai jamais eu aucune peur : car outre qu'il m'importe fort peu, si je suis le premier ou le dernier à écrire les choses que j'écris, pourvu seulement qu'elles soient vraies, toutes mes opinions sont si jointes ensemble, et dépendent si fort les unes des autres, qu'on ne s'en saurait approprier aucune sans les savoir toutes. Je vous prie de ne point différer de m'apprendre les difficultés que vous trouvez en ce que j'ai écrit de la réfraction, ou d'autre chose; car d'attendre que mes sentiments plus particuliers touchant la Lumière soient publiés, ce serait peut-être attendre longtemps. Quant à ce que j'ai supposé au commencement des *Météores*, je ne le saurais démontrer *a priori*, sinon en donnant toute ma Physique; mais les expériences que j'en ai déduites nécessairement, et qui ne peuvent être déduites en même façon d'aucuns autres principes, me semblent le démontrer assez *a posteriori*. J'avais bien prévu que cette façon d'écrire choquerait d'abord les lecteurs, et je crois que j'eusse pu aisément y remédier, en ôtant seulement le nom de suppositions aux premières choses dont je parle, et ne les déclarant qu'à mesure que je donnerais quelques raisons pour les prouver; mais je vous dirai franchement que j'ai choisi cette façon de proposer mes pensées, tant parce que croyant le pouvoir déduire par ordre des premiers principes de ma Métaphysique, j'ai voulu négliger toutes autres sortes de preuves; que parce que j'ai désiré essayer si la seule exposition de la vérité serait suffisante pour la persuader, sans y mêler aucunes disputes ni réfutations des opinions contraires. En quoi ceux de mes amis qui ont lu le plus soigneusement mes Traités de *Dioptrique* et des *Météores*, m'assurent que j'ai réussi : car bien que d'abord ils n'y trouvassent pas moins de difficulté que les autres, toutefois après les avoir lus et relus trois ou quatre fois, ils disent n'y trouver plus aucune chose qui leur semble pouvoir être révoquée en doute. Comme en effet il n'est pas toujours nécessaire d'avoir des raisons *a priori* pour persuader une vérité; et Thalès [1], ou qui que ce soit, qui a dit le premier que la Lune reçoit sa lumière du Soleil, n'en a donné

---

1. Thalès de Milet, célèbre pour avoir prévu une éclipse totale de soleil en 585 avant J.-C.

sans doute aucune preuve, sinon qu'en supposant cela, on explique fort aisément toutes les diverses faces de sa lumière : ce qui a été suffisant pour faire que, depuis, cette opinion ait passé par le monde sans contredit. Et la liaison de mes pensées est telle, que j'ose espérer qu'on trouvera mes principes aussi bien prouvés par les conséquences que j'en tire, lorsqu'on les aura assez remarquées pour se les rendre familières, et les considérer toutes ensemble, que l'emprunt que la lune fait de sa lumière est prouvé par ses croissances et décroissances.

Je n'ai plus à vous répondre que touchant la publication de ma *Physique* et *Métaphysique*, sur quoi je vous puis dire en un mot, que je la désire autant ou plus que personne, mais néanmoins avec les conditions sans lesquelles je serais imprudent de la désirer. Et je vous dirai aussi que je ne crains nullement au fond qu'il s'y trouve rien contre la foi; car, au contraire, j'ose me vanter que jamais elle n'a été si fort appuyée par les raisons humaines, qu'elle peut être si l'on suit mes principes : et particulièrement la Transsubstantiation, que les Calvinistes reprennent comme impossible à expliquer par la Philosophie ordinaire, est très facile par la mienne. Mais je ne vois aucune apparence que les conditions qui peuvent m'y obliger s'accomplissent, au moins de longtemps ; et me contentant de faire de mon côté tout ce que je crois être de mon devoir, je me remets du reste à la Providence qui régit le monde ; car sachant que c'est elle qui m'a donné les petits commencements dont vous avez vu des essais, j'espère qu'elle me fera la grâce d'achever, s'il est utile pour sa gloire ; et s'il ne l'est pas, je me veux abstenir de le désirer.

Au reste je vous assure que le plus doux fruit que j'aie recueilli jusqu'à présent de ce que j'ai fait imprimer, est l'approbation que vous m'obligez de me donner par votre lettre ; car elle m'est particulièrement chère et agréable, parce qu'elle vient d'une personne de votre mérite et de votre robe, et du lieu même où j'ai eu le bonheur de recevoir toutes les instructions de ma jeunesse, et qui est le séjour de mes maîtres envers lesquels je ne manquerai jamais de reconnaissance. Et je suis, *etc.*

TABLE DES MATIÈRES

Chronologie 7
Préface 17
Sommaire bibliographique 27

DISCOURS DE LA MÉTHODE

Première partie 33
Seconde partie 41
Troisième partie 51
Quatrième partie 59
Cinquième partie 67
Sixième partie 83

LA DIOPTRIQUE

Discours premier. De la lumière 99
Discours second. De la réfraction 109
Discours troisième. De l'œil 121
Discours quatrième. Des sens en général . . . 125
Discours cinquième. Des images qui se forment
sur le fond de l'œil 131
Discours sixième. De la vision 143
Discours septième. Des moyens de perfectionner
la vision *(extrait)* 159
Discours dixième. De la façon de tailler les
verres *(extrait)* 163

LES MÉTÉORES

Discours premier. De la nature des corps terrestres 167
Discours sixième. De la neige... *(extrait)* . . 176
Discours huitième. De l'arc-en-ciel 185

APPENDICE

I. EXTRAITS DE LA VIE DE M. DESCARTES PAR BAILLET :
1. Les études à La Flèche 203
2. Le commencement de l'hiver 1619 : les
songes du 10 novembre 206

3 Les voyages : une « expérience » de Descartes   212
4. Descartes est engagé « à travailler tout de
bon à sa Philosophie ».   214
5. Quelques machineries cartésiennes. . . .   217

II. LE MONDE OU TRAITÉ DE LA LUMIÈRE
Chapitre premier. De la différence qui est entre
nos sentiments et les choses qui les produisent. .   221
Chapitre VI. Description d'un nouveau Monde ;
et des qualités de la matière dont il est composé. .   224
Chapitre VII. Des lois de la Nature de ce nouveau
Monde (extraits).   228

III. L'HOMME (début : extraits sur la « machine » du corps)   231

IV. LETTRES
Au Père Mersenne, fin novembre 1633 (extrait) .   235
Au Père Mersenne, avril 1634 (extrait).   236
A Huygens, 1er novembre 1635 (extrait). . .   237
Au Père Mersenne, mars 1636 (extrait).   238
Au Père Mersenne, 27 février 1637 (?)   240
A ★★★, fin mai 1637.   242
A Huygens, 12 juin 1637.   244
Au Père Vatier, 22 février 1638   245

ANTHOLOGIES POÉTIQUES FRANÇAISES MOYEN AGE, 1 (153) - MOYEN AGE, 2 (154) - XVIᵉ SIÈCLE, 1 (45) - XVIᵉ SIÈCLE, 2 (62) - XVIIᵉ SIÈCLE, 1 (74) - XVIIᵉ SIÈCLE, 2 (84) - XVIIIᵉ SIÈCLE (101)

Dictionnaire anglais-français, français-anglais (1) - Dictionnaire espagnol-français, français-espagnol (2) - Dictionnaire italien-français, français-italien (9) - Dictionnaire allemand-français, français-allemand (10) - Dictionnaire latin-français (123) - Dictionnaire français-latin (124) - Dictionnaire Micro Robert (268) - Dictionnaire orthographique (276) - Dictionnaire des synonymes et antonymes (284)

ANDERSEN Contes (230)

ARISTOPHANE Théâtre complet, 1 (115) - Théâtre complet, 2 (116)

ARISTOTE Ethique de Nicomaque (43)

AUBIGNÉ Les Tragiques (190)

BALZAC Eugénie Grandet (3) - Le Médecin de campagne (40) - Une fille d'Eve (48) - La Femme de trente ans (69) - Le Contrat de mariage (98) - Illusions perdues (107) - Le Père Goriot (34) - Le Curé de village (146) - Pierrette (145) - Le Curé de Tours - La Grenadière - L'Illustre Gaudissart (165) - Splendeurs et Misères des courtisanes (175) - Physiologie du mariage (187) - Les Paysans (224) - La Peau de chagrin (242) - Le Lys dans la vallée (254)

BARBEY D'AUREVILLY Le Chevalier des Touches (63) - L'Ensorcelée (121) - Les Diaboliques (149)

BAUDELAIRE Les Fleurs du mal et autres poèmes (7) - Les Paradis artificiels (89) - Petits Poèmes en prose (Le Spleen de Paris) (136) - L'Art romantique (172)

BEAUMARCHAIS Théâtre (76)

BERLIOZ Mémoires, 1 (199) - Mémoires, 2 (200)

BERNARD Introduction à l'étude de la médecine expérimentale (85).

BERNARDIN DE SAINT-PIERRE Paul et Virginie (87)

BOILEAU Œuvres, 1 (205) - Œuvres, 2 (206)

BOSSUET Discours sur l'histoire universelle (110) - Sermon sur la mort et autres sermons (231)

BUSSY-RABUTIN Histoire amoureuse des Gaules (130)

CERVANTÈS L'Ingénieux Hidalgo Don Quichotte de la Manche, 1 (196) - L'Ingénieux Hidalgo Don Quichotte de la Manche, 2 (197)

CÉSAR La Guerre des Gaules (12)

CHAMFORT Produits de la civilisation perfectionnée - Maximes et pensées - Caractères et anecdotes (188)

CHATEAUBRIAND Atala - René (25) - Génie du christianisme, 1 (104) - Génie du christianisme, 2 (105) - Itinéraire de Paris à Jérusalem (184) - Vie de Rancé (195)

CICÉRON De la république - Des lois (38) - De la vieillesse - De l'amitié - Des devoirs (156)

COLETTE La Naissance du jour (202) - Le Blé en herbe (218)

COMTE Catéchisme positiviste (100)

CONSTANT Adolphe (80)

CORNEILLE Théâtre complet, 1 (179)

COURTELINE Théâtre (65) - Messieurs les Ronds-de-cuir (106) - Les Gaîtés de l'escadron (247)

CYRANO DE BERGERAC Voyage dans la Lune (L'Autre Monde ou les Etats et Empires de la Lune), suivi de Lettres diverses (232)

DAUDET Aventures prodigieuses de Tartarin de Tarascon (178) - Lettres de mon moulin (260)

DESCARTES Discours de la méthode, suivi d'extraits de la Dioptrique, des Météores, du Monde, de l'Homme, et de Lettres et de la Vie de Descartes par Baillet (109)

DIDEROT Entretien entre d'Alembert et Diderot - Le Rêve de d'Alembert - Suite de l'Entretien (53) - Le Neveu de Rameau (143) - Entretiens sur le fils naturel - Paradoxe sur le comédien (164) - La Religieuse, suivie des extraits de la Correspondance littéraire de Grimm (177) - Les Bijoux indiscrets (192) - Jacques le Fataliste (234) - Supplément au voyage de Bougainville - Pensées philosophiques - Lettre sur les aveugles (252)

DIOGÈNE LAËRCE Vie, Doctrines et Sentences des philosophes illustres, 1 : Livres 1 à 5 (56) - Vie, Doctrines et Sentences des philosophes illustres, 2 : Livres 6 à 10 (77)

DOSTOÏEVSKI Crime et Châtiment, 1 (78) - Crime et Châtiment, 2 (79)

DU BELLAY Les Antiquités de Rome - Les Regrets (245)

DUMAS Les Trois Mousquetaires (144) - Vingt ans après, 1 (161) - Vingt ans après, 2 (162)

ÉPICTÈTE Voir MARC - AURÈLE (16)

ÉRASME Eloge de la folie, suivi de la Lettre d'Erasme à Dorpius (36)

ESCHYLE Théâtre complet (8)

EURIPIDE Théâtre complet, 1 (46) - Théâtre complet, 2 (93) - Théâtre complet, 3 (99) - Théâtre complet, 4 (122)

FÉNELON Les Aventures de Télémaque (168)

FLAUBERT Salammbô (22) - Trois contes (42) - Madame Bovary, suivie des Actes du procès (86) - Bouvard et Pécuchet, suivi du Dictionnaire des idées reçues (103) - La Tentation de saint Antoine (131) - L'Education sentimentale (219)

FROMENTIN Dominique (141)

GAUTIER Mademoiselle de Maupin (102) - Le Roman de la momie (118) - Le Capitaine Fracasse (249)

GŒTHE Faust (24) - Les Souffrances du jeune Werther (169)

GOGOL Récits de Pétersbourg (189)

HOMÈRE L'Iliade (60) - L'Odyssée (64)

HORACE Œuvres : Odes - Chant séculaire - Epodes - Satires - Epîtres - Art poétique (159)

HUGO Quatrevingt-Treize (59) - Les Chansons des rues et des bois (113) - Les Misérables, 1 (125) - Les Misérables, 2 (126) - Les Misérables, 3 (127) - Notre-Dame de Paris (134) - La Légende des siècles, 1 (157) - La Légende des siècles, 2 (158) - Odes et Ballades - Les Orientales (176) - Cromwell (185) - Les Feuilles d'automne, Les Chants du crépuscule (235)

KANT Critique de la raison pure (257)

LA BRUYÈRE Les Caractères précédés des Caractères de THÉOPHRASTE, suivis du Discours de réception à l'Académie (72)

LACLOS Les Liaisons dangereuses (13)

LA FAYETTE La Princesse de Clèves (82)

LA FONTAINE Fables (95)

LAMARTINE Jocelyn (138)

LAUTRÉAMONT Œuvres complètes : Les Chants de Maldoror - Poésies et Lettres (208)

LEIBNIZ Nouveaux Essais sur l'entendement humain (92) - Essais de Théodicée sur la bonté de Dieu, la liberté de l'homme et l'origine du mal (209)

LUCRÈCE De la nature (30)

MALHERBE Œuvres poétiques (251)

MARC - AURÈLE Pensées pour moi-même, suivies du Manuel d'ÉPICTÈTE (16)
MARIVAUX Le Paysan parvenu (73)
MAROT Œuvres poétiques (259)
MARX Le Capital, 1 (213)
MAUPASSANT Contes de la Bécasse (272) - Une vie (274) - Mademoiselle Fifi (277) - Le Rosier de Madame Husson (283)
MELVILLE Moby Dick (236)
MÉRIMÉE Colomba (32) - Théâtre de Clara Gazul, suivi de La Famille de Carvajal (173) - Les Ames du Purgatoire - Carmen (263)
MICHELET La Sorcière (83)
MILL L'Utilitarisme (183)
MOLIÈRE Œuvres complètes, 1 (33) - Œuvres complètes, 2 (41) - Œuvres complètes, 3 (54) Œuvres complètes, 4 (70)
MONTAIGNE Essais : Livre 1 (210) - Livre 2 (211) - Livre 3 (212)
MONTESQUIEU Lettres persanes (19) - Considérations sur les causes de la grandeur des Romains et de leur décadence (186)
MUSSET Théâtre, 1 (5) - Théâtre, 2 (14)
NERVAL Les Filles du feu - Les Chimères (44) - Promenades et souvenirs - Lettres à Jenny - Pandora - Aurélia (250)
OVIDE Les Métamorphoses (97)
PASCAL Lettres écrites à un provincial (151) - Pensées (266)
PENSEURS GRECS AVANT SOCRATE De Thalès de Milet à Prodicos de Céos (31)
PLATON Le Banquet - Phèdre (4) - Apologie de Socrate - Criton - Phédon (75) - La République (90) - Premiers Dialogues : Second Alcibiade - Hippias mineur - Premier Alcibiade - Euthyphron - Lachès - Charmide - Lysis - Hippias majeur - Ion (129) - Protagoras - Euthydème - Gorgias - Ménexène - Ménon - Cratyle (146) - Théétète - Parménide (163) - Sophiste - Politique - Philèbe - Timée - Critias (203)
POE Histoires extraordinaires (39) - Nouvelles Histoires extraordinaires (55) - Histoires grotesques et sérieuses (114)
PRÉVOST Histoire du chevalier des Grieux et de Manon Lescaut (140)
PROUDHON Qu'est-ce que la propriété ? (91)
RABELAIS La Vie très horrifique du grand Gargantua (180) - Pantagruel roy des Dipsodes,

restitué à son naturel avec ses faicts et prouesses espovantables (217) - Le Tiers livre des faicts et dicts héroïques du bon Pantagruel (225) - Le Quart livre des faicts et dicts héroïques du bon Pantagruel (240)
RACINE Théâtre complet, 1 (27) - Théâtre complet, 2 (37)
RENAN Souvenirs d'enfance et de jeunesse (265)
RENARD Poil de carotte (58) - Histoires naturelles (150)
RÉTIF DE LA BRETONNE La Paysanne pervertie (253)
RIMBAUD Œuvres poétiques (20)
ROUSSEAU Les Rêveries du promeneur solitaire (23) - Du Contrat social (90) - Emile ou de l'éducation (117) - Julie ou la Nouvelle Héloïse (148) - Lettre à M. d'Alembert sur les spectacles (160) - Les Confessions, 1 (181) - Les Confessions, 2 (182) - Discours sur les sciences et les arts - Discours sur l'origine de l'inégalité (243)
SADE Les Infortunes de la vertu (214)
SAINT AUGUSTIN Les Confessions (21)
SAINTE-BEUVE Volupté (204)
SALLUSTE Conjuration de Catilina - Guerre de Jugurtha - Histoires (174)
SAND La Mare au diable (35) - La Petite Fadette (155) - Mauprat (201) - Lettres d'un voyageur (241)
SHAKESPEARE Richard III - Roméo et Juliette - Hamlet (6) - Othello - Le Roi Lear - Macbeth (17) - Le Marchand de Venise - Beaucoup de bruit pour rien - Comme il vous plaira (29) - Les Deux Gentilshommes de Vérone - La Mégère apprivoisée - Peines d'amour perdues (47) - Titus Andronicus - Jules César-Antoine et Cléopâtre - Coriolan (96) - Le Songe d'une nuit d'été - Les Joyeuses Commères de Windsor - Le Soir des Rois (96)
SOPHOCLE Théâtre complet (18)
SPINOZA Œuvres, 1 (34) - Œuvres, 2 (50) - Œuvres 3, (57) - Œuvres, 4 (108)
STAËL De l'Allemagne, 1 (166) - De l'Allemagne, 2 (167)
STENDHAL Le Rouge et le Noir (11) - La Chartreuse de Parme (26) - De l'Amour (49) - Armance ou quelques scènes d'un salon de Paris en 1827 (137) - Racine et Shakespeare (226)

TACITE Annales (71)
THÉOPHRASTE Voir LA BRUYÈRE (72)
THUCYDIDE Histoire de la guerre du Péloponnèse, 1 (81) - Histoire de la guerre du Péloponnèse, 2 (88)
TOURGUENIEV Premier amour (275)
VALLÈS L'Enfant (193) - Le Bachelier (221) - L'Insurgé (223)
VERLAINE Fêtes galantes - Romances sans paroles - La Bonne Chanson - Ecrits sur Rimbaud (285)
VIGNY Chatterton - Quitte pour la peur (171)
VILLEHARDOUIN La Conquête de Constantinople (215)
VILLON Œuvres poétiques (52)
VIRGILE L'Enéide (51) - Les Bucoliques - Les Géorgiques (128)
VOLTAIRE Lettres philosophiques (15) - Dictionnaire philosophique (28) - Romans et Contes (111) - Le Siècle de Louis XIV 1 (119) - Le Siècle de Louis XIV 2 (120) - Histoire de Charles XI (170)
VORAGINE La Légende dorée 1 (132) - La Légende dorée, 2 (133)
XÉNOPHON Œuvres complètes 1 (139) - Œuvres complètes, 2 (142) - Œuvres complètes, 3 (152)
ZOLA Germinal (191) - Nana (194) - L'Assommoir (198) - Pot Bouille (207) - La Fortune des Rougon (216) - L'Affaire Dreyfus (La Vérité en marche) (220) - La Curée (227) - Thérèse Raquin (229) - Ecrits sur l'art - Mon Salon - Manet (238) - Au Bonheur des Dames (239) - Contes à Ninon (244) - Le Roman expérimental (248) - Le Ventre de Paris (246) - La Faute de l'abbé Mouret (249) - La Conquête de Plassans (255) - La Bête humaine (258) - Un page d'amour (262) - Son Excellence Eugène Rougon (264) - La Terre (267) - L'Argent (271) - La Joie de vivre (275) - L'Œuvre (278) Le Rêve (279) - Le Docteur Pascal (280) - La Débâcle (281)

★★★ Les Mille et Une Nuits, 1 (66) - Les Mille et Une Nuits, 2 (67) - Les Mille et Une Nuits, 3 (68)
★★★ Les Constitutions de France depuis 1789 (228)
★★★ Le Coran (237)
★★★ Le Roman de Renart (233)
★★★ Aucassin et Nicolet (261)
★★★ Le Roman de la Rose (270)

GF — TEXTE INTÉGRAL — GF

7538-1979. — Impr.-Reliure Maison Mame, Tours.
Nº d'édition 10175. — 3ᵉ trimestre 1966. — PRINTED IN FRANCE.